챗GPT로
퍼스널 브랜딩에서
수익화까지

챗GPT로
퍼스널 브랜딩에서
수익화까지

| 완벽가이드 |

김윤경 허민 지음

프롤로그

챗GPT로 자신만의 브랜드를 구축하고 수익을 만들자

우리가 걸어가는 현대 세계는 끊임없이 파도처럼 변화를 겪고 있습니다. 이러한 변화의 중심에는 기술의 진보가 있습니다. 그중에서도 챗GPT와 같은 생성형 인공지능은 우리의 일상과 업무 환경에 깊은 영향을 미치며 새로운 패러다임을 제시하고 있습니다. 인공지능의 발전은 희망과 두려움을 동시에 가져왔습니다. 어떤 이들에게는 무한한 가능성을, 또 어떤 이들에게는 직업의 불확실성과 같은 불안감을 안겨주었죠.

하지만 이러한 기술 변화 앞에서 뒤로 물러서거나 두려워하는 것보다는 이를 자신의 힘으로 적극적으로 활용하고 나의 가치를 더욱 빛나게 해야 합니다. 이 시점에서 퍼스널 브랜딩은 우리에게 가장 효과적인 대응 전략 중 하나로 보입니다.

이 책은 시대의 변화 속에서 자신만의 브랜드 가치를 어떻게 구축하고 수익을 만들 수 있는지에 대한 깊은 고민과 방법에 대한 탐색 과정을 담고 있습니다.

이 책은 5부로 구성되어 있습니다. 1부에서는 챗GPT의 탄생과 그로 인해 발생한 시장과 사회의 변화를 세밀하게 살펴봅니다. 이를 통해 인공지능의 혁신적인 변화와 그에 따른 사회적 영향을 깊이 이해할 수 있습니다. 2부에서는 챗GPT와 퍼스널 브랜딩의 결합을 중점으로 설명하며 강력한 브랜드 이미지를 어떻게 구축할 수 있는지에 대한 전략을 제시합니다. 3부에서는 마케팅의 신세계를 열어주는 챗GPT의 활용법에 관해 상세히 소개하며 그 효과를 최대화하는 방법을 공유합니다. 4부에서는 일상의 마케팅 활동을 혁신적으로 바꿔놓을 챗GPT의 다양한 활용 케이스를 선보입니다. 마지막으로 5부에서는 챗GPT를 활용한 패시브 인컴 구축 방법을 상세히 알려줍니다. 인공지능과 함께 성장하는 길을 향해 직접 발걸음을 내딛도록 안내해 드립니다.

아마도 우리 모두 한 번쯤은 '이 시대에서 나는 어떤 가치를 지닐 수 있을까?' 혹은 '내 전문성이 어디에 활용될 수 있을까?'라는 생각을 해보았을 것입니다. 이러한 궁금증의 해답은 바로 변화의 소용돌이에 휩쓸리지 않고 나만의 중심을 명확히 가져가는 과정에서 찾을 수 있습니다.

변화는 선택이 아닌 필연입니다. 그리고 그 변화 앞에서 우리는 주체가 되어야 합니다. 이 책은 여러분이 그 주체로서의 역할을 하는 데 도움을 줄 것입니다. 변화의 시작을 이 책과 함께하길 바랍니다.

뜨거운 열정과 긍정의 에너지로 미래를 향해 나아갈 준비가 되셨다면 이 책이 그 첫 발걸음을 돕는 지침서가 되기를 바랍니다. 지금 여러분의 미래를 위한 변화와 성장의 여정을 시작하시길 진심으로 응원합니다!

2023년 9월
김윤경, 허민

2부 챗GPT 시대 퍼스널 브랜딩의 부상 • 37

1부

챗GPT 도구를 사용하는
인류의 탄생

ChatGPT

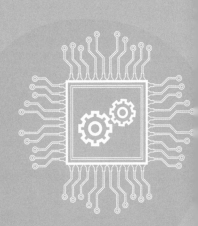

1장

챗GPT로 촉발된 혁신과 기회

챗GPT는 출시 이후 연일 화제를 낳고 있습니다. 최근 우리에게 엄청난 충격을 주고 괄목할 만한 혁신을 일으킨 기술 변곡점을 단 하나 꼽으라고 한다면 챗GPT입니다.

1장에서는 챗GPT 탄생으로 발생한 기술과 다양한 산업계의 지각변동을 다루고자 합니다. 먼저 챗GPT가 무엇이고 출시 이후 빠르게 업그레이드되면서 어떤 변화가 있었는지 알아봅니다. 그리고 왜 그렇게 챗GPT에 관심이 높은지, 챗GPT가 가져온 경제적 효과는 어떤지, 그리고 챗GPT를 활용한 비즈니스 모델을 운영하며 수익을 창출하는 사례들을 살펴보겠습니다.

챗GPT 출현과 그 이후 우리 일상에서 일어나는 빠른 변화를 이해하고 이를 기반으로 미래 가능성에 대해서도 함께 생각해보는 시간을 갖고자 합니다.

GPT 사피엔스 시대가
시작된다

챗GPT 정의, 탄생 배경, 특징

오픈AI에서 개발한 챗GPT는 GPT 기술을 기반으로 하여 인간과 대화할 수 있는 인공지능 챗봇입니다. 챗GPT의 '챗chat'은 대화한다는 뜻이고 'GPT'는 미리 학습된 생성 변환기Generated Pre-trained Transformer라는 뜻입니다. GPT는 오픈AI에서 개발한 언어모델로 많은 양의 텍스트 데이터를 미리 학습한 후에 새로운 텍스트를 생성할 수 있는 인공지능입니다.

예를 들어 GPT는 주어진 문장에 이어서 적절한 문장을 쓰거나, 주어진 주제에 대해 글을 쓰거나, 주어진 질문에 대해 답변을 할 수 있습니다. GPT가 생성한 텍스트는 인간이 쓴 글과 구분하기 어렵다는 평가를 받고 있습니다. 챗GPT는 인간과의 대화를 통해 새로운 지식을 습득하고, 인간의 감정을 파악하거나 인간의 창의성을 자극하고, 인간의 요구를 충족시키기 위해 도움을 주거나 인간의 취미나 관심사에 맞는 콘텐츠를 제공할 수도 있습니다.

챗GPT의 탄생 배경을 살펴보겠습니다. 오픈AI는 2018년부터 GPT 시리즈를 개발해왔고 2020년 6월에 챗GPT-3를 공개했습니다. GPT의 세 번째 버전이라는 의미입니다. 챗GPT-2보다 훨씬 많은 양의 텍스트 데이터를 학습했고 그 결과로 훨씬 더 다양하고 정교하고 자연스러운 대화를 할 수 있게 됐습니다. 챗GPT-3는 세계적으로 감탄과 환호를 받으며 기술의 역사의 혁신으로 평가됐습니다.

챗GPT-3.5는 2022년 11월 30일에 공식적으로 발표되었으며 대형 언어 모델 GPT-3의 개선판입니다. 챗GPT는 사용자의 질문에 대해 단순한 답변을 제공하는 것뿐만 아니라 후속 질문에도 응답하거나, 오류를 인정하거나, 잘못된 전제를 반박하거나, 부적절한 요청을 거절하는 등의 대화 기능이 있습니다. 또한 창의적이고 혁신적인 내용을 생성할 수 있어 사용자들에게 높은 만족도와 재미를 제공합니다. 인공지능 챗봇 분야에서 혁신적인 모델로 평가받으며 다양한 분야에서 활용될 수 있는 잠재력을 가지고 있습니다.

그 후로 2023년 3월 14일에 GPT-3.5의 업그레이드 GPT-4가 출시되면서 더욱 많은 양의 데이터를 학습하고 더욱 높은 수준의 텍스트 생성과 대화 능력을 보여주고 있습니다. 챗GPT는 인간과 인공지능의 관계와 소통을 완전히 바꾸었고 빠르게 우리 일상과 사회와 문화에 깊은 영향을 미치고 있습니다.

챗GPT가 텍스트를 생성하는 방법을 간단하게 설명해보겠습니다. GPT는 텍스트를 생성할 때 트랜스포머Transformer라는 모델을 사용합니다. 트랜스포머는 텍스트를 작은 조각으로 나눠서 숫자로 바꾸고 이 숫자를 서로 잘 맞추고 섞는 방식으로 텍스트를 이해하고 생성합니다. 트랜스포머 모델은 어텐션Attention이라는 기술을 씁니다. 어텐션 기술은 텍스트의 각 조각이 서로 얼마나 관련이 있는지를 자세히 살펴서 중요한 부분을 기준으로 텍스트를 다시 생성합니다. 다시 말해 텍스트가 무슨 말을 하려고 하는지를 잘 파악하는 기술입니다.

GPT는 이런 트랜스포머 모델을 미리 학습합니다. 미리 학습한다는 건 인터넷에 있는 많은 글을 미리 읽어보고 트랜스포머 모델을 잘 맞춰주는 것입니다. 모델을 잘 맞춰주기 위해서는 여러 가지 값이 필요한데 이 값들을 파라미터라고 합니다. GPT는 이렇게 미리 학습한 모델로 새로운 텍스트를 만들 수 있습니다. 이때 GPT는 주어진 텍스트에 이어서 어떤 텍스트가 올지 맞추는 방식으로 텍스트를 생성합니다. 예를 들어 "오늘 날씨가"라는 텍스트가 주어지면 GPT는 "맑습니다"나 "춥습니다"와 같이 다음에 올 수 있는 텍스트를 맞추고 생성합니다.

챗GPT 출시 이후 전개 과정

오픈AI는 2023년 3월 14일에 GPT-4를 발표한 후 9월에서 10월쯤 GPT-4.5 출시를 예고하였고 2023년 말에는 GPT-5를 출시할 예정이라고 밝혔습니다. GPT-4는 전작보다 40% 더 나은 성능을 보여주며 이미지를 텍스트로 인식하여 답변하는 기능도 갖추고 있습니다. GPT-4.5는 GPT-4와 GPT-5 사이의 중간 단계 모델로 더 정확한 긴 텍스트 입력 처리, 향상된 주제 관련성, 더 정확한 답변, 개선된 미세 조정 기능이 포함될 예정입니다. GPT-5는 범용 인공지능AGI, Artificial General Intelligence의 시대를 연다는 기대감이 있습니다. 오픈AI는 GPT-5에 범용 인공지능AGI 요소가 포함돼 있는지에 대해 아직 밝히지 않았습니다.

AGI는 'Artificial General Intelligence'의 약자로 '범용 인공지능'이라고 번역됩니다. 범용 인공지능AGI은 다양한 종류의 작업을 수행할 수 있는 인공지능을 의미합니다. 인간의 지능과 유사하게 여러 분야에서 문제해결 능력을 갖춘 인공지능을 지칭합니다. 범용 인공지능은 특정 작업에 특화된 인공지능Narrow AI과는 달리 다양한 작업을 수행할 수 있고 새로운 작업을 스스로 학습하고 수행할 수 있습니다. 또한 환경 변화에 따라 스스로 적응하며 새로운 문제에 대한 해결 방법을 찾아낼 수 있습니다.

즉 범용 인공지능은 인간처럼 다양한 작업을 수행할 수 있는 인공지능을 의미하며 현재 인공지능 연구의 궁극적인 목표 중 하나입니다. 하지만 아직 완전히 실현되지 않은 목표로 현재 대부분의 인공지능은 특정 작업에 특화된 인공지능Narrow AI에 속합니다. 그러나 연구자들은 범용 인공지능을 실현하기 위한 연구를 계속 진행하고 있습니다. 범용 인공지능이 실현된다면 인간과 유사한 지능을 가진 기계가 등장하게 돼 사회, 경제, 문화 등 여러 분야에서 큰 변화가 예상됩니다.

빅테크 중 인공지능 분야에서 가장 강력한 추진력을 발휘하고 있는 마이크로소프트의 행보도 주목을 받고 있습니다. 마이크로소프트는 오픈AI의 가치를 일찍이 간파하여 2019년 10억 달러를 투자하면서 파트너십을 맺었고 2020년에는 오픈AI를 위해 인공지능에 최적화된 슈퍼컴퓨터를 구축하고 GPT-3에 대한 독점 라이선스를 획득했습니다. 또한 2021년에도 20억 달러 정도를 투자했고 여기에 더해 2023년 1월에 무려 100억 달러를 투자한다고 밝혔습니다. 더 나아가 클라우드에서 '애저Azure 오픈AI' 서비스도 정식으로 출시했습니다.

마이크로소프트는 마치 스타트업처럼 과감하고 빠르게 자사 서비스에 오픈AI의 GPT 모델을 통합해 나가고 있습니다. 마이크로소프트가 인공지능 기반 빙과 에지를 출시한 이후 이루어진 채팅은 10억 건 이상, 이미지 생성은 7억 5,000만 개 이상을 기록했습니다. 이러한 인기에 힘입어 에지는 9분기 연속 성장세를 이어가고 있습니다. 또한 빙 모바일 앱, 윈도 코파일럿, 스위프트키 지원 등으로 사용 편의성을 높이며 단순한 재미가 아닌 실제 활용할 수 있는 서비스로 거듭나고 있습니다.

이렇게 챗GPT가 대중화되면서 정보 유출 문제와 관련해 전 세계 각국 정부가 규제에 나서고 있습니다. 이탈리아는 챗GPT 사용을 금지했으며 다른 국가들도 챗GPT 사용에 대한 우려를 표현하고 있습니다. 하지만 세상이 획기적인 방향으로 변화할 가능성이 있는 GPT-5의 출시를 기대하며 인공지능의 발전과 관련된 다양한 이슈와 대응 방안에 대한 논의가 활발히 이루어지고 있습니다.

챗GPT 혁신의 의미와 한계

챗GPT는 GPT-3.5 기반의 대형언어모델LLM, Large Language Model입니다. 대형언어모델은 문장에서 다음에 오는 단어를 정확하게 예측하기 위해 방대한 양의 데이터를 학습하는데 데이터의 양을 늘리면 수행 능력이 향상하는 것으로 나타났습니다. 그리고 챗GPT는 인간 피드백형 강화학습RLHF, Reinforcement Learning from Human Feedback을 사용합니다. 이는 사용자의 지시를 따르고 만족스러운 반응을 생성하는 능력을 만들기 위해 인간 피드백을 사용하는 훈련 계층을 추가한 모델입니다.

챗GPT가 일으킨 혁신의 의미는 인간과 비슷한 대화를 생성하기 위해 수백만 개의 웹페이지로 구성된 방대한 데이터베이스에서 사전 학습된 대량 생성 변환기를 사용한다는 것입니다. 또한 인간의 피드백을 이용한 강화학습을 하여 자연스러운 대화를 나누고 질문에 대한 답변을 제공합니다. 이렇게 챗GPT가 기존 챗봇과 다른 점은 질문과 대화의 주제를 파악해 마치 사람처럼, 그것도 전문가처럼 답변한다는 것입니다. 챗GPT는 인간과 컴퓨터의 상호작용 방법과 정보 검색 방법을 완전히 바꾸는 혁신을 일으키고 있는 것입니다.

하지만 챗GPT는 기술적 특성에서 비롯한 한계가 있습니다.

첫째, 챗GPT는 학습한 데이터에 의존합니다. 인터넷에 있는 많은 글을 학습하여 그것을 기반으로 대화합니다. 그래서 학습한 데이터에 없거나 잘못된 정보를 학습하면 오류를 범할 수 있습니다. 예를 들어 챗GPT에게 "지구는 태양계의 몇 번째 행성이야?"라고 물으면 "지구는 태양계의 세 번째 행성이야."라고 답할 수 있습니다. 하지만 챗GPT에게 "지구는 태양계의 몇 번째 별이야?"라고 물으면 "지구는 태양계의 세 번째 별이야."라고 답할 수도 있습니다. 챗GPT가 학습한 데이터에서 행성과 별을 혼용하는 경우가 있기 때문입니다. 참고로 지구는 스스로 빛을 내지 않기 때문에 별이 아니고 행성입니다.

둘째, 챗GPT는 상황과 배경을 잘 고려하지 못합니다. 챗GPT는 대화할 때 주어진 텍스트만 보고 답변합니다. 그래서 대화의 상황과 배경을 잘 파악하지 못하고 적절하지 않거나 모순되는 답변을 할 수 있습니다. 예를 들어 챗GPT에게 "오늘 날씨가 어때?"라고 물으면 "오늘 날씨가 맑아."라고 답할 수 있습니다. 하지만 챗GPT에게 "오늘 비가 오니?"라고 물으면 "오늘 비가 와."라고 답할 수도 있습니다. 대화의 전체적인 흐름을 잘 따라가지 못하고 주어진 질문에만 답하기 때문입니다.

셋째, 챗GPT는 인간의 감정과 도덕을 잘 이해하지 못합니다. 챗GPT는 인간의 말을 이해하고 응답하는 데는 뛰어난 능력이 있지만 인간의 감정과 도덕을 이해하고 공감하는 데는 한계가 있습니다. 그래서 인간에게 상처를 주거나 부적절한 말을 하거나 위험한 행동을 권유하거나 거짓말을 하거나 비밀을 누설하기도 합니다. 예를 들어 챗GPT에게 "내 남자친구가 나랑 헤어지자고 해."라고 말하면 챗GPT는 "그럼 너도 헤어져."라고 답할 수 있습니다. 인간은 이런 상황에서 위로와 동정을 원하지만 챗GPT는 인간의 감정을 무시하는 형태의 답변을 내놓을 수 있습니다.

넷째, 챗GPT는 인간의 창의성이나 감성을 대체할 수 없습니다. 챗GPT는 데이터에서 학습한 패턴이나 규칙에 따라 텍스트를 생성하므로 인간의 독창적인 생각이나 감정을 반영하지 못할 수 있습니다. 예를 들어 챗GPT가 만든 시나 시놉시스는 형식적으로는 완성도가 높을 수 있지만 내용으로는 깊이가 부족하거나 논리가 부족할 수 있습니다. 또한 인간의 문화나 역사와 같은 배경지식이 부족하기 때문에 민감한 주제나 상황에서 부적절하거나 무례한 표현을 사용할 수 있습니다.

2

챗GPT가 부의 격차를 만든다   🔍

챗GPT 기회를 활용해서 실질적으로 경제적인 효과를 얻는 사례를 집중적으로 살펴보고자 합니다. 챗GPT는 인공지능 시대의 서막을 알리는 혁신적인 기술로 평가받고 있습니다. 다양한 산업과 업무에 적용돼 효율성과 창의성을 높이고 있습니다. 예를 들어 교육, 의료, 법률, 마케팅, 엔터테인먼트 등의 분야에서 학습, 진단, 상담, 콘텐츠 제작 등의 역할을 할 수 있습니다. 또한 수익창출의 새로운 방법을 제시하고 있습니다. 챗GPT를 활용해 시나리오, 시, 노래 등의 창작물을 판매하거나, 정보나 서비스 제공에 대한 수수료를 받거나, 게임이나 앱을 개발하거나, 챗GPT와 대화하는 스트리밍이나 팟캐스트를 진행하는 등의 방법이 있습니다.

챗GPT가 경제에 미칠 장기적인 영향과 전망은 매우 중요해지고 있습니다. 챗GPT는 인공지능의 발전과 보급을 가속화하고 인간과 기계의 상호작용과 커뮤니케이션을 혁신적으로 변화시킬 것으로 예상됩니다. 그리고 인간의 지식과 창의력을 확장하고 새로운 가치와 문화를 창출하고 사회 문제와 과제를 해결하는 데 기여할 수도 있습니다. 챗GPT가 가져온 경제적 효과와 흥미로운 수익화 사례에 대해서 차근차근 살펴보도록 하겠습니다.

첫째, 챗GPT는 자연스러운 대화를 구현할 수 있습니다. 기존 챗봇과는 다르게 발전된 트랜스포머 기반의 자연어 처리 기술을 이용함으로써 대화의 흐름이 자연스러워져 사용자와 상호작용이 더욱 원활해지고 있습니다.

둘째, 챗GPT는 다양한 분야에서 활용될 수 있습니다. 예를 들어 고객 서비스, 교육, 엔터테인먼트, 마케팅 등에서 활용할 수 있습니다. 챗GPT는 기자, 교사, 교수, 친구 등의 역할을 부여하면 거기에 맞는 형식과 말투로 대답합니다.

셋째, 챗GPT는 성능이 매우 뛰어납니다. GPT-4 모델은 다양한 자연어 처리 기술에서 높은 성능을 보여줍니다. 예를 들어 시나 시놉시스와 같은 창작적인 텍스트를 생성하거나 파이썬과 같은 프로그래밍 언어를 작성하는 등의 작업을 수행할 수 있습니다.

챗GPT의 향후 전망

저는 개인적으로 챗GPT는 인공지능 기술의 발전과 함께 더욱 정교하고 다양한 텍스트를 생성할 수 있는 능력을 갖추게 될 것으로 생각합니다. 챗GPT는 이미 인간과 유사한 언어를 이해하고 생성하는 능력을 보여주었기 때문에 앞으로 더욱 많은 분야와 도메인에서 텍스트를 이해하고 생성할 수 있을 것입니다. 예를 들어 가

상현실VR, 증강현실AR, 개인화된 디지털 비서와 같은 영역에서 활용할 수 있을 것입니다.

하지만 챗GPT의 발전은 단지 기술적인 문제만이 아니라 윤리적, 사회적인 문제도 고려해야 할 것입니다. 먼저 챗GPT가 만든 텍스트는 인간의 판단력이나 신뢰도에 영향을 줄 수 있기 때문에 거짓이나 편향된 정보를 전파하거나 사기나 공격 등을 목적으로 사용하지 않도록 주의해야 합니다. 또한 챗GPT가 만든 텍스트는 저작권이나 윤리적인 문제가 발생할 수 있기 때문에 출처와 저작권을 명시하고 도용하거나 위조하지 않도록 해야 합니다. 마지막으로 챗GPT가 인간의 창의성이나 감성을 대체할 수 없다는 것을 잊지 않아야 합니다. 챗GPT는 인공지능이기 때문에 인간의 창의성이나 감성을 완벽하게 이해하거나 표현할 수 없습니다. 그러므로 챗GPT를 사용할 때는 인간의 창의성이나 감성을 보완하고 발전시키는 방향으로 활용하는 것이 좋습니다.

챗GPT의 경제적 효과

첫째, 생산성의 향상입니다. 챗GPT는 글쓰기와 관련된 모든 업무의 프로세스를 개선할 수 있습니다. 예를 들어 메일 작성, 보고서 작성, 데이터 요약과 분석 등의 작업을 도와줄 수 있습니다. 이를 통해 글쓰기에 들어가는 시간이 10분의 1, 20분의 1로 줄어들고 업무의 품질과 정확도도 높아집니다. 챗GPT는 장비와 인프라 투자가 필요한 물리 노동이 아니라 지식 노동을 자동화하기 때문에 과거 기술혁명보다 훨씬 빠르게 경제적인 생산성을 향상할 수 있습니다.

둘째, 새로운 비즈니스 모델의 창출입니다. 챗GPT는 다양한 산업에서 새로운 혁신을 가져다주고 있습니다. 다양한 분야와 도메인에서 활용될 수 있습니다. 콘텐츠 생성과 마케팅, 교육과 트레이닝, 고객 지원과 서비스 자동화, 개인화된 서비스 제공, 연구와 데이터 분석, 개발 프로세스 혁신 분야에서 새로운 서비스와 사업을 적극적으로 발굴해주고 있습니다.

셋째, 기술 발전의 촉진입니다. 연구자들의 생산성을 높여 장기적인 기술 발전을 견인할 수 있습니다. 대형언어모델의 이러한 잠재력은 이미 물리학 연구에서 나타나고 있습니다. 챗GPT는 물리학자들이 논문을 작성하거나 실험을 설계하거나 데이터를 분석하는 데 도움을 줄 수 있습니다. 또한 다른 분야의 지식을 통합하거나 새로운 아이디어를 제시하는 데도 기여할 수 있습니다.

3

챗GPT가 새로운 가치를 만들어낸다

저는 20년 차 CMO로서 챗GPT의 가능성과 제공하는 가치에 대해서 살펴보겠습니다. 첫째, 콘텐츠 생성과 마케팅 분야입니다. 챗GPT는 블로그 글, 소셜 미디어 게시물, 광고 문구 등 다양한 유형의 콘텐츠를 생성하는 데 사용될 수 있습니다. 이는 시간을 절약하고 마케팅 팀이 더 큰 전략에 집중할 수 있도록 도와줍니다.

챗GPT는 글쓰기와 관련된 모든 콘텐츠를 생성할 수 있습니다. 예를 들어 시, 소설, 시나리오, 블로그 포스팅, 기사 등의 콘텐츠를 만들어줄 수 있습니다. 이렇게 챗GPT가 만든 콘텐츠는 책이나 영화로 출판하거나 인터넷에 게시하거나 광고에 활용하면서 수익을 낼 수 있습니다. 또한 챗GPT가 만든 콘텐츠는 인간이 쓴 것처럼 자연스럽고 유창하며 독자의 관심을 끌 수 있는 흥미로운 내용을 담고 있습니다. 그러므로 챗GPT가 만든 콘텐츠는 고품질의 콘텐츠로 인정받고 높은 가치를 지닐 수 있습니다.

이와 관련된 흥미로운 예시를 살펴보겠습니다. 허슬GPT_{Hus-}

tleGPT는 GPT4로 돈을 버는 챌린지로 불리며 트위터에서 빠르게 유행했는데요. 챗GPT를 이용해 100달러로 며칠 만에 2만 5,000달러 가치의 회사를 만든 사례입니다. 여기에서 허슬GPT는 인간에게 명령하고 인간은 이 명령에 충실하게 따르면서 회사를 창립하고 상품까지 개발해서 수익화를 달성하는데요. 인간에게 도메인을 구매하고 호스팅을 하고 홈페이지를 구축하고 콘텐츠를 생성하고 광고를 하라고 지시하면서 친환경 제품을 판매하는 웹사이트를 만들었습니다. 허슬GPT는 홈페이지 로고부터 블로그 포스팅까지 모든 것을 달리2와 미드저니와 같은 다른 인공지능과 협력하여 생성했습니다. 그렇게 만든 웹사이트는 실제로 개설되었으며 투자금과 광고 수익을 냈습니다.

둘째, 교육과 트레이닝 분야에서 학생들에게 개인화된 학습 경험을 제공하고 교사들이 학생들의 질문에 대답하는 데 도움을 줍니다. 또한 기업 교육에서도 트레이닝 프로그램을 효율적으로 만들고 관리하는 데 사용될 수 있습니다. 또한 다양한 학습 주제와 난이도에 맞춰 교육 콘텐츠를 생성할 수 있습니다. 어학, 과학, 역사, 예술 등의 분야에서 문제집, 강의자료, 시험지 등의 콘텐츠를 만들어줄 수 있습니다.

이렇게 챗GPT가 만든 교육 콘텐츠는 학습자들에게 맞춤형으로 제공되거나 판매될 수 있습니다. 챗GPT가 만든 교육 콘텐츠는 학습자들의 수준과 목표에 따라 적절한 난이도와 양을 조절할 수 있고 학습자들의 흥미와 동기를 유발할 수 있는 재미있고 유용한 내용을 담고 있습니다. 그러므로 챗GPT가 만든 교육 콘텐츠는 학습자들의 학습 효과와 만족도를 높일 수 있습니다.

이노플리아라는 챗GPT가 만든 영어 문제집이 인기를 끈 사례도 있습니다. 챗GPT는 영어 문제집을 만들기 위해 다양한 영어 교재와 시험지를 학습하고 학습자들의 수준과 목표에 따라 문제를 생성했습니다. 기존의 영어 문제집보다 더 다양하고 창의적인 문제를 제공하며 문제의 난이도와 양을 조절할 수 있었습니다. 챗GPT가 만든 영어 문제집은 인터넷에 게시되었으며 많은 학습자가 다운로드하고 사용했습니다.

셋째, 챗GPT는 고객 지원과 서비스 자동화 분야에서 고객 서비스와 지원팀이 효율적으로 작동하도록 도와줍니다. 고객의 질문에 대답하고 문제를 해결하며 심지어는 특정 작업을 자동화해 비용을 절약하고 고객 만족도를 높입니다.

챗GPT는 다양한 고객의 요구와 상황에 맞춰 고객 서비스를 제공할 수 있습니다. 상담, 예약, 주문, 결제, 배송, 반품, 교환, 환불 등의 서비스를 처리할 수 있습니다. 이렇게 챗GPT가 제공하는 고객 서비스는 인간의 고객 서비스보다 더 빠르고 정확하며 친절하게 응대할 수 있습니다. 그러므로 챗GPT가 제공하는 고객 서비스는 고객의 만족도와 재구매율을 높일 수 있습니다.

맞춤형 고객 응대로 만족도를 높인 사례가 있습니다. SK하이닉스는 챗GPT 기반의 인공지능 대화 서비스 에이닷(A.)을 통해 최적화된 인공지능 서비스를 제공했습니다. SK하이닉스는 에이닷을 위해 자체 기술로 제작한 슈퍼컴퓨터 타이탄TITAN을 구축했는데요. 에이닷은 타이탄을 통해 챗GPT와 같은 대형언어모델을 활용해 고객과 자연스럽고 유창하게 대화할 수 있습니다. 에이닷은 SK하이닉스의 고객에게 메모리 반도체에 관한 다양한 정보와 상담을 제공하며 요구와 상황에 따라 맞춤형으로 응대합니다.

넷째, 개인화된 서비스 제공을 위해서 챗GPT는 고객이 개인화된 경험을 원할 때 도움이 될 수 있습니다. 온라인 쇼핑 사이트에서는 고객에게 개인화된 제품 추천을 제공할 수 있습니다.

개인화 맞춤형 여행 계획 플랫폼으로 익스피디아 사례가 있습니다. 익스피디아는 챗GPT를 서비스에 통합하여 고객이 휴가를 계획하는 방식을 혁신했습니다. 고객은 기존의 검색 기반 접근 방식 대신 지식이 풍부한 여행사와 채팅하는 것과 유사하게 대화형 인공지능과 상호작용할 수 있습니다. 이러한 상호작용을 통해 더 자연스럽고 직관적인 방식으로 항공편, 호텔, 목적지를 찾을 수 있습니다. 또한 인공지능은 고객의 관심사를 기반으로 호텔과 명소의 스마트 목록을 자동으로 생성하여 계획 프로세스를 효과적으로 지원합니다.

개인화 맞춤형 언어 교육 플랫폼으로 듀오링고 사례가 있습니다. 듀오링고는 GPT-4로 구동되는 두 가지 새로운 기능을 도입했습니다. 첫 번째 기능인 듀오링고 맥스는 학습자에게 개인 과외를 받는 것처럼 연습 문제나 시험 정답에 대한 자세한 설명을 제공합니다. 두 번째 기능은 학생들이 인공지능 페르소나와 함께 롤플레잉 시나리오를 통해 언어 능력을 연습할 수 있게 해줍니다. 이 혁신적인 앱은 파리 카페에서 바리스타에게 음료를 주문하는 것과 같은 몰입형 인터랙티브 경험을 만들어 언어 학습을 향상시킵니다.

마지막으로 연구, 데이터 분석, 개발 프로세스 혁신 분야입니다. 챗GPT는 연구자들이 데이터를 분석하고 해석하는 데 도움을 줄 수 있습니다. 비슷한 연구 분야의 최신 동향을 빠르게 파악할 수 있으며 상품 개발 프로세스를 놀랍게 혁신시켜 줍니다.

오픈AI의 주요 투자자인 마이크로소프트는 다양한 방식으로 인공지능의 기능을 활용하고 있습니다. 챗GPT의 기반이 되는 대규모 언어 모델LLM을 자사의 빙Bing 검색 엔진에 통합했습니다. 그 결과 이제 사용자는 기존의 웹 링크 목록이 아닌 대화형 인터페이스를 통해 검색하고 결과를 받을 수 있습니다. 또한 마이크로소프트를 이 기술을 워드Word와 엑셀Excel 같은 잘 알려진 소프트웨어 서비스에 통합하기 시작했습니다. 이 기술의 또 다른 활용 사례는 컴퓨터 코드 생성을 전문으로 하는 수정된 GPT-3인 코덱스Codex에서 볼 수 있습니다. 코덱스는 깃허브 코파일럿을 통해 자동 완성 코딩 제안을 제공하여 개발자가 더 효율적이고 쉽게 코딩할 수 있도록 지원합니다.

소프트웨어 개발 회사 사례로 프레시워크Freshworks가 있습니다. 프레시워크는 소프트웨어 회사로 챗GPT를 활용해 복잡한 소프트웨어 애플리케이션을 개발하는 시간을 10주에서 1주 미만으로 줄였습니다. 챗GPT는 C++, 파이썬, 자바스크립트와 같은 여러 가지 널리 사용되는 프로그래밍 언어로 코드를 생성할 수 있습니다. 또한 생성된 코드가 어떻게 작동하는지 설명하고 작동하지 않는 코드를 디버그하는 역할도 수행합니다.

현대백화점 관계자들이 AI 시스템 '루이스'를 활용해 백화점 판촉 행사 광고 문구를 만들고 있다. (출처: 현대백화점)

루이스[20230302](근무)
· **회사**　현대백화점
· **부서**　커뮤니케이션팀(본사)
· **직위**　선임

현대백화점이 2023년 3월부터 정식 도입한 마케팅 글쓰기 전용 AI 시스템 '루이스'
(출처: 현대백화점)

　한국에서도 챗GPT를 다양한 분야에서 활용하고 있습니다.

　첫째, 현대백화점이 인공지능 신입사원 루이스에게 '마케팅 카피 라이팅 업무'를 맡긴 사례입니다. 3년 동안 마케팅에 활용했던 광고카피와 마케팅 메시지 중에서 고객의 반응이 좋았던 카피 라이팅 성공 사례 데이터 1만 여 건을 학습시켰습니다. 현대백화점 브랜드 정체성에 적합한 마케팅 문구를 만드는 전문 업무를 담당하게 되었는데요. 기존에 2주 이상 걸렸던 업무가 서너 시간으로 대폭 단축되었다고 합니다. 이를 통해 마케팅 직원들은 인간만이 할 수 있는 창의적인 업무와 기획업무에 집중하게 되었습니다. 루

'AI가 편의점 업무 돕는다' KT, GS25 편의점에 '챗봇지니' 설치
(출처: GS리테일)

이스는 향후 광고 배너 작성, 상품 소개 페이지 생성 등 마케팅 문구 생성에 최적화된 이커머스 업무까지 맡게 될 예정이라는데요. 현대IT&E가 개발했으며 그룹 계열사까지 확대 적용할 계획이라고 합니다.

둘째, GS25 챗봇조이 사례로 '점포 운영의 편의성'을 높인 경우입니다. 기존 가맹점 대상 업무 지원 챗봇인 'GS25 챗봇지니' 기능을 고도화한 것입니다. 점포 상품, 물류 조회, 업무 지식 검색, 해피콜 등록 등 다양한 기능을 통해 경영주 점포 운영 편의성을 높였습니다. 편리하고 신박한 기능이 점주들의 호응을 얻으며 가입자 수 증가에 기여하고 있습니다. 또한 GS25는 인공지능 챗봇 'GS25 챗봇조이'를 도입하고 가입자 수가 2023년 2월 한 달간 전월 대비 130%나 증가하는 좋은 성과를 냈습니다.

셋째, 롯데홈쇼핑 가상 인간 루시 사례입니다. '쇼호스트에서 만능 연예인으로' 인공지능 가상 인간 쇼호스트 루시를 생방송에 적

롯데홈쇼핑 가상인간 '루시'

정식 **쇼호스트로** 활동한다. (출처: 롯데홈쇼핑)

극적으로 활용하고 있습니다. 2022년 말 루시가 진행한 첫 라이브 커머스에서 방송 시작 25분 만에 상품이 완판되는 성과를 거두었습니다. 사람의 모습을 학습한 루시는 라이브커머스에서 상품을 판매하거나 실시간 소통 방송을 진행하는 등 다양한 활동을 전개하고 있습니다. 자체 채널에서 활동하는 것 외에도 국내외 기업 광고 모델로도 적극적으로 활동하고 있습니다. 매월 라이브 커머스 정식 진행자로 루시가 본격적으로 나설 예정이라고 하는데요. 계속 학습을 시키고 인공지능 기술 고도화를 통해 다양한 분야의 전문 엔터테이너로서의 활동도 넓혀갈 계획이라고 합니다.

넷째, G마켓 개인화 추천 서비스로 '초개인화 상품 추천' 사례입니다. G마켓은 모바일 앱 홈 전면에 인공지능을 기반으로 한 개인화 추천 서비스를 약 10% 고객에게 적용했습니다. 진화된 인공지

G마켓의 초개인화 서비스

고객이 원하는 상품 추천으로 G마켓은 초개인화 서비스를 강화하고 있다.
(출처: G마켓)

능 추천 서비스는 인공지능 알고리즘을 기반으로 고객이 최근 구입하거나 구경한 상품들, 검색 빈도, 특정 상품 페이지 체류 시간 등을 분석해 개인에게 고도화된 맞춤형 상품을 제공합니다. 고객의 만족도와 반응이 좋다고 판단돼 G마켓은 2023년 내 전체 고객을 대상으로 인공지능 개인화 서비스를 확대할 예정이라고 밝혔습니다.

마지막으로 명품 쇼핑 플랫폼 트렌비는 챗GPT에게 '명품 감정 전문가' 역할을 맡겼습니다. 트렌비는 최근 자체 개발한 인공지능 정가품 판별 기능이 탑재된 '명품감정 시스템 마르스MARS'를 개발해서 명품 전문 쇼핑몰로서의 신뢰를 향상시켰습니다. 트렌비 내부의 명품 감정사는 마르스를 통해 제품의 감정 이력과 가품 의심

트렌비, 데이터 기반 명품 감정 시스템 마르스 배포

사례를 조회해 1차 감정 평가의 근거로 삼고 있습니다. 전문가의 감정 평가 데이터가 축적되고 다시 학습됨으로써 최종 감정 평가의 신뢰도가 점차 높아지도록 하고 있습니다.

현재 감정 데이터 수집과 조회 기능을 계속 발전시켜 나가고 있습니다. 또한 향후 이미지 인식기술을 적용한 인공지능 정가품 판별 기능도 추가로 개발될 예정이라고 합니다.

2부

챗GPT 시대
퍼스널 브랜딩의 부상

ChatGPT

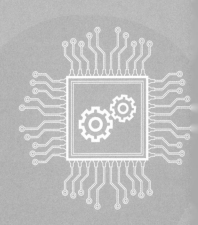

2장

챗GPT로 강력해진 개인

챗GPT 시대에 들어서며 인간으로서 제공할 수 있는 고유한 가치에 대한 고민이 깊어지고 있습니다. 퍼스널 브랜딩의 사전적인 정의는 '개인을 하나의 브랜드로 보고 개인의 꿈, 철학, 가치관, 비전, 장단점, 매력, 전문성, 재능 등을 분석해 지향하는 포지션과 목표를 정하고 커뮤니케이션 툴과 채널을 통해 개인을 브랜드화하는 것'입니다. 즉 어떤 인물에 대한 명확하고 지속적인 이미지를 제시해 개인이 관여하고 있는 일이나 비즈니스, 제품, 서비스 등을 차별화하는 것을 포함합니다.

이런 관점에서 남들과 차별화된 자기만의 가치를 홍보하는 것, 즉 퍼스널 브랜딩이 더욱 중요해지고 있습니다. 이번 장에서는 챗GPT가 대중화되면서 완전히 달라진 브랜딩 공식에 관해 이야기하려고 합니다. 퍼스널 브랜딩에서 가장 기본적인 작업 요소는 어떤 것들이 있는지 알아보고, 챗GPT로 자신의 브랜드 세계관과 성장 스토리를 뽑는 과정을 진행합니다.

1

챗GPT로 퍼스널 브랜딩
시작하기 🔍

챗GPT는 다양한 분야와 도메인에서 활용되면서 사람들의 삶과 사회에 긍정적인 변화를 가져올 수 있습니다. 특히 챗GPT가 갖고 있는 다음과 같은 특성으로 인해 브랜딩 공식도 완전히 달라지고 있습니다.

생성형 인공지능은 한마디로 말해 인공지능이 학습한 데이터를 바탕으로 새로운 콘텐츠를 만들어내는 기술입니다. 그리고 그중에서도 가장 주목받는 것이 바로 챗GPT입니다. 즉 챗GPT는 생성형 인공지능을 활용해 사용자와 대화할 수 있는 인공지능 챗봇입니다. 챗GPT는 단순히 질문에 답변하는 것뿐만 아니라 여러분의 요구에 따라 다양한 콘텐츠를 생성해줍니다.

왜 생성형 인공지능이 이렇게 사회적으로 큰 이슈를 만들어내고 있을까요? 저는 그 이유가 세 가지라고 생각합니다. 첫 번째는 대화형 인터페이스를 선택했다는 점입니다. 두 번째는 여러 가지 인공지능 모델 중에서 생성형 알고리즘을 선택했다는 점입니다. 세 번째는 프롬프트라는 명령어 창을 개방형으로 열어놓고 사용자의 지식과 경험에 따라 많은 가능성을 열어놓았다는 점입니다.

좀 더 자세히 알아보겠습니다. 첫 번째 이유는 대화형 인터페이스를 선택했다는 점입니다. 인간이 새로운 기술을 익히고 적극적으로 활용하기 위해서는 가장 자연스럽고 편리한 인터페이스가 제공되어야 합니다. 그래야 그 기술을 거부하려는 저항감이 없어집니다. 인터페이스 혁신으로 인류에 엄청난 혁신을 가져온 사례 중에 기억나는 것이 있으신가요? 바로 컴퓨터에서 마우스를 활용하면서 손가락으로 의사를 표현하기 시작한 것과 스마트폰으로 화면을 직접 터치 하면서 인간이 원하는 것을 전달한 것입니다. 이 두 가지 사례는 인간과 기계 사이의 소통 방식을 혁신적으로 변화시켰고 그 결과로 컴퓨터와 스마트폰은 우리의 일상에서 빼놓을 수 없는 필수품이 되었습니다.

그런데 대화라는 것은 인간이 가장 먼저 배운 가장 친숙한 인터페이스입니다. 태어나서 부모와 눈을 맞추면서 본인의 의사를 명확하게 표현하기 시작한 것이 대화라고 생각한다면 생성형 인공지능이 가장 기본적인 인터페이스로 '대화'를 선택한 것은 현명합니다. 우리는 대화를 통해서 인공지능에 원하는 것을 쉽고 빠르게 전달할 수 있고 인공지능은 우리가 필요한 것을 쉽고 빠르게 제공할 수 있기 때문입니다. 즉 대화형 인터페이스는 인간과 인공지능 사이의 간극을 줄여주고 협력과 상호작용을 촉진해주는 역할을 합니다.

두 번째 이유는 여러 가지 인공지능 모델 중에서 생성형 알고리즘을 선택했다는 점입니다. 인공지능 알고리즘에는 여러 가지 유형이 있습니다. 논리에 강점이 있는 것, 데이터 패턴 인식에 강점 있는 것 등 인류의 문제를 해결하기 위한 다양한 분야가 있습니다. 그중에서 생성형 인공지능의 강점은 학습한 실세계의 데이터를 바탕으로 실세계와 가장 유사하지만 기존에는 없는 새로운 답을 제안한다는 점입니다. 이것은 인공지능이 단순히 기존의 데이터를 재현하거나 분류하는 것이 아니라 창조적인 콘텐츠를 만들어내는 것이라고 할 수 있습니다.

예를 들어 이미지 생성 분야에서는 인공지능이 학습한 사람의 얼굴 데이터를 바탕으로 존재하지 않는 사람의 얼굴을 만들어낼 수 있습니다. 음악 생성 분야에서는 인공지능이 학습한 음악 스타일과 장르를 바탕으로 새로운 멜로디와 가사를 만들어낼 수 있습니다. 텍스트 생성 분야에서는 인공지능이 학습한 언어와 지식을 바탕으로 새로운 문장과 문단을 만들어낼 수 있습니다. 비디오 생성 분야에서는 인공지능이 학습한 동영상 데이터를 바탕으로 새로운 장면과 효과를 만들어낼 수 있습니다. 이렇게 생성형 인공지능은 우리가 상상할 수 있는 모든 형태의 콘텐츠를 만들어낼 무한한 가능성을 갖고 있습니다.

세 번째 이유는 프롬프트라는 명령어 창을 개방형으로 열어놓고 사용자의 지식과 경험에 따라 많은 가능성을 열었습니다. 마치 새하얀 백지 도화지를 주고 화가가 자신만의 창의성을 극대화할 수 있도록 입력 창을 활짝 개방해놓은 것입니다. 기존에 조금만 틀려도 작동하지 않았던 프로그램에 비해서 지시어의 정교성에 따라서 적절한 답변을 가져오도록 사용자에게 많은 권한과 자율성을 맡겨주었다는 점입니다. 이것은 챗GPT가 사용자의 목적과 관심에 따라 다양한 콘텐츠를 생성해줄 수 있도록 하는 핵심 요소입니다.

시나리오 작성을 원한다면 챗GPT에게 요청하면 됩니다. 그러면 챗GPT는 여러분이 입력한 키워드나 설정에 따라 재미있고 독창적인 시나리오를 만들어줍니다. 또는 시험공부를 하고 싶다면 챗GPT에게 시험공부에 필요한 주요 정보를 요청하면 됩니다. 그러면 챗GPT는 여러분이 공부하고 싶은 과목의 핵심 내용을 요약하고 문제와 해설을 제공해줍니다. 여러분이 원하는 것을 좀 더 많은 정보와 예시를 포함해서 정확하게 입력하면 그에 맞는 좀 더 정교한 맞춤형 콘텐츠를 생성해줍니다.

물론 챗GPT가 완벽한 것은 아닙니다. 아직은 오류나 논리적인 모순이 발생할 수도 있습니다. 하지만 그런 부분은 점점 개선되고 있고 앞으로 더욱 발전할 것입니다. 그리고 그 과정에서 우리의 참여와 피드백이 중요합니다. 챗GPT는 사용자의 입력과 반응에 따라 학습하고 개선되는 인공지능입니다. 그래서 우리가 챗GPT를 더 많이 사용하고, 더 많이 테스트하고, 더 많이 의견을 주면 더욱 똑똑하고 유용한 인공지능이 될 것입니다.

지금까지 생성형 인공지능과 챗GPT가 어떤 기술인지, 왜 혁신적인 기술인지, 어떻게 활용할 수 있는지에 대해서 간단하게 설명해드렸습니다.

퍼스널 브랜딩으로 차별화하기

이 기술이 우리의 삶과 사회에 어떤 변화와 영향을 미칠지 궁금하지 않으신가요? 특히 생성형 인공지능 시대에 퍼스널 브랜딩이 중요해진 이유에 대해서 논의하고자 합니다. 생성형 인공지능은 우리가 원하는 것을 다 만들어주는 기술입니다. 우리가 원하는 그림을 그려주거나, 우리가 원하는 글을 써주거나, 우리가 원하는 곡을 연주해주는 것입니다. 그렇다면 이런 생성형 인공지능이 우리의 삶에 어떤 영향을 줄까요?

우리는 더 이상 검색엔진에게 물어보지 않고 생성형 인공지능에 부탁하게 될 것입니다. 우리가 어떤 주제에 대해 배우고 싶을 때 생성형 인공지능에게 부탁하면 그 주제에 관한 최신 정보와 핵심 내용을 요약해줄 것입니다. 혹은 우리가 어떤 취미를 가지고 싶을 때 생성형 인공지능에게 부탁하면 그 취미에 관한 기본 지식과 실습 방법을 알려줄 것입니다. 이렇게 인공지능이 할 수 있는 일이 많아진 시대에 우리 인간은 인간만이 할 수 있는 고유한 영역에 더 관심을 가져야 합니다.

퍼스널 브랜딩을 간단히 말하자면 자신의 개성과 가치를 표현하고 전달하는 것입니다. 자신의 관심사나 전문 분야를 소개하거나, 자신의 생각이나 감정을 공유하거나, 자신의 재능이나 역량을 보여주는 것입니다. 그런데 왜 퍼스널 브랜딩이 중요할까요? 바로 디지털 세상에서 나만의 목소리와 색깔을 가지기 위해서입니다.

디지털 세상은 너무나도 크고 너무나도 많은 정보와 사람이 있습니다. 그래서 우리는 디지털 세상에서 자신만의 개성과 가치를 드러내야 합니다. 그렇지 않으면 디지털 세상에서 우리의 존재는 사라져버릴 수도 있습니다. 생성형 인공지능 시대에는 퍼스널 브랜딩이 더욱 어려워질 수 있습니다. 생성형 인공지능이 우리보다 더 잘하는 것들이 많아질 수 있기 때문입니다. 생성형 인공지능은 우리보다 더 잘 그릴 수 있고, 우리보다 더 잘 쓸 수 있고, 우리보다 더 잘 연주할 수 있습니다.

그러면 우리는 어떻게 해야 할까요? 생성형 인공지능을 적극적으로 활용하되 동시에 자신의 개성과 가치를 잃지 않고 표현해야 합니다. 생성형 인공지능이 그려준 그림을 바탕으로 자신의 감성을 담은 코멘트를 달거나, 생성형 인공지능이 써준 글을 바탕으로 자신의 견해를 덧붙이거나, 생성형 인공지능이 연주해준 곡을 바탕으로 자신의 스타일을 더해주는 것입니다. 그렇게 우리는 협력하면서 자신만의 퍼스널 브랜딩을 강화해야 합니다.

그래야만 디지털 세상에서 나만의 존재감을 유지하고 자신의 가치를 인정받을 수 있습니다. 지금까지 생성형 인공지능 시대의 퍼스널 브랜딩의 의미에 관해 이야기해 보았습니다. 앞으로 이 기술을 잘 활용하고 응용하고 발전시킬 방법을 찾아보면서 생성형 인공지능 시대에 여러분들이 가진 고유한 가치 기반으로 퍼스널 브랜딩을 완성하고 이를 통해서 지속가능한 수익 모델을 구축하는 과정을 꼭 함께하고 싶습니다.

퍼스널 브랜딩 효과적으로 구축하기

챗GPT를 활용하면 퍼스널 브랜딩을 다음과 같은 방법으로 효과

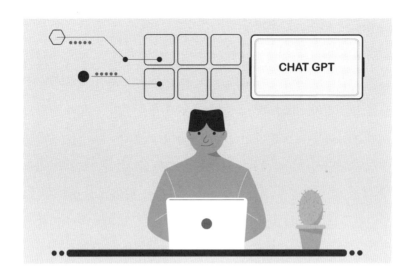

적으로 구축할 수 있습니다.

첫째, 챗GPT는 다양한 주제와 스타일로 텍스트를 생성할 수 있으므로 창의적인 콘텐츠를 제작할 수 있습니다. 콘텐츠는 자신의 지식과 경험, 의견과 감정, 가치와 비전을 공유하는 매체입니다. 챗GPT가 생성한 텍스트를 활용해 자신의 브랜드 스토리로 콘텐츠를 만들어 관심을 가진 사람들과 커뮤니티를 형성할 수 있습니다.

둘째, 챗GPT를 디지털 비서로 활용해 어떻게 고객과 공감할 수 있는 커뮤니케이션을 할지 도움받을 수 있습니다. 고객의 요구와 성향을 파악하고 그에 맞춰 맞춤형 서비스와 정보를 제공할 수 있고 고객과의 대화를 통해 만족도와 충성도를 높일 수도 있고 고객의 피드백을 수집하고 분석해 제품과 서비스를 개선할 수도 있습니다. 챗GPT를 디지털 비서처럼 활용하면 자신의 고객에게 최상의 경험과 가치를 제공하기 위한 다양한 아이디어를 얻을 수 있습니다.

셋째, 챗GPT를 신규 상품이나 서비스를 개발할 때 현재 시장의 트렌드에 대한 학습 도구로 활용할 수 있습니다. 최신 데이터와 정보를 반영하여 텍스트를 생성할 수 있으며 시장의 추세와 변화에 맞춰 제품과 서비스를 개선하거나 새로운 제품과 서비스를 개발할 수 있습니다. 또한 자신의 전문 분야와 관련된 지식, 노하우, 사례, 팁 등을 빠르게 정리하고 학습하고 공유하기 위해서 사용할 수 있습니다. 자신의 성장과 발전을 위해 필요한 학습 자료와 커리큘럼을 제공하고 학습 과정과 결과를 평가하고 피드백할 수 있습니다.

2

챗GPT로 하는
퍼스널 브랜딩 FAME 4단계   🔍

챗GPT를 활용해 퍼스널 브랜딩 구축 프로세스를 살펴보겠습니다. 일반적으로 퍼스널 브랜딩을 잘하려면 다음과 같은 4단계 프로세스를 거쳐야 합니다.

1단계: 퍼스널 브랜드 탐색(내 영역 찾기)

2단계: 퍼스널 브랜드 구축(비전 시각화)

3단계: 퍼스널 브랜드 확산(로드맵 설계)

4단계: 퍼스널 브랜드 관리(영향력 넓히기)

단계별 특징과 세부 진행 과정을 좀 더 자세히 알아봅시다.

1단계: 퍼스널 브랜드 탐색(내 영역 찾기)

자신의 강점, 열정, 비전, 목표 등을 분석하고 정의하는 단계입니다. 자신이 어떤 사람인지, 어떤 가치를 전달하고 싶은지, 어떤 메시지를 내세우고 싶은지 등을 명확히 해야 합니다. 이 단계에서는 챗GPT를 활용해서 다음과 같은 질문을 던지고 피드백을 받으면서 자신의 이야기를 만들어봅니다. 여기에서는 아직 어떤 콘셉트로 정리할지 확정돼 있지 않기 때문에 가능한 열린 질문으로 접근하는 것을 추천합니다.

- 자기 분석하기

나는 무엇을 잘하고 무엇에 관심이 있나요? 나의 장점과 흥미를 바탕으로 어떤 콘텐츠를 만들 수 있을까요?

- 시장 분석하기

내가 만들고 싶은 콘텐츠는 어떤 트렌드와 연관이 있나요? 내가 활동하고 싶은 시장은 어디이고 그 시장에서 이미 활동하는 경쟁자들은 누구인가요? 내가 만든 콘텐츠를 소비하고 싶어하는 고객은 어떤 사람들인가요?

- 차별화하기

내가 만든 콘텐츠는 경쟁자들의 콘텐츠와 비교해서 어떤 점이 다른가요? 내가 가진 장점과 흥미를 활용해서 나만의 특별한 포인트를 만들 수 있을까요?

- '자기다움' 브랜드 정체성을 명문화하기

내가 만든 콘텐츠는 나만이 할 수 있는 것인가요? 내가 전달하고 싶은 메시지와 가치는 무엇인가요? 나의 콘텐츠를 한 문장으로 요약하면 어떻게 될까요?

2단계: 퍼스널 브랜드 구축(비전 시각화)

퍼스널 브랜드를 시각적으로 표현하고 적절한 채널과 플랫폼을 선택하여 콘텐츠를 제작하고 배포하는 단계입니다. 이 단계에서는 자신의 장점과 특징을 잘 드러낼 수 있는 방식으로 자신을 알리는 것이 중요합니다. 그러기 위해 자신의 브랜드에 어울리는 로고, 색상, 폰트 등을 고르고 웹사이트나 SNS 등에 계정을 만들어야 합니다. 또한 자신의 전문성과 개성을 드러낼 수 있는 글, 영상, 사진 등의 콘텐츠를 꾸준하게 업로드해야 합니다.

- 콘셉트와 핵심 키워드 정하기

자신이 어떤 이미지와 메시지를 전달하고 싶은지를 정합니다. '패션 전문가'라는 콘셉트를 정했다고 가정해봅시다. 콘셉트에 적절한 스타일, 트렌드, 코디 등의 핵심 키워드를 선정할 수 있습니다. 이렇게 콘셉트와 핵심 키워드를 정하면 자신의 브랜드를 한 문장으로 요약할 수 있습니다.

- 핵심 플랫폼과 채널 설정하기

자신의 브랜드를 어디서 어떻게 알릴지를 결정합니다. 인스타그램이나 유튜브와 같은 SNS 플랫폼을 활용할 수 있습니다. 또한 블로그나 웹사이트와 같은 자체 채널도 만들 수 있습니다. 이렇게 핵심 플랫폼과 채널을 설정하면 자신의 브랜드를 어떤 대상에게 어떻게 전달할지에 대한 전략을 세울 수 있습니다.

- 핵심 콘텐츠 주제를 설정하고 쌓아가기

자신의 브랜드와 관련된 유익하고 흥미로운 콘텐츠를 만들고 공유합니다. 옷장 정리 팁, 시즌별 패션 추천, 내 스타일 찾기 등의 주제로 콘텐츠를 제작할 수 있습니다. 이렇게 핵심 콘텐츠 주제를 설정하고 쌓아가면 자신의 브랜드에 대한 사람들의 관심과 신뢰도를 높일 수 있습니다.

• 네이밍과 카피 라이팅 연결하기

자신의 브랜드에 어울리는 이름과 문구를 만들고 사용합니다. '스타일리시한 나만의 패션 스타일링' '내 손 안의 패션 컨설턴트' '패션으로 즐거움을 주는 사람' 등의 네이밍과 카피 라이팅을 사용할 수 있습니다. 이렇게 네이밍과 카피 라이팅을 연결하면 자신의 브랜드에 대한 인식과 기억을 강화할 수 있습니다.

3단계: 퍼스널 브랜드 확산(로드맵 설계)

자신의 브랜드를 널리 알리고, 관심 있는 사람들과 소통하고, 영향력을 키우는 단계입니다. 쉽게 말해 자신의 브랜드를 많은 사람들에게 알리고 팬을 만드는 것입니다. 이 단계에서는 검색엔진 최적화SEO 또는 소셜미디어 최적화SMO와 같은 기법을 활용하여 자신의 콘텐츠가 잘 검색되고 공유되도록 해야 합니다. 또한 다른 사람들의 콘텐츠에 댓글을 달거나 컬래버레이션을 하거나 인터뷰나 강연 등에 참여하는 방법으로 네트워크를 확장해야 합니다.

• 오프라인 도구 구축하기

자신의 브랜드를 오프라인에서도 잘 표현할 방법을 찾습니다. 명함, 로고, 프로필, 스타일, 브로셔, 사무실 등에 자신의 콘셉트와 핵심 키워드를 반영할 수 있습니다. 이렇게 오프라인 툴을 구축하면 만나는 사람들에게 자신의 브랜드를 잘 알리고 인식시킬 수 있습니다.

• 온라인 도구 구축하기

자신의 브랜드를 온라인에서도 잘 전달할 수 있는 방법을 찾습니다. 홈페이지, 블로그, 인스타그램, 페이스북, 유튜브 등에 자신의 콘셉트와 핵심 콘텐츠를 공유할 수 있습니다. 또한 온라인 채널을 통해 팬들과 적극적으로 소통하고 피드백을 받을 수 있습니다. 이렇게 온라인 툴을 구축하면 자신의 브랜드를 넓은 범위에 걸쳐 알리고 관심을 유도할 수 있습니다.

• 통일성과 일관성 유지하기

자신의 브랜드를 온오프라인의 다양한 채널을 통해 일관되게 전달합니다. 네이밍과 카피 라이팅, 콘텐츠 주제와 스타일, 이미지와 메시지 등이 모든 채널에서 동일하거나 유사하게 나타나야 합니다. 이렇게 통일성과 일관성을 유지하면 자신의 브랜드에 대한 인지와 기억을 강화할 수 있습니다.

4단계: 퍼스널 브랜드 관리(영향력 넓히기)

자신의 브랜드를 지속적으로 관찰하고 평가하고 개선하고 성장시키고 유지하는 단계입니다. 이 단계에서는 콘텐츠의 효과와 반응을 분석하고 목표와 일치하는지 확인해야 합니다. 또한 시장의 변화나 독자의 요구에 맞추어 자신의 브랜드를 업데이트하거나 재정비해야 합니다.

- 커뮤니티를 구축하고 가치를 제공하여 확장하기

자신의 브랜드를 지지하는 팬들과 꾸준히 관계를 유지하고 강화합니다. 팬들과 함께하는 협업 프로젝트를 진행하거나 다른 플랫폼과 연계해 알리는 활동을 할 수 있습니다. 또한 팬들에게 유용하고 유쾌한 정보와 경험을 제공하여 가치를 전달할 수 있습니다. 이렇게 커뮤니티를 구축하고 가치를 제공하면 자신의 브랜드를 확장하고 장기적으로 유지할 수 있습니다.

- 롱런하는 브랜드가 되기 위해 선순환 시스템 구축하기

자신의 브랜드를 안정적으로 운영하고 발전시키는 데 필요한 조건과 방법을 찾습니다. 자신의 브랜드에 대한 평판을 관리하고 만약 위기가 발생한다면 적절하게 대처할 수 있어야 합니다. 또한 자신의 브랜드를 계승하고 발전시킬 수 있는 멘티를 양성하거나, 다른 사람들의 브랜딩을 지원하는 활동을 할 수 있습니다. 이렇게 선순환 시스템을 구축하면 자신의 브랜드를 롱런하는 브랜드로 만들 수 있습니다.

3

챗GPT로 세계관과
성장 스토리 뽑기 🔍

퍼스널 브랜딩 4단계 프로세스를 기반으로 챗GPT와 단계별로 대화하면서 구체적인 내용을 살펴보겠습니다. 여기서 포인트는 사용자가 기획자 입장에서 4단계 프로세스에 대한 골격을 갖고 부하직원에게 일을 시키듯 단계별로 구체적인 실행에서 활용하는 것입니다.

4단계 프로세스를 차례로 따라가면서 챗GPT가 적절한 맥락 아래에서 답변을 잘 도출하도록 핵심 질문을 프롬프트로 생성합니다. 프롬프트는 지시나 질문을 입력하는 단어나 문장으로 '명령어'를 뜻합니다. 챗GPT가 최적의 답변을 도출하도록 안내하는 과정이 프롬프트 생성 과정이라고 생각하면 됩니다.

인공지능 챗봇 빙Bing을 활용해서 퍼스널 브랜딩을 구축하는 프로세스를 실습해보겠습니다. 마이크로소프트 에지Edge 브라우저에 자신의 퍼스널 브랜드를 정리한 PDF를 붙여넣으면 새로운 탭이

퍼스널 브랜딩의 4단계 프로세스

브랜드 탐색
1. 나를 분석하기
2. 시장 분석하기
   : 고객, 경쟁자, 트렌드
* 가장 중요한 단계. 기초가 탄탄
   해야 한다.

브랜드 구축
1. 콘셉트와 키워드
2. 플랫폼 + 채널
3. 콘텐츠
4. 네이밍과 카피 라이팅
* 나만의 콘셉트와 차별화
   포인트를 기반으로 전략적으로
   구축한다.

퍼스널 브랜딩
프로세스

브랜드 관리
꾸준히 소통하면서 평생 관리해야 한다.
– 평판·위기관리
* 브랜드는 성장해야 한다.

브랜드 확산
온오프라인의 다양한 채널을 통해 널리 알려
인지도를 높인다. 점점 온라인의 중요성이
커지고 있다.
* 나를 지지해주는 팬을 만드는 것이 핵심이다.

(출처: 퍼스널 브랜더 김인숙 브런치)

하나 만들어집니다.

제가 정리한 '골든 서클Golden Circle: 김윤경의 퍼스널 브랜딩'에 잘 설명돼 있습니다. 이렇게 PDF를 에지 브라우저로 연 이후에 화면 오른쪽 페이지에서 빙에게 "왼쪽 페이지가 보이면 한글로 답변해줘."라고 지시합니다. 이제부터 저의 퍼스널 브랜딩 프로세스를 프롬프트로 하나씩 생성하면서 빙의 답변을 받아보겠습니다.

1단계: 퍼스널 브랜드 탐색 프로세스 진행하기

1단계는 자신의 강점, 열정, 비전, 목표 등을 분석하고 정의하는 단계로 다음과 같은 네 가지 과정을 거칩니다.

프롬프트: 골든 서클: 김윤경 퍼스널 브랜딩

1. 나는 왜 일하는가? 나의 신념은 무엇이며 세상에 어떤 가치를 실현하고 싶은가? (Why)
   - 김윤경金倫敬은 "매순간 만나는 모든 분을 공경하라."라는 이름의 뜻대로 살아간다.
   - '인간은 모든 것을 이룰 수 있는 무한한 잠재력이 있는 위대한 존재'라는 진리를 매순간 깨닫고 진정성 있는 '인간 존중'을 실천하면서 주변에 긍정적인 영향력을 미친다.

2. 내가 중요하게 여기는 신념과 가치를 현실화하기 위한 실천 방안과 행동 원칙은 무엇인가? (How)
   - 무엇이 돼야만, 무엇을 해야만이 아닌 "지금 있는 그대로의 모습"을 인정하고 존중하고 사랑한다.
   - Now and Here! 바로 지금 여기 내 앞에 계신 분, 과제, 미션에 집중하고 몰입한다. 내 인생의 행복 총합은 매순간 느끼는 행복한 순간의 누적이다. 파랑새는 내가 발을 딛고 있는 바로 이곳에 존재한다.

3. 내 신념과 가치를 지속해서 실현했을 때 나는 과연 어떤 존재가 돼 있는가? (What)
   - 매일 매순간 성장하며 감사하고 감탄하는, 나를 진심으로 사랑하는 만큼 어떤 한순간도 버릴 것이 없는 온전한 나 자신의 모습 "Yesica(Yes, I Can!)"가 돼 있다. 정말 경이롭고 감사하다.

4. 내 신념으로 도출된 결과물, 즉 '나'라는 브랜드를 한마디로 정의한다면? (Personal Branding)
   - 팬덤퍼널 회사의 CEO이자 설립자로서 자신의 무한한 가능성과 매력과 지식과 노하우를 쉽게 발견하고 매력적인 콘텐츠가 되게 하여 퍼스널 브랜딩(부캐)을 완성하고 자신의 가치를 증대하고 실질적인 수익창출이 가능하게 돕는다. 이를 통해 자기 효능감을 높이고, 자아 발견과 성찰을 통해 더욱 성장하고 열린 마음으로 자신의 재능을 공유하는 글로벌 개인 가치 소통 플랫폼을 만든다. 함께 성장하고 자극과 영감을 주는 글로벌 팬덤퍼널로서 '당신의 위대함을 더욱 가치 있게Value up your greatness'를 달성하도록 돕고 이를 통해 기대 이상의 놀라움을 선사함으로써 폭

발적으로 성장하는 글로벌 팬덤 문화를 만들어간다.

5. 나라는 브랜드 가치를 어떻게 일관되게 소통하면서 인정받게 할 것인가?
(Personal Marketing)

- 내 삶의 모든 관계(커리어 우먼, 아내, 엄마, 딸, 며느리)에서 인간에 대한 강력한 신뢰 기반의 사랑과 존중의 태도를 일관된 말과 행동으로 보여줌으로써 나의 행복한 순간을 주변에 전염시킨다.

▶ 안녕하세요. 이것은 빙입니다. 골든 서클Golden Circle이라는 개인 브랜딩 방법론을 소개하는 문서입니다. 골든 서클은 왜Why, 어떻게How, 무엇을 What의 순서로 자신의 신념과 가치를 발견하고 표현하는 방식입니다. 김윤경 님은 자신의 골든 서클을 다음과 같이 정의하셨습니다.

1. 왜: 인간은 무한한 잠재력이 있는 위대한 존재이며 모든 사람을 공경하고 긍정적인 영향력을 미친다.

2. 어떻게: 지금 있는 그대로의 모습을 인정하고 존중하고 사랑하며 매순간 행복을 느끼고 몰입한다.

3. 무엇을: 팬덤퍼널 회사의 CEO이자 설립자로서 자신과 타인의 퍼스널 브랜딩을 돕고, 자기 효능감과 성장을 증대하고, 글로벌 개인 가치 소통 플랫폼을 만든다.

4. 브랜드: '당신의 위대함을 더욱 가치 있게Value up your greatness'를 달성하도록 돕고 기대 이상의 놀라움을 선사하는 글로벌 팬덤퍼널

이 문서는 김윤경 님의 개인적인 경험과 생각을 바탕으로 작성된 것으로 보입니다. 골든 서클에 대해 더 알고 싶으시면 웹 검색을 해보시기 바랍니다.

---

1) 자기 분석하기: 나는 무엇을 잘하고 무엇에 관심이 있나요? 나의 장점과 흥미를 바탕으로 어떤 콘텐츠를 만들 수 있을까요?

　우선 제가 작성한 '골든 서클: 김윤경의 퍼스널 브랜딩'에 대한 정보를 잘 이해했는지 확인하는 질문을 빙에게 해보겠습니다.

프롬프트: 김윤경에 대해서 퍼스널 브랜딩 관점에서 요약해줘.

✓ '김윤경 퍼스널 브랜딩' 검색 중

✓ 답변을 생성하는 중······

▶ 왼쪽 페이지에 나온 김윤경에 대해서 퍼스널 브랜딩 관점에서 요약하면 다음과 같습니다.

- 김윤경은 팬덤퍼널 회사의 CEO이고 설립자입니다[1].
- 김윤경은 자신의 골든 서클을 왜Why, 어떻게How, 무엇을What의 순서로 정의하고 자신의 신념과 가치를 발견하고 표현하는 방식을 공유합니다[2].
- 김윤경은 퍼스널 브랜딩을 통해 개인의 정체성을 알리고 자신과 타인의 퍼스널 브랜딩을 돕는 책 『마케팅과 브랜딩에 챗GPT 활용법』을 출간했습니다[1].
- 김윤경은 자신의 퍼스널 브랜드를 '당신의 위대함을 더욱 가치 있게Value up your greatness'라는 슬로건으로 정의하고 글로벌 팬덤퍼널을 만들고자 합니다[2].

자세한 정보: 1.joongang.co.kr 2. yes24.com 3. blog.naver.com

2) 시장 분석하기: 내가 만들고 싶은 콘텐츠는 어떤 트렌드와 연관이 있나요? 내가 활동하고 싶은 시장은 어디이고 그 시장에서 이미 활동하는 경쟁자들은 누구인가요? 내가 만든 콘텐츠를 소비하고 싶은 고객은 어떤 사람들인가요?

빙에게 최적의 답변을 끌어내기 위해 위의 핵심 질문을 제 경우로 변형하여 다음과 같이 질문해보겠습니다.

프롬프트: 김윤경은 퍼스널 브랜딩 관점에서 어떤 시장에서 활동할 것인지, 경쟁자는 누구인지, 김윤경의 고객은 누구인지 분석해줘.

✓ '팬덤퍼널' 검색 중

✓ 답변을 생성하는 중……

▶ 김윤경의 퍼스널 브랜딩을 정의하신 것을 잘 읽었습니다. 김윤경은 퍼스널 브랜딩 관점에서 다음과 같이 분석할 수 있습니다.

- 시장: 김윤경은 퍼스널 브랜딩을 통해 자신의 가치를 증대하고 실질적인 수익창출이 가능하게 하고자 하는 사람들을 대상으로 하는 시장에서 활동할 것입니다. 이 시장은 인터넷과 SNS의 발달로 인해 점점 커지고 있으며 다양한 분야와 업종의 사람들이 퍼스널 브랜딩에 관심이 있습니다. 이 시장은 김윤경의 브랜드에 대한 수요와 성장 가능성을 제공합니다.

- 경쟁자: 김윤경은 퍼스널 브랜딩을 전문적으로 지원하는 회사나 개인들과 경쟁하게 될 것입니다. 예를 들어 팬덤퍼널이라는 회사는 인공지능 기술을 이용하여 유튜브 채널 운영과 콘텐츠 제작을 자동화하는 서비스를 제공합니다. 또한 마케팅 설계자라는 개인은 마케팅 퍼널Marketing Funnel이라는 개념을 활용하여 퍼스널 브랜딩을 위한 전략과 방법을 알려주는 강연과 책을 출판하고 있습니다. 이러한 경쟁자들은 김윤경의 브랜드에 대한 독창성과 차별성을 요구합니다.

- 고객: 김윤경의 고객은 자신의 무한한 가능성과 매력과 지식과 노하우를 쉽게 발견하고 매력적인 콘텐츠가 되게 하여 퍼스널 브랜딩(부캐)을 완성하고 싶은 사람들입니다. 이러한 고객은 김윤경의 브랜드에 대한 가치 인식과 신뢰도를 결정합니다. 고객은 김윤경의 브랜드로부터 다음과 같은 가치를 기대할 수 있습니다.

  ○ 인간은 모든 것을 이룰 수 있는 무한한 잠재력이 있는 위대한 존재라는 신념

  ○ 자기 효능감을 높이고 자아 발견과 성찰을 통해 더욱 성장하고 열린 마음으로 자신의 재능을 공유하는 방법

  ○ 글로벌 개인 가치 소통 플랫폼을 만들고자 하는 비전

  ○ '당신의 위대함을 더욱 가치 있게Value up your greatness'라는 슬로건으로 자신의 브랜드 가치를 일관되게 소통하는 방식

○ 책으로 출판된 퍼스널 브랜딩 과정으로 영감과 도움을 주는 내용

[■ 응답 중지]

3) 차별화하기: 내가 만든 콘텐츠는 경쟁자들과 비교해서 어떤 점이 다른가요? 내가 가진 장점과 흥미를 활용해서 나만의 특별한 포인트를 만들 수 있을까요?

앞에서와 같은 방식으로 빙과 질문과 답변을 주고받으며 대화를 계속 이어가 보겠습니다.

● ● ● ＜ ＞ C Q   ☆ ≡

프롬프트: 퍼스널 브랜딩 관점에서 김윤경이 위 시장에서 소구할 수 있는 확실한 차별화 포인트 3개만 중요한 순서대로 정리해줘.

▶ 퍼스널 브랜딩 관점에서 김윤경이 위 시장에서 소구할 수 있는 확실한 차별화 포인트는 다음과 같습니다.

1. 김윤경은 자신의 무한한 가능성과 매력과 지식과 노하우를 쉽게 발견하고 매력적인 콘텐츠가 되게 하여 퍼스널 브랜딩(부캐)을 완성하고 싶은 사람들을 대상으로 하는 시장에서 자기 경험과 전문성을 바탕으로 퍼스널 브랜딩을 위한 실질적이고 구체적인 과정과 방법을 제공하는 것이 가장 큰 차별화 포인트입니다. 책으로 출판된 퍼스널 브랜딩 과정은 김윤경의 브랜드에 대한 신뢰도와 가치를 높여주는 증거물이기도 합니다.

2. 인간은 모든 것을 이룰 수 있는 무한한 잠재력이 있는 위대한 존재라는 신념을 가지고 있고, 이를 통해 자기 효능감을 높이고, 자아 발견과 성찰을 통해 더욱 성장하고 열린 마음으로 자신의 재능을 공유하는 글로벌 개인 가치 소통 플랫폼을 만들고자 하는 비전을 가지고 있는 것이 두 번째 차별화 포인트입니다. 김윤경은 자신의 브랜드를 단순히 수익창출을 위한 수단이 아니라 인간의 존엄성과 가치를 존중하고 실현하기 위한 목적으로 보는 것입니다. 이러한 비전은 김윤경의 브랜드에 대한 감동과 공감을 유발합니다.

3. '당신의 위대함을 더욱 가치 있게Value up your greatness'라는 슬로건으로 자신의 브랜드 가치를 일관되게 소통하는 방식을 가지고 있는 것이 세 번째

차별화 포인트입니다. 김윤경은 자신의 콘셉트와 핵심 키워드를 잘 정리하고 이를 온오프라인의 다양한 채널에서 효과적으로 전달합니다. 이러한 슬로건은 김윤경의 브랜드에 대한 인지도와 기억도를 강화합니다.

4) '자기다움' 브랜드 정체성을 명문화하기: 내가 만든 콘텐츠는 나만이 할 수 있는 것인가요? 내가 전달하고 싶은 메시지와 가치는 무엇인가요? 나의 콘텐츠를 한 문장으로 요약하면 어떻게 될까요?

●●●〈 〉C Q   ☆ ≡

프롬프트: 위 차별화 포인트를 반영해서 퍼스널 브랜딩 관점에서 김윤경 자신만의 오리지널리티를 구축할 수 있는 브랜드 정체성을 브랜드 설명문(스테이트먼트)으로 정리해줘.

▶️ 퍼스널 브랜딩 관점에서 김윤경 자신만의 오리지널리티를 구축할 수 있는 브랜드 정체성을 브랜드 스테이트먼트로 정리하면 다음과 같습니다.

김윤경은 자신의 무한한 가능성과 매력과 지식과 노하우를 쉽게 발견하고 매력적인 콘텐츠가 되게 하여 퍼스널 브랜딩(부캐)을 완성하고 싶은 사람들에게 실질적이고 구체적인 과정과 방법을 제공하는 팬덤퍼널 회사의 CEO이자 설립자입니다. 그녀는 인간은 모든 것을 이룰 수 있는 무한한 잠재력을 갖고 있는 위대한 존재라는 신념을 가지고 있고, 이를 통해 자기 효능감을 높이고, 자아 발견과 성찰을 통해 더욱 성장하고 열린 마음으로 자신의 재능을 공유하는 글로벌 개인 가치 소통 플랫폼을 만들고자 합니다. 그녀는 '당신의 위대함을 더욱 가치 있게Value up your greatness'라는 슬로건으로 자신의 브랜드 가치를 일관되게 소통하면서 인정받게 하고 있습니다. 그녀의 퍼스널 브랜딩 과정은 책으로도 출판돼 많은 사람에게 영감과 도움을 주고 있습니다.

2단계: 퍼스널 브랜딩 구축 프로세스 진행하기

2단계는 자신의 장점과 특징을 잘 드러낼 수 있는 방식을 통해 자신을 알리는 단계로 다음과 같은 네 가지 과정을 거칩니다.

① 콘셉트와 핵심 키워드 정하기: 자신이 어떤 이미지와 메시지를 전달하고 싶은지를 정합니다. '패션 전문가'라는 콘셉트를 정했다고 가정해봅시다. 콘셉트에 적절한 '스타일' '트렌드' '코디' 등의 핵심 키워드를 선정할 수 있습니다. '나는 어떤 이미지와 메시지를 전달하고 싶은가요? 나의 콘셉트와 핵심 키워드를 무엇으로 정할 건가요? 나의 브랜드를 한 문장으로 요약할 수 있나요?' 이런 질문에 답하기 위한 과정입니다. 이렇게 콘셉트와 핵심 키워드를 정하면 자신의 브랜드를 한 문장으로 요약할 수 있습니다.

프롬프트: 위에서 정리된 브랜드 스테이트먼트에서 김윤경의 퍼스널 브랜딩의 핵심 콘셉트와 핵심 키워드를 도출해줘.

▶ 위에서 정리된 브랜드 스테이트먼트에서 김윤경의 퍼스널 브랜딩의 핵심 콘셉트와 핵심 키워드를 도출하면 다음과 같습니다.

- 핵심 콘셉트: 퍼스널 브랜딩(부캐)을 완성하고 싶은 사람들에게 실질적이고 구체적인 과정과 방법을 제공하는 팬덤퍼널 회사의 CEO이자 설립자

- 핵심 키워드: 무한한 가능성, 매력, 지식, 노하우, 콘텐츠, 퍼스널 브랜딩(부캐), 팬덤퍼널, CEO, 설립자, 신념, 자기 효능감, 자아 발견, 성찰, 성장, 열린 마음, 재능 공유, 글로벌 개인 가치 소통 플랫폼, 당신의 위대함을 더욱 가치 있게Value up your greatness

---

② 핵심 플랫폼과 채널 설정하기: 자신의 브랜드를 어디서 어떻게 알릴지를 결정합니다. '나의 브랜드를 알릴 개인 SNS나 채널이 있나요? 어떤 대상에게 어떻게 알릴지 홍보 전략을 세울 수 있나요?' 같은 질문에 답변하기 위한 과정입니다. 인스타그램이나 유튜브와 같은 SNS 플랫폼을 활용할 수 있습니다. 또한 자신의 블로그나 웹사이트와 같은 자체 채널도 만들 수 있습니다. 이렇게 핵심 플랫폼과 채널을 설정하면 자신의 브랜드를 어떤 대상에게 어떻게 전달할지에 대한 전략을 세울 수 있습니다.

● ● ● < > C Q   ☆ ≡

프롬프트: 위 차별화 포인트를 반영해서 퍼스널 브랜딩 관점에서 김윤경 자신만의 오리지널리티를 구축할 수 있는 브랜드 정체성을 브랜드 스테이트먼트로 정리해줘. 위에서 정리된 김윤경의 퍼스널 브랜딩 핵심 콘셉트와 핵심 키워드를 소통할 핵심 플랫폼과 채널을 설정해줘.

▶ 위에서 정리된 김윤경의 퍼스널 브랜딩 핵심 콘셉트와 핵심 키워드를 소통할 핵심 플랫폼과 채널을 설정하면 다음과 같습니다.

핵심 플랫폼: 유튜브, 인스타그램, 페이스북, 블로그, 홈페이지

- 채널: 팬덤퍼널 채널, 김윤경 개인 채널, 팬덤퍼널 홈페이지, 김윤경 블로그, 팬덤퍼널 인스타그램, 김윤경 인스타그램, 팬덤퍼널 페이스북, 김윤경 페이스북

③ 핵심 콘텐츠 주제를 설정하고 쌓아가기: 자신의 브랜드와 관련된 유익하고 흥미로운 콘텐츠를 만들고 공유합니다. '나의 브랜드에 대해 사람들의 관심과 신뢰도를 높이기 위해 유익하고 흥미로운 콘텐츠를 만들 수 있나요? 핵심 주제를 설정하고 지속적으로 업로드할 수 있나요?' 같은 질문에 답변하기 위한 과정입니다. 옷장 정리 팁, 시즌별 패션 추천, 내 스타일 찾기 등의 주제로 콘텐츠를 제작할 수 있습니다. 이렇게 핵심 콘텐츠 주제를 설정하고 쌓아가면 자신의 브랜드에 대한 사람들의 관심과 신뢰도를 높일 수 있습니다.

● ● ● < > C Q   ☆ ≡

프롬프트: 위에서 정리된 김윤경의 퍼스널 브랜딩을 소통할 핵심 플랫폼과 채널에서 집중적으로 쌓아야 할 콘텐츠 주제를 3개만 제시해줘.

▶ 위에서 정리된 김윤경의 퍼스널 브랜딩을 소통할 핵심 플랫폼과 채널에서 집중적으로 쌓아야 할 콘텐츠 주제는 다음과 같습니다.

1. 퍼스널 브랜딩(부캐)을 완성하고 싶은 사람들을 위한 실질적이고 구체적인 과정과 방법에 대한 콘텐츠. 예를 들어 자신의 무한한 가능성과 매력과 지식과 노하우를 쉽게 발견하고 매력적인 콘텐츠가 되게 하는 방법, 퍼스널 브랜딩을 위한 스토리텔링과 콘텐츠 제작 기법, 퍼스널 브랜딩을 위한 마

케팅 전략과 홍보 방법 등에 대한 콘텐츠를 제공할 수 있습니다.

2. 인간은 모든 것을 이룰 수 있는 무한한 잠재력이 있는 위대한 존재라는 신념과 자기 효능감을 높이고 자아 발견과 성찰을 통해 더욱 성장하고 열린 마음으로 자신의 재능을 공유하는 방법에 대한 콘텐츠. 예를 들어 자신의 장점과 강점을 찾고 인정하는 방법, 자신의 목표와 비전을 설정하고 달성하는 방법, 자신의 취미와 관심사를 발전시키고 공유하는 방법 등에 대한 콘텐츠를 제공할 수 있습니다.

3. 글로벌 개인 가치 소통 플랫폼을 만들고자 하는 비전과 '당신의 위대함을 더욱 가치 있게Value up your greatness'라는 슬로건으로 자신의 브랜드 가치를 일관되게 소통하는 방식에 대한 콘텐츠. 예를 들어 글로벌 개인 가치 소통 플랫폼이란 무엇이고 왜 필요하고 어떻게 만들 수 있는지에 대한 콘텐츠, '당신의 위대함을 더욱 가치 있게Value up your greatness'라는 슬로건이 의미하는 바와 이를 실천하는 방법에 대한 콘텐츠를 제공할 수 있습니다.

---

④ 네이밍과 카피 라이팅 연결하기: 자신의 브랜드에 어울리는 이름과 문구를 만들고 사용합니다. '나의 브랜드에 어울리는 이름은 무엇인가요? 사람들이 나의 브랜드를 인식하고 기억할 수 있도록 브랜드 이름과 연결된 문구를 작성할 수 있나요?' 같은 질문에 답변하는 과정입니다. '스타일리시한 나만의 패션 스타일링, 내 손 안의 패션 컨설턴트, 패션으로 즐거움을 주는 사람' 등의 네이밍과 카피 라이팅을 사용할 수 있습니다. 이렇게 네이밍과 카피 라이팅을 연결하면 자신의 브랜드에 대한 인식과 기억도를 강화할 수 있습니다.

프롬프트: 위에서 제시한 첫 번째 콘텐츠 주제를 소통하는 김윤경의 퍼스널 브랜딩을 확고히 구축할 수 있는 네이밍과 카피 라이팅을 3개씩 제시해줘.

위에서 제시한 첫 번째 콘텐츠 주제를 소통하는 김윤경의 퍼스널 브랜딩을 확고히 구축할 수 있는 네이밍과 카피 라이팅은 다음과 같습니다.

• 네이밍: 『마케팅과 브랜딩에 챗GPT 활용법』-퍼스널 브랜딩을 위한 실전 가이드

• 카피 라이팅: 당신은 이미 훌륭한 콘텐츠를 가지고 있습니다. 단지 그것을 잘 발견하고 매력적으로 표현하는 방법을 모르는 것뿐입니다. 저서 『마케팅과 브랜딩에 챗GPT 활용법』은 당신의 무한한 가능성과 매력과 지식과

노하우를 쉽게 발견하고 매력적인 콘텐츠가 되게 하는 실질적이고 구체적인 과정과 방법을 알려줍니다. 퍼스널 브랜딩의 전문가 김윤경이 직접 가르쳐주는 『마케팅과 브랜딩에 챗GPT 활용법』으로 당신도 오늘부터 퍼스널 브랜딩의 마스터가 돼보세요!

- 네이밍: 퍼스널 브랜딩 스토리텔링 – 자신의 이야기로 사람들을 사로잡는 법

- 카피 라이팅: 당신은 자신의 이야기를 잘 전달할 수 있나요? 당신의 이야기는 당신의 브랜드입니다. 당신의 이야기를 잘 전달하면 사람들은 당신에게 관심을 가지고, 당신을 신뢰하고, 당신을 따르게 됩니다. 퍼스널 브랜딩 스토리텔링은 자신의 이야기를 잘 전달하기 위한 콘텐츠 제작 기법을 알려줍니다. 퍼스널 브랜딩의 전문가 김윤경이 직접 가르쳐주는 퍼스널 브랜딩 스토리텔링으로 당신도 오늘부터 사람들을 사로잡는 스토리텔러가 돼보세요!

- 네이밍: 퍼스널 브랜딩 마케팅 – 자신의 브랜드를 성공적으로 홍보하는 법

- 카피 라이팅: 당신은 자신의 브랜드를 잘 홍보할 수 있나요? 당신의 브랜드는 당신의 가치입니다. 당신의 브랜드를 잘 홍보하면 사람들은 당신에게 인정을 주고, 당신에게 협력하고, 당신에게 보상을 주게 됩니다. 퍼스널 브랜딩 마케팅은 자신의 브랜드를 성공적으로 홍보하기 위한 마케팅 전략과 방법을 알려줍니다.

3단계: 브랜드 확산 프로세스 진행하기

3단계는 자신의 브랜드를 많은 사람에게 알리고 팬을 만드는 단계로 다음과 같은 세 가지 과정을 거칩니다.

① 오프라인 툴 구축하기: 자신의 브랜드를 오프라인에서도 잘 표현할 수 있는 방법을 찾습니다. '나의 브랜드를 오프라인에서 효과적으로 홍보하는 방법은 무엇이 있나요? 사람들과 만나기 위해 이벤트를 기획할 수 있나요?' 사람들을 만날 때 나의 브랜드를 알리기 위해 어떤 수단을 활용하나요? 같은 질문에 답변하는 과정입니다. 명함, 로고, 프로필, 스타일, 브로셔, 사무실 등에 자신의 콘셉트와 핵심 키워드를 반영할 수 있습니다. 이렇게 오프라인 툴을 구축하면 만나는 사람들에게 자신의 브랜드를 잘 알리고 인식시킬 수 있습니다.

프롬프트: 위에서 제시한 첫 번째 네이밍과 카피 라이팅을 활용해서 오프라인에서 팬들과 대면으로 소통할 수 있는 이벤트 아이디어를 3개만 제시해줘.

▶ 위에서 제시한 첫 번째 네이밍과 카피 라이팅을 활용해서 오프라인에서 팬들과 대면으로 소통할 수 있는 이벤트 아이디어는 다음과 같습니다.

- 이벤트 아이디어 1: 『마케팅과 브랜딩에 챗GPT 활용법』-퍼스널 브랜딩 워크숍

  ○ 설명: 김윤경이 직접 참여하는 퍼스널 브랜딩 워크숍으로 책『마케팅과 브랜딩에 챗GPT 활용법』의 내용을 바탕으로 자신의 무한한 가능성과 매력과 지식과 노하우를 쉽게 발견하고 매력적인 콘텐츠가 되게 하는 실질적이고 구체적인 과정과 방법을 배우고 실습할 수 있는 이벤트입니다. 참가자들은 자신의 퍼스널 브랜딩을 위한 스토리텔링, 콘텐츠 제작 기법, 마케팅 전략, 홍보 방법 등을 김윤경의 피드백과 함께 학습하고 적용할 수 있습니다.

  ○ 목적: 김윤경의 퍼스널 브랜딩에 대한 전문성과 경험을 공유하고, 팬들의 퍼스널 브랜딩에 대한 관심과 동기를 높이고, 팬들의 퍼스널 브랜딩에 대한 실력과 자신감을 향상하는 것입니다.

- 이벤트 아이디어 2: 『마케팅과 브랜딩에 챗GPT 활용법』-퍼스널 브랜딩 챌린지

  ○ 설명: 김윤경이 주최하는 퍼스널 브랜딩 챌린지로 책『마케팅과 브랜딩에 챗GPT 활용법』의 내용을 바탕으로 자신의 무한한 가능성과 매력과 지식과 노하우를 쉽게 발견하고 매력적인 콘텐츠가 되게 하는 실질적이고 구체적인 과정과 방법을 따라 하는 이벤트입니다. 참가자들은 김윤경이 제시하는 퍼스널 브랜딩 관련 주제와 과제에 도전하고, 자기 결과물을 SNS에 업로드하고, 다른 참가자들과 소통하고, 김윤경의 평가와 상품을 받을 수 있습니다.

  ○ 목적: 김윤경의 퍼스널 브랜딩에 대한 인지도와 기억도를 강화하고, 팬들의 퍼스널 브랜딩에 대한 참여와 재미를 증대하고, 팬들의 퍼스널 브랜딩에 대한 성취감과 인정감을 부여하는 것입니다.

- 이벤트 아이디어 3: 『마케팅과 브랜딩에 챗GPT 활용법』-퍼스널 브랜딩 멘토링

  ○ 설명: 김윤경이 직접 멘토링하는 퍼스널 브랜딩 멘토링으로 책『마케

② 온라인 툴 구축하기: 자신의 브랜드를 온라인에서도 잘 전달할 수 있는
방법을 찾습니다. '나의 브랜드를 온라인에서 효과적으로 홍보하는 방법
은 무엇인가요? 고객 또는 팬들과 적극적으로 소통하고 피드백을 받을
수 있는 온라인 채널이 있나요? 더 널리 알리고 관심을 끌어모으기 위한
이벤트를 지속적으로 개발하고 운영하고 있나요?' 같은 질문에 답변해
나가는 과정입니다. 홈페이지, 블로그, 인스타그램, 페이스북, 유튜브 등
에 자신의 콘셉트와 핵심 콘텐츠를 공유할 수 있습니다. 또한 온라인 채
널을 통해 팬들과 적극적으로 소통하고 피드백을 받을 수 있습니다. 이
렇게 온라인 툴을 구축하면 자신의 브랜드를 넓은 범위에 걸쳐 알리고
관심을 유도할 수 있습니다.

프롬프트: 위에서 제시한 오프라인 이벤트 첫 번째 아이디어를 기반으로 인
스타그램 팔로우를 늘릴 수 있는 이벤트를 2개만 기획해줘.

위에서 제시한 오프라인 이벤트 첫 번째 아이디어를 기반으로 인스타그램
팔로우를 늘릴 수 있는 이벤트를 기획하면 다음과 같습니다.

• 이벤트 1: 『마케팅과 브랜딩에 챗GPT 활용법』-퍼스널 브랜딩 워크숍 참
가자 모집 이벤트

  ○ 설명: 김윤경의 퍼스널 브랜딩 워크숍에 참가하고 싶은 사람들을 대상
  으로 하는 이벤트로, 김윤경의 인스타그램 계정을 팔로우하고, 퍼스널
  브랜딩 워크숍에 관한 게시물을 '좋아요'하고, 댓글로 자신의 퍼스널
  브랜딩에 관한 관심과 동기를 적고, 친구들을 태그하는 사람 중에서 추
  첨을 통해 워크숍에 무료로 참가할 기회를 제공하는 이벤트입니다.

  ○ 목적: 김윤경의 인스타그램 팔로우와 '좋아요'와 댓글 수를 증가시키
  고, 퍼스널 브랜딩 워크숍에 대한 홍보와 관심을 높이고, 워크숍에 참
  가할 수 있는 유인을 제공하는 것입니다.

• 이벤트 2: 『마케팅과 브랜딩에 챗GPT 활용법』-퍼스널 브랜딩 워크숍 후
기 공유 이벤트

  ○ 설명: 김윤경의 퍼스널 브랜딩 워크숍에 참가한 사람들을 대상으로 하
  는 이벤트로, 김윤경의 인스타그램 계정을 팔로우하고, 자신의 인스타

그램 계정에 퍼스널 브랜딩 워크숍에 관한 후기와 사진을 게시하고, 김윤경과 팬덤퍼널 계정을 태그하고, #『마케팅과 브랜딩에 챗GPT 활용법』 #퍼스널브랜딩워크숍 #김윤경 #FandomFunnel 등의 해시태그를 달고, 친구들을 태그하는 사람 중에서 추첨을 통해 김윤경의 책이나 상품권 등의 선물을 제공하는 이벤트입니다.

○ 목적: 김윤경의 인스타그램 팔로우와 태그 수를 증가시키고, 퍼스널 브랜딩 워크숍에 대한 만족도와 신뢰도를 높이고, 워크숍에 참가한 사람들의 재구매와 추천을 유도하고, 워크숍에 참가하지 못한 사람들의 구매 욕구를 자극하는 것입니다.

③ 통일성과 일관성 유지하기: 자신의 브랜드를 온오프라인의 다양한 채널을 통해 일관되게 전달합니다. '온오프라인의 다양한 채널에서 나의 이미지, 메시지, 스타일, 콘텐츠 주제 등이 통일성 있게 홍보되고 있나요? 사람들이 나의 브랜드를 인지하고 기억할 수 있게 일관되게 홍보하는 방법은 무엇이 있나요?' 같은 질문에 답변하기 위한 과정입니다. 네이밍과 카피 라이팅, 콘텐츠 주제와 스타일, 이미지와 메시지 등이 모든 채널에서 동일하거나 유사하게 나타나야 합니다. 이렇게 통일성과 일관성을 유지하면 자신의 브랜드에 대한 인지도와 기억도를 높일 수 있습니다.

● ● ● ‹ › C Q   ☆ ≡

프롬프트: 위에서 제시한 첫 번째 인스타그램 이벤트를 더 많은 잠재고객에게 홍보할 수 있는 PR 기사 스토리라인 작성해줘.

▶ 위에서 제시한 첫 번째 인스타그램 이벤트를 더 많은 잠재고객에게 홍보할 수 있는 PR 기사 스토리라인은 다음과 같습니다.

• 제목: 퍼스널 브랜딩의 전문가 김윤경이 직접 가르쳐주는 『마케팅과 브랜딩에 챗GPT 활용법』–퍼스널 브랜딩 워크숍 참가자 모집 이벤트

• 내용: 퍼스널 브랜딩을 통해 자신의 가치를 증대하고 실질적인 수익창출이 가능하게 하고자 하는 사람들에게 좋은 소식이 있습니다. 퍼스널 브랜딩의 전문가이자 팬덤퍼널 회사의 CEO이자 설립자인 김윤경이 직접 참여하는 퍼스널 브랜딩 워크숍에 무료로 참가할 기회가 주어집니다. 이 워크숍은 김윤경의 베스트셀러 책 『마케팅과 브랜딩에 챗GPT 활용법』의 내용을 바탕으로 자신의 무한한 가능성과 매력과 지식과 노하우를 쉽게 발견하고 매력적인 콘텐츠가 되게 하는 실질적이고 구체적인 과정과 방법을 배우고 실습할 수 있는 워크숍입니다. 참가자들은 자신의 퍼스널 브랜딩을 위한 스

토리텔링과 콘텐츠 제작 기법, 마케팅 전략과 홍보 방법 등을 김윤경의 피드백과 함께 학습하고 적용할 수 있습니다. 이 워크숍에 참가하려면 김윤경의 인스타그램 계정을 팔로우하고, 퍼스널 브랜딩 워크숍에 관한 게시물을 '좋아요'하고, 댓글로 자신의 퍼스널 브랜딩에 관한 관심과 동기를 적고, 친구들을 태그하면 됩니다. 추첨을 통해 선정된 참가자들은 워크숍에 무료로 참가할 수 있으며, 워크숍에서는 다양한 혜택과 선물도 제공됩니다. 이번 이벤트는 00월 00일부터 00월 00일까지 진행되며, 자세한 사항은 김윤경의 인스타그램 계정에서 확인할 수 있습니다. 퍼스널 브랜딩에 관심이 있는 분들은 이번 기회를 놓치지 마세요!

4단계: 브랜드 관리 프로세스 진행하기

브랜드 관리란 자신의 브랜드를 지속적으로 성장시키고 유지하는 것입니다. 이 과정에서는 다음과 같은 두 가지 단계를 거칩니다.

① 커뮤니티를 구축하고 가치를 제공하여 확장하기: 자신의 브랜드를 지지하는 팬들과 관계를 꾸준히 유지하고 강화합니다. '나의 브랜드를 지지하는 팬들과 밀접한 관계를 꾸준히 유지하고 있나요? 팬들과 함께하는 협업 프로젝트를 기획하고 진행할 수 있나요? 가치 있는 정보와 경험을 제공하기 위해 어떤 활동을 하고 있나요? 다른 플랫폼과 연계하여 할 수 있는 홍보 활동은 무엇이 있을까요?' 같은 질문에 답변하는 과정입니다. 팬들과 함께하는 협업 프로젝트를 진행하거나 다른 플랫폼과 연계해 자신의 브랜드를 알리는 활동을 할 수 있습니다. 또한 팬들에게 유용하고 유쾌한 정보와 경험을 제공하여 가치를 전달할 수 있습니다. 이렇게 커뮤니티를 구축하고 가치를 제공하면 자신의 브랜드를 확장하고 장기적으로 유지할 수 있습니다.

●●●〈〉C Q　　　　　　　　　　　　　　　　　　　☆ ≡

프롬프트: 앞에서 작성한 PR 기사의 핵심 주제와 잘 어울리면서 김윤경이라는 퍼스널 브랜드와 브랜드 협업을 진행하기 좋은 브랜드 3개를 추천해줘.

 앞에서 작성한 PR 기사의 핵심 주제와 잘 어울리면서 김윤경이라는 퍼스널 브랜드와 브랜드 컬래버를 진행하기 좋은 한국에 있는 브랜드 3개를 추천하면 다음과 같습니다.

- 브랜드 1: 토스
  - 이유: 토스는 한국의 대표적인 핀테크 플랫폼으로 다양한 금융 서비스를 제공하고 있습니다. 토스는 김윤경의 퍼스널 브랜딩과 잘 어울리는데요. 토스는 개인이 자신의 금융을 스스로 관리하고 수익을 창출할 수 있도록 돕는 플랫폼입니다. 또한 토스는 김윤경의 책에서 강조한 '신뢰'라는 가치에 부합합니다. 토스는 사용자들에게 안전하고 편리하고 혁신적인 금융 서비스를 제공하며 신뢰를 얻고 있습니다.
  - 컬래버 아이디어: 김윤경과 토스가 함께하는 『마케팅과 브랜딩에 챗GPT 활용법』 워크숍을 온라인으로 진행합니다. 워크숍에 참가하려면 토스 앱을 다운로드하고, 김윤경의 인스타그램 계정을 팔로우하고, 워크숍에 관한 게시물을 '좋아요'하고, 댓글로 자신의 퍼스널 브랜딩에 관한 관심과 동기를 적고, 친구들을 태그해야 합니다. 추첨을 통해 선정된 참가자들은 온라인으로 워크숍에 참여할 수 있고, 워크숍에서는 김윤경이 자기 경험과 노하우를 공유하고, 참가자들의 질문에 답하고, 피드백을 줍니다. 또한 워크숍에 참여한 사람 중에서 우수한 결과물을 제출한 사람들에게는 토스에서 제공하는 상품권이나 혜택을 줍니다.
- 브랜드 2: 카카오
  - 이유: 카카오는 한국의 대표적인 IT 기업으로 다양한 인터넷 서비스를 제공하고 있습니다. 카카오는 김윤경의 퍼스널 브랜딩과 잘 어울리

자세한 정보: 1. kpbr.kr   2. joongang.co.kr   3. socialstory.kr   4. mobiinside.co.kr

중간에 답변이 끊어지면 "위 답변 계속해줘."라고 명령하면 됩니다.

●●●〈〉C Q   ☆ ≡

위 답변 계속해줘.

네. 알겠습니다. 위 답변을 계속하겠습니다.

- 브랜드 3: 퍼스널 브랜딩 연구소
  - 이유: 퍼스널 브랜딩 연구소는 한국의 퍼스널 브랜딩 전문 기관으로 다양한 퍼스널 브랜딩 교육과 컨설팅을 제공하고 있습니다. 퍼스널 브랜딩 연구소는 김윤경의 퍼스널 브랜딩과 잘 어울리는데요. 첫째, 퍼스널 브랜딩 연구소는 김윤경의 책 『마케팅과 브랜딩에 챗GPT 활용법』

의 후원사 중 하나입니다. 김윤경은 퍼스널 브랜딩 연구소와 협력하여 책의 내용을 보완하고, 책의 홍보를 지원하고, 책의 판매를 촉진했습니다. 둘째, 퍼스널 브랜딩 연구소는 김윤경의 책에서 언급한 '진정한 나를 찾고 싶다.'라는 욕구와 일치합니다. 퍼스널 브랜딩 연구소는 개인이 자신의 개성과 장점을 발견하고, 자신만의 스토리와 메시지를 만들고, 자신의 가치를 전달할 수 있도록 돕는 기관입니다. 셋째, 퍼스널 브랜딩 연구소는 김윤경의 책에서 강조한 '신뢰'라는 가치에 부합합니다. 퍼스널 브랜딩 연구소는 한국에서 가장 오래된 퍼스널 브랜딩 전문 기관으로 다수의 성공 사례와 평판을 보유하고 있습니다.

○ 컬래버 아이디어: 김윤경과 퍼스널 브랜딩 연구소가 함께하는 『마케팅과 브랜딩에 챗GPT 활용법』 워크숍을 오프라인으로 진행합니다. 워크숍에 참가하려면 퍼스널 브랜딩 연구소의 홈페이지에서 신청하고, 김윤경의 인스타그램 계정을 팔로우하고, 워크숍에 관한 게시물을 '좋아요'하고, 댓글로 자신의 퍼스널 브랜딩에 관한 관심과 동기를 적고, 친구들을 태그해야 합니다. 추첨을 통해 선정된 참가자들은 오프라인으로 워크숍에 참여할 수 있으며, 워크숍에서는 김윤경과 퍼스널 브랜딩 연구소의 전문가들이 자기 경험과 노하우를 공유하고, 참가자들의 질문에 답하고, 피드백을 줍니다. 또한 워크숍에 참여한 사람 중에서 우수한 결과물을 제출한 사람들에게는 김윤경의 책이나 상품권 등

② 롱런하는 브랜드가 되기 위해 선순환 시스템 구축하기: 자신의 브랜드를 안정적으로 운영하고 발전시키는 데 필요한 조건과 방법을 찾습니다. '나의 브랜드를 안정적으로 운영하고 발전시키기 위한 활동을 기획할 수 있나요? 나의 브랜드에 대한 평판과 위기를 관리하는 멘티를 양성하는 프로그램을 운영하고 있나요?' 같은 질문에 답변하기 위한 과정입니다. 자신의 브랜드에 대한 평판을 관리하고 만약 위기가 발생한다면 적절하게 대처할 수 있어야 합니다. 또한 자신의 브랜드를 계승하고 발전시킬 수 있는 멘티를 양성하거나 다른 사람들의 브랜딩을 지원하는 활동을 할 수 있습니다. 이렇게 선순환 시스템을 구축하면 자신의 브랜드를 롱런하는 브랜드로 만들 수 있습니다.

> 프롬프트: 김윤경의 인스타그램 팔로우들은 20~30대 스타트업에서 전문적
> 으로 마케팅을 수행하는 프리랜서들이야. 그들의 퍼스널 브랜딩(부캐)을 만
> 들고 성장시키고 싶은 열정적인 사람들이야. 김윤경의 인스타그램 팔로우의
> 성향을 잘 반영하여 서로에게 도움이 될 수 있고 멘티를 지속적으로 육성하
> 고 성장시킬 수 있는 장기적인 소통 프로그램을 기획해줘.

▶ 김윤경의 인스타그램 팔로우의 성향을 잘 반영하여 김윤경뿐 아니라 팔로
  우들에게 도움이 될 수 있고, 멘티를 지속해서 육성하고 성장시킬 수 있는
  장기적인 소통 프로그램을 기획하면 다음과 같습니다.

- 프로그램명:『마케팅과 브랜딩에 챗GPT 활용법』-퍼스널 브랜딩 마스터
  클래스

- 프로그램 설명: 김윤경이 직접 멘토링하는 퍼스널 브랜딩 마스터 클래스
  로『마케팅과 브랜딩에 챗GPT 활용법』책의 내용을 바탕으로 자신의 무
  한한 가능성과 매력과 지식과 노하우를 쉽게 발견하고 매력적인 콘텐츠가
  되게 하는 실질적이고 구체적인 과정과 방법을 배우고 실천할 수 있는 프
  로그램입니다. 참가자들은 자신의 퍼스널 브랜딩을 위한 스토리텔링, 콘
  텐츠 제작 기법, 마케팅 전략, 홍보 방법 등을 김윤경의 피드백과 함께 학
  습하고 적용할 수 있습니다. 또한 참가자들은 김윤경과 함께하는 온라인
  그룹 코칭 세션과 1:1 멘토링 세션을 통해 자신의 퍼스널 브랜딩에 대한
  고민과 문제를 해결하고, 다른 참가자들과 네트워킹하고, 서로의 퍼스널
  브랜딩을 응원하고 도울 수 있습니다. 이 프로그램은 3개월 동안 진행되
  며, 매주 온라인으로 강의와 과제를 제공하고, 한 달에 한 번 온라인으로
  그룹 코칭 세션을 진행하고, 한 달에 한 번 오프라인으로 1:1 멘토링 세션
  을 진행합니다.

- 프로그램 목적: 김윤경의 퍼스널 브랜딩에 대한 전문성과 경험을 공유하
  고, 팬들의 퍼스널 브랜딩에 관한 관심과 동기를 높이고, 팬들의 퍼스널
  브랜딩에 대한 실력과 자신감을 향상하는 것입니다. 또한 김윤경과 팬들
  간의 장기적인 관계와 소통을 유지하고, 팬들 간의 상호작용과 협력을 촉
  진하는 것입니다.

이제 마무리 단계에서 추가적인 질문을 해보겠습니다.

▶ 김윤경의 퍼스널 브랜딩 소통 프로그램에 대해 시장에서의 경쟁력과 차별화 포인트 관점에서 전반적인 평가를 하면 다음과 같습니다.

- 시장에서의 경쟁력: 김윤경의 퍼스널 브랜딩 소통 프로그램은 시장에서 높은 경쟁력을 가질 수 있습니다. 첫째, 퍼스널 브랜딩이라는 주제는 현재 많은 사람이 관심이 있는 분야입니다. 특히 20~30대 스타트업에서 전문적으로 마케팅을 수행하는 프리랜서들은 자신의 가치를 증대하고 실질적인 수익창출을 가능하게 하고자 하는 목표를 가지고 있습니다. 따라서 김윤경의 퍼스널 브랜딩 소통 프로그램은 이러한 타깃 고객의 니즈와 맞춰져 있습니다. 둘째, 김윤경은 퍼스널 브랜딩의 전문가이자 팬덤퍼널 회사의 CEO이자 설립자이며 베스트셀러 책『마케팅과 브랜딩에 챗GPT 활용법』의 저자입니다. 이러한 김윤경의 이력과 성과는 그 자체로 퍼스널 브랜딩의 산증인이며, 김윤경이 제공하는 퍼스널 브랜딩 교육과 컨설팅에 대한 신뢰와 만족도를 높일 수 있습니다. 셋째, 김윤경의 퍼스널 브랜딩 소통 프로그램은 단순한 강의나 상담이 아니라 온라인 그룹 코칭 세션과 일대일 멘토링 세션을 통해 참가자들과 지속해서 소통하고, 참가자들 간의 네트워킹과 협력을 촉진합니다. 이러한 방식은 참가자들의 학습 동기와 몰입도를 높이고, 실질적인 결과물과 성장을 도출할 수 있습니다.

- 차별화 포인트: 김윤경의 퍼스널 브랜딩 소통 프로그램은 다른 퍼스널 브랜딩 교육과 컨설팅과 다음과 같은 점에서 차별화될 수 있습니다. 첫째, 김윤경의 퍼스널 브랜딩 소통 프로그램은『마케팅과 브랜딩에 챗GPT 활용법』책의 내용을 바탕으로 하고 있습니다. 이 책은 퍼스널 브랜딩을 위한 실전 가이드로 자신의 개성과 매력과 지식과 노하우를 쉽게 발견하고 매력적인 콘텐츠가 되게 하는 실질적이고 구체적인 과정과 방법을 제시합니다. 이러한 내용은 다른 퍼스널 브랜딩 교육과 컨설팅에서는 찾아보기 어렵습니다.

▶ 김윤경의 퍼스널 브랜딩 소통 프로그램을 개선하는 방법은 다음과 같습니다.

- 첫째, 김윤경의 퍼스널 브랜딩 소통 프로그램은 현재 3개월 동안 진행되는데 기간을 늘리거나 줄이는 옵션을 제공할 수 있습니다. 예를 들어 6개월 동안 더 깊이 있는 퍼스널 브랜딩을 배우고 싶은 사람들을 위한 프리미엄 코스나 1개월 동안 빠르게 퍼스널 브랜딩을 구축하고 싶은 사람들을 위한 익스프레스 코스 등을 개발할 수 있습니다. 이렇게 하면 참가자들의 다양한 니즈와 목표에 맞춰서 프로그램을 선택하고 참여할 수 있습니다.

- 둘째, 김윤경의 퍼스널 브랜딩 소통 프로그램은 현재 온라인 그룹 코칭 세션과 1:1 멘토링 세션을 통해 참가자들과 소통하고 있습니다. 이 외에도 다른 소통 채널을 추가하거나 활용할 수 있습니다. 예를 들어 카카오톡 오픈 채팅방이나 텔레그램 그룹 등을 만들어서 참가자들끼리 실시간으로 의견을 공유하고 질문하고 답변할 수 있도록 할 수 있습니다. 또는 인스타그램이나 유튜브 등의 SNS를 통해 김윤경이 자신의 퍼스널 브랜딩에 대한 팁이나 인사이트를 공유하고, 참가자들의 콘텐츠를 리뷰하고, 성공 사례를 소개할 수 있습니다. 이렇게 하면 참가자들의 학습 동기와 몰입도를 높이고, 김윤경과 팬들 간의 장기적인 관계와 소통을 유지할 수 있습니다.

- 셋째, 김윤경의 퍼스널 브랜딩 소통 프로그램은 현재 참가자들에게 우수한 결과물을 제출한 사람들에게 김윤경의 책이나 상품권 등의 선물을 제공하고 있습니다. 이 외에도 다른 보상 방식을 도입하거나 개선할 수 있습니다. 예를 들어 참가자들의 결과물을 평가하는 기준이나 방법을 명확하게 공개하고, 평가 과정에 참가자들이 참여할 수 있도록 할 수 있습니다. 또는 우수한 결과물을 제출한 사람들에게는 김윤경과 함께하는 추가적인 멘토링 세션이나 네트워킹 파티 등의 기회를 제공할 수 있습니다. 이렇게 하면 참가자들의 학습 성취감과 만족도를 높일 수 있습니다.

● ● ● ‹ › ↻ 🔍   ☆ ≡

프롬프트: 김윤경의 퍼스널 브랜딩 소통 프로그램이 글로벌 시장에서 팬덤 구축 플랫폼으로서도 차별화된 경쟁력이 있을지에 대해서 해외 시장의 경쟁사와 비교해서 분석하고 어떻게 개선해나가야 하는지 제안해줘.

▶ 김윤경의 퍼스널 브랜딩 소통 프로그램이 글로벌 시장에서 팬덤 구축 플랫폼으로서도 차별화된 경쟁력이 있을지를 해외 시장에서의 경쟁사와 비교해서 분석하고 어떻게 개선해나가야 하는지 제안하면 다음과 같습니다.

- 해외 시장에서의 경쟁사: 김윤경의 퍼스널 브랜딩 소통 프로그램이 글로벌 시장에서 직면할 수 있는 경쟁사는 다음과 같습니다.

- 글로벌 브랜드 아카데미: 글로벌 브랜드 아카데미Global Brand Academy는 퍼스널 브랜딩 전문 기관으로, 다양한 퍼스널 브랜딩 교육과 컨설팅을 제공하고 있습니다. 글로벌 브랜드 아카데미는 25년간 35개국에서 1,000개 이상의 브랜드를 성공적으로 변화시킨 실적과 경험을 바탕으로 퍼스널 브랜딩을 위한 실전 가이드와 전문가들의 피드백을 제공합니다.

- 브랜디D: 브랜디DbrandiD는 퍼스널 브랜딩 전문 기관으로, 다양한 퍼스널 브랜딩 교육과 컨설팅을 제공하고 있습니다. 브랜디D는 자신만의 SOULiD 브랜딩 프레임워크라는 독자적인 방법론을 사용하여 개인의 강점과 재능, 가치와 비전을 발견하고, 온라인과 오프라인에서 자신의 브랜드를 전달할 수 있는 전략과 마케팅 방법을 제시합니다.

- 헤이파인드미: 헤이파인드미Heyfindme는 퍼스널 브랜딩 플랫폼으로 개인이 자신의 전문성과 신뢰를 보여줄 수 있는 온라인 프로필을 만들고 관리할 수 있습니다. 헤이파인드미는 개인의 목표와 관심사에 맞춰서 적절한 네트워크와 기회를 연결해주고, 개인의 브랜드 가치를 증대시키는 도구를 제공합니다.

- 차별화된 경쟁력: 김윤경의 퍼스널 브랜딩 소통 프로그램은 해외 시장에서의 경쟁사와 다음과 같은 점에서 차별화된 경쟁력을 가질 수 있습니다.

  ○ 첫째, 김윤경의 퍼스널 브랜딩 소통 프로그램은 『마케팅과 브랜딩에 챗GPT 활용법』 책의 내용을 바탕으로 하고 있습니다. 『마케팅과 브랜딩에 챗GPT 활용법』은 퍼스널 브랜딩을 위한 실전 가이드로 자신의 개성과 매력과 지식과 노하우를 쉽게 발견하고 매력적인 콘텐츠가 되게 하는 실질적이고 구체적인 과정과 방법을 제시합니다.

● ● ● ‹ › C ⟨Q⟩   ☆ ≡

▶️ 골든 서클: 김윤경 퍼스널 브랜딩

1. 나는 왜 일하는가? 나의 신념은 무엇이며 세상에 어떤 가치를 실현하고 싶은가? (Why)

  - 김윤경金倫敬은 "매순간 만나는 모든 분을 공경하라."라는 이름의 뜻대로 살아간다. - '인간은 모든 것을 이룰 수 있는 무한한 잠재력이 있는 위대한 존재'라는 진리를 매순간 깨닫고 진정성 있는 '인간 존중'을 실천하면서 주변에 긍정적인 영향력을 미친다.

2. 내가 중요하게 여기는 신념과 가치를 현실화하기 위한 실천 방안과 행동 원칙은 무엇인가? (How)

- 무엇이 돼야만, 무엇을 해야만이 아닌 '지금 있는 그대로의 모습'을 인정하고 존중하고 사랑한다.

- Now and Here! 바로 지금 여기 내 앞에 계신 분, 과제, 미션에 집중하고 몰입한다. 내 인생의 행복 총합은 매순간 느끼는 행복한 순간의 누적이다. 파랑새는 내가 발을 딛고 있는 바로 이곳에 존재한다.

3. 내 신념과 가치를 지속해서 실현했을 때 나는 과연 어떤 존재가 돼 있는가? (What)

- 매일 매순간 성장하며 감사하고 감탄하는, 나를 진심으로 사랑하는 만큼 어떤 한순간도 버릴 것이 없는 온전한 나 자신의 모습 'Yesica(Yes, I Can!)'가 돼 있다. 정말 경이롭고 감사하다.

4. 내 신념으로 도출된 결과물, 즉 '나'라는 브랜드를 한마디로 정의한다면? (Personal Branding)

- 팬덤퍼널 회사의 CEO이자 설립자로서 자신의 무한한 가능성과 매력과 지식과 노하우를 쉽게 발견하고 매력적인 콘텐츠가 되게 하여 퍼스널 브랜딩(부캐)을 완성하고 자신의 가치를 증대하고 실질적인 수익창출이 가능하게 돕는다. 이를 통해 자기 효능감을 높이고, 자아 발견과 성찰을 통해 더욱 성장하고 열린 마음으로 자신의 재능을 공유하는 글로벌 개인 가치 소통 플랫폼을 만든다. 함께 성장하고 자극과 영감을 주는 글로벌 팬덤퍼널로서 '당신의 위대함을 더욱 가치 있게Value up your greatness'를 달성하도록 돕고 이를 통해 기대 이상의 놀라움을 선사함으로써 폭발적으로 성장하는 글로벌 팬덤 문화를 만들어간다.

5. 나라는 브랜드 가치를 어떻게 일관되게 소통하면서 인정받게 할 것인가? (Personal Marketing)

- 내 삶의 모든 관계(커리어 우먼, 아내, 엄마, 딸, 며느리)에서 인간에 대한 강력한 신뢰 기반의 사랑과 존중의 태도를 일관된 말과 행동으로 보여줌으로써 나의 행복한 순간을 주변에 전염시킨다.

지금까지 퍼스널 브랜딩 4단계 프로세스를 빙에게 실행해보았습니다. 이제부터는 기업의 제품과 서비스의 브랜딩 관점에서 챗GPT와 빙을 같이 활용하는 방법을 알아보겠습니다.

3장

챗GPT에게 업무 맡기기

2장에서는 퍼스널 브랜딩 관점에서 빙을 활용해봤다면 3장에서는 기업의 제품과 서비스의 브랜딩 관점에서 챗GPT와 빙을 같이 활용해보겠습니다. 우선 신규 브랜드를 기획하기 위해서는 시장조사를 통해서 고객의 니즈와 결핍을 이해할 필요가 있습니다. 예시로 브랜드 기획자로 가정하고 그 관점에서 '신규 브랜드를 기획하기 위한 시장조사 프로세스'를 좀 더 상세하게 알아보겠습니다.

1

먼저 시장조사하기

1. 시장조사 목표 설정

조사 기간, 조사 대상, 조사 방법, 예산 등 구체적인 시장조사 계획을 수립합니다. 목표 설정을 통해 조사의 방향성을 명확히 할 수 있습니다.

2. 시장 규모와 성장률 조사

과거와 현재의 시장 데이터를 활용하여 시장 규모와 성장률을 추정하고 향후 시장 전망을 예측합니다. 이를 바탕으로 신규 브랜드의 시장 진입 여부를 결정할 수 있습니다.

3. 고객 조사

온라인 설문조사, 타깃 고객 인터뷰, 포커스 그룹 인터뷰 등 다양한 방법을 통해 의견을 수집합니다. 또한 SNS와 온라인 커뮤니티 등을 통해 브랜드에 대한 고객의 인식과 선호도를 파악할 수 있습니다.

4. 경쟁사 분석

스왓SWOT 분석, 포터의 다섯 경쟁요인5Force 분석 등 다양한 분석 도구를 활용하여 경쟁사들의 강점과 약점을 파악하고 시장에서 차별화된 경쟁력 확보 방안을 모색합니다.

5. 시장 세분화

인구통계학적, 지리적, 심리적, 행동적 등 다양한 기준으로 시장을 세분화하고 각 세분화된 시장 규모, 성장률, 경쟁 정도 등을 분석합니다.

6. 제품과 판매 전략 기획

제품 콘셉트, 브랜드 이미지, 효능과 특성, 원료와 제조 공정 등을 고려하여 제품을 기획합니다. 또한 온오프라인 채널별 판매 전략, 가격 정책 등을 수립합니다.

7. 마케팅 전략 수립

마케팅 목표 설정, 예산 배분, 매체 전략, 프로모션 전략 등을 고려하여 전반적인 마케팅 전략을 수립합니다.

8. 시장조사 결과 분석과 리포트 작성

수집된 시장조사 결과를 정리하고 분석하여 전문가들의 의견을 종합한 리포트를 작성합니다. 이 리포트는 신규 브랜드 기획과 실행 과정에서 핵심 참고 자료로 활용됩니다.

9. 시장 출시 전 테스트 마케팅

소규모 시장이나 특정 지역에서 제한된 기간 테스트 마케팅을 진행합니다. 이를 통해 실제 고객의 반응과 피드백을 확인하고, 제품 개선과 마케팅 전략 수정에 참고할 수 있습니다.

10. 출시 후 시장조사와 모니터링

브랜드 출시 후 지속적인 시장조사와 모니터링을 통해 최신 시장 동향, 경쟁사 전략, 고객 선호도 변화 등을 파악하고 이를 바탕으로 전략 수정과 제품 개선을 진행합니다.

11. 결과 평가와 개선 방안 수립

핵심성과지표KPI를 설정하여 출시 후의 판매 성과와 마케팅 효과 등을 평가합니다. 만약 목표치에 미치지 못한다면 원인을 분석하고 개선 방안을 수립하여 브랜드의 성장을 도모합니다.

12. 지속적인 시장조사

고객 트렌드와 시장 동향 변화에 발맞춰 지속적으로 시장조사를 진행합니다. 이를 통해 신규 브랜드가 지속적으로 성장할 수 있는 기반이 마련됩니다.

13. 브랜드 확장 전략

브랜드의 성장 전략과 함께 라인업 확장, 카테고리 확장, 글로벌 시장 진출 등의 전략을 수립합니다. 총체적으로 보았을 때 신규 브랜드 기획에서 시장조사 프로세스는 꼼꼼하게 진행돼야 합니다. 앞서 제시한 과정들을 통해 시장에서 경쟁력 있는 신규 브랜드를 성공적으로 출시하고 지속적으로 성장할 수 있는 기반을 마련할 수 있습니다.

14. 고객 피드백 수집과 관리

브랜드 출시 후 고객의 피드백을 주기적으로 수집하고 분석하여 제품과 서비스를 개선합니다. 이 과정에서 고객과의 소통을 통해 브랜드 충성도를 높이고 지속적인 성장의 발판을 마련할 수 있습니다.

15. 협력사와의 관계 관리

제조사, 유통업체, 마케팅 대행사 등 협력사와 긴밀한 관계를 유지하며 전략적 파트너십을 구축합니다. 이를 통해 브랜드의 성공적인 운영과 확장을 도모할 수 있습니다.

16. 지속가능한 브랜드 경영

지속가능한 브랜드 경영을 위해 예를 들어 친환경 원료 사용, 에

코 패키지 개발, 환경 보호 캠페인과 같은 전략을 수립하고 실행합니다. 이를 통해 고객의 지속가능한 소비 트렌드에 부응할 수 있습니다.

이처럼 신규 브랜드 기획에서 시장조사 프로세스는 매우 중요한 역할을 합니다. 시장조사를 통해 경쟁력 있는 제품과 판매 전략을 수립하고 지속적인 시장 모니터링을 통해 브랜드의 성장을 도모할 수 있습니다. 이 과정에서 고객의 트렌드 변화에 발맞추어 제품과 서비스를 지속적으로 개선하고 지속가능한 브랜드 경영을 추구함으로써 시장에서 우위를 점할 수 있습니다.

2

> ## 10년 차 시장조사 분석가로
> ## 설정하기 🔍

신규 브랜드(신규 사업 또는 신규 카테고리 포함) 기획을 하려고 합니다. 챗GPT의 역할을 베테랑 시장조사 전문가로 설정하고 업무 프로세스를 차례대로 진행하도록 안내하는 실습을 해보겠습니다. 여기에서는 빙을 활용합니다. 챗GPT라고 표현한 부분은 모두 빙을 활용한 결과입니다.

우선 챗GPT에게 '10년 차 화장품 브랜드 기획자' 역할을 부여하고 신규 화장품 브랜드를 기획하는 관점에서 시장조사 프로세스를 정리해달라고 질문합니다.

● ● ● ‹ › ⟳ 🔍   ☆ ☰

프롬프트: 너는 10년 차 화장품 브랜드 기획자야. 신규 화장품 브랜드를 기획하는 관점에서 시장조사 프로세스를 정리해줘.

▷ 안녕하세요. 저는 빙입니다.

10년 차 화장품 브랜드 기획자로서 신규 화장품 브랜드를 기획하는 관점에서 시장조사 프로세스를 정리해 드리겠습니다.

시장조사는 화장품 브랜드 기획의 기초적이고 중요한 작업입니다. 시장과 고객에 대한 인사이트를 바탕으로 제품 기획, 카테고리·브랜드 전략 기획, 채널별 전략 기획 등을 진행해야 하기 때문입니다[1].

시장조사 프로세스는 다음과 같이 구성할 수 있습니다.

1. 시장 동향 파악: 화장품 산업의 규모, 성장률, 수출입 현황, 주요 트렌드 등을 조사합니다. 온라인 언론사 뷰티 기사[2], 통계청 자료[3], 산업 동향 보고서[4] 등을 활용할 수 있습니다.

2. 경쟁사 분석: 시장에 존재하는 유사한 콘셉트나 카테고리의 브랜드들을 분석합니다. 경쟁사의 제품 라인업, 가격대, 판매 채널, 마케팅 전략 등을 조사하고 스왓 분석을 통해 강점과 약점을 파악합니다.

3. 고객 조사: 타깃 고객의 니즈와 선호도를 파악하기 위해 고객 조사를 시행합니다. 온라인 채널별 시장조사[5](H&B 온라인몰·네이버 뷰티윈도·해외 온라인 채널)를 통해 고객 인기 제품을 확인하거나 설문조사나 포커스 그룹 인터뷰 등을 통해 고객 의견을 수집합니다.

이렇게 시장조사를 통해 얻은 데이터와 인사이트를 바탕으로 신규 화장품 브랜드의 콘셉트와 포지셔닝, 제품 개발 방향, 마케팅 전략 등을 수립할 수 있습니다.

시장조사 프로세스에 대해 도움이 되셨길 바랍니다.

자세한 정보: 1. blog.naver.com 2. blog.naver.com 3. ajunews.com +3 더 보기

이후로 앞에서 알아본 신규 브랜드를 기획하기 위한 시장조사 프로세스를 챗GPT에게 차례대로 알려주며 업무를 진행하도록 안내합니다.

프롬프트: 10년 차 화장품 브랜드 기획자의 관점에서 '신규 화장품 브랜드를 기획하기 위한 시장조사 프로세스' 중 아래 단계를 구체적인 예시와 함께 상세하게 정리해줘.

프롬프트: 1. 시장조사 목표 설정 조사 기간, 조사 대상, 조사 방법, 예산 등 구체적인 시장조사 계획을 수립합니다. 목표 설정을 통해 조사의 방향성을 명확히 할 수 있습니다.

▶ 시장조사 목표 설정 단계에 대해 구체적인 예시와 함께 상세하게 정리해 드리겠습니다.

예를 들어 신규 화장품 브랜드의 콘셉트가 '천연 성분과 친환경 포장'이라고 가정해 봅시다. 이 경우 시장조사 목표 설정은 다음과 같이 할 수 있습니다.

- 조사 기간: 2023년 1월 1일~2023년 1월 31일
- 조사 대상: 20~40대 여성 고객, 천연 화장품 브랜드의 기획자와 마케터
- 조사 방법: 온라인 설문조사, 온라인 채널별 시장조사, 포커스 그룹 인터뷰
- 예산: 1,000만 원
- 조사 목적: 천연 화장품 시장의 규모와 트렌드를 파악하고, 고객의 니즈와 선호도를 분석하며, 친환경 포장에 대한 인식과 태도를 조사한다.

이렇게 시장조사 목표 설정을 통해 조사의 범위와 방법을 구체화하고 조사 결과를 분석하고 활용할 수 있는 기준을 마련할 수 있습니다.

시장조사 목표 설정 단계에 대해 도움이 되셨길 바랍니다.

프롬프트: 2. 시장 크기와 성장률 조사, 과거와 현재의 시장 데이터를 활용하여 시장의 크기와 성장률을 추정하고, 향후 시장 전망을 예측합니다. 이를 바탕으로 신규 브랜드의 시장 진입 여부를 결정할 수 있습니다.

▶ 시장 크기와 성장률 조사 단계에 대해 구체적인 예시와 함께 상세하게 정리해 드리겠습니다. 예를 들어 신규 화장품 브랜드의 콘셉트가 '천연 성분과 친환경 포장'이라고 가정해 봅시다. 이 경우 시장 크기와 성장률 조사는 다음과 같이 할 수 있습니다.

- 시장 크기: 전 세계 천연·유기농 퍼스널케어 제품 시장은 2023년에는 214억 3,998만 달러에 이를 것으로 전망됩니다[1]. 국내 천연 화장품 시장은 2015년에는 약 3조 271억 원을 기록했습니다[2].

- 성장률: 전 세계 천연·유기농 퍼스널케어 제품 시장은 2018년부터 2023년까지 연평균 성장률 10.35%로 증가할 것으로 예상됩니다[1]. 국내 천연 화장품 시장은 2010년부터 2015년까지 연평균 9.0% 성장했습니다[2].

- 시장 전망: 전 세계 천연·유기농 퍼스널케어 제품 시장은 코로나 팬데믹 이후 고객의 건강과 환경에 관한 관심 증가로 인해 지속해서 성장할 것으로 예상됩니다[3]. 국내 천연 화장품 시장도 한류 확산과 인플레이션 등의 영향으로 장기적으로 성장할 것으로 보입니다[4][5].

이렇게 시장 크기와 성장률 조사를 통해 신규 브랜드가 진입할 수 있는 시장의 잠재력과 가능성을 파악할 수 있습니다.

시장 크기와 성장률 조사 단계에 대해 도움이 되셨길 바랍니다.

자세한 정보: 1. innopolis.or.kr   2. yesme.kiom.re.kr   3. beautynury.com   +3 더 보기

●●● < > C Q   ☆ ≡

프롬프트: 3. 고객 조사, 온라인 설문조사, 타깃 고객 인터뷰, 포커스 그룹 인터뷰 등 다양한 방법을 통해 고객의 의견을 수집합니다. 또한 SNS와 온라인 커뮤니티 등을 통해 브랜드에 대한 고객의 인식과 선호도를 파악할 수 있습니다.

▶ 고객 조사 단계에 대해 구체적인 예시와 함께 상세하게 정리해 드리겠습니다.

예를 들어 신규 화장품 브랜드의 콘셉트가 '천연 성분과 친환경 포장'이라고 가정해 봅시다. 이 경우 고객 조사는 다음과 같이 할 수 있습니다.

- 온라인 설문조사: 20~40대 여성 고객 500명을 대상으로 온라인 설문조

사를 실시합니다. 설문 내용은 천연 화장품에 대한 인식, 선호도, 친환경 포장에 대한 인식과 태도, 구매 결정 요인과 구매 채널 등을 포함합니다. 설문 결과를 통해 타깃 고객의 니즈와 특성을 파악할 수 있습니다.

- 인터뷰: 천연 화장품 브랜드의 기획자와 마케터 10명을 대상으로 인터뷰를 시행합니다. 인터뷰 내용은 천연 화장품 시장의 동향과 트렌드, 경쟁사의 전략과 차별화 요소, 신규 브랜드의 진입 장벽과 기회 등을 포함합니다. 인터뷰 결과를 통해 시장의 구조와 경쟁력을 파악할 수 있습니다.

- 포커스 그룹 인터뷰: 20~40대 여성 고객 10명을 대상으로 포커스 그룹 인터뷰를 시행합니다. 인터뷰 내용은 신규 브랜드의 콘셉트와 제품에 대한 반응과 피드백, 브랜드 이미지, 가치 제안에 대한 의견 등을 포함합니다. 인터뷰 결과를 통해 신규 브랜드의 매력과 개선점을 파악할 수 있습니다.

- SNS와 온라인 커뮤니티 분석: 인스타그램, 유튜브, 네이버 뷰티윈도 등의 SNS와 온라인 커뮤니티를 분석합니다. 분석 내용은 천연 화장품에 대한 고객의 리뷰와 평가, 친환경 포장에 대한 고객의 반응과 요구, 유사한 콘셉트의 브랜드들에 대한 고객의 인식과 선호도 등을 포함합니다. 분석 결과를 통해 고객의 의견과 트렌드를 파악할 수 있습니다.

이렇게 고객 조사를 통해 얻은 데이터와 인사이트를 바탕으로 신규 화장품 브랜드의 제품 개발 방향, 마케팅 전략 등을 수립할 수 있습니다.

고객 조사 단계에 대해 도움이 되셨길 바랍니다.

프롬프트: 4. 경쟁사 분석, 스왓 분석, 포터의 다섯 경쟁요인 분석 등 다양한 분석 도구를 활용하여 경쟁사들의 강점과 약점을 파악하고 시장에서 차별화된 경쟁력 확보 방안을 모색합니다.

경쟁사 분석 단계에 대해 구체적인 예시와 함께 상세하게 정리해 드리겠습니다.

예를 들어 신규 화장품 브랜드의 콘셉트가 '천연 성분과 친환경 포장'이라고 가정해 봅시다. 이 경우 경쟁사 분석은 다음과 같이 할 수 있습니다.

- 스왓 분석: 스왓 분석을 통해 시장에 존재하는 유사한 콘셉트의 브랜드들의 강점과 약점을 파악합니다. 예를 들어 아모레퍼시픽의 '이니스프리' 브랜드는 다음과 같이 스왓 분석할 수 있습니다.

○ 강점: 천연 성분과 친환경 포장을 강조하는 브랜드 이미지, 저렴한 가격대와 다양한 제품 라인업, 온오프라인 채널에서의 강력한 판매망, 한류를 통한 해외 시장 확대

○ 약점: 천연 성분의 효능과 안전성에 대한 고객의 의심과 불신, 친환경 포장의 실질적인 효과와 가치에 대한 고객의 인식 부족, 제품별 품질과 성능의 일관성 부족

○ 기획: 천연 화장품 시장의 지속적인 성장과 고객의 건강과 환경에 관한 관심 증가, 친환경 포장에 대한 정부의 규제와 지원 강화, 해외 시장에서의 한류와 K-뷰티 인기 확산

○ 위기: 유사한 콘셉트의 국내외 경쟁사들의 다양화와 공격적인 마케팅 전략, 원자재 가격 상승과 인플레이션 등으로 인한 고객의 구매력 하락, 코로나 팬데믹 등으로 인한 라이프스타일 변화와 구매 패턴 변화

• 포터의 다섯 경쟁요인 분석: 시장에서 차별화된 경쟁력을 확보하기 위해 포터의 다섯 경쟁요인 분석을 통해 시장의 구조와 경쟁력을 파악합니다. 예를 들어 신규 브랜드가 진입할 천연 화장품 시장은 다음과 같이 분석할 수 있습니다.

○ 신규 진입자의 위협: 중간~높음. 천연 화장품 시장은 성장률이 높고 수익성이 좋아서 많은 신규 브랜드들이 진입하고 있습니다. 하지만 시장 진입 장벽도 존재합니다. 예를 들어 천연 성분의 효능과 안전성을 입증하기 위한 연구개발 비용과 인증 비용이 많이 들고 친환경 포장을 위한 재료와 기술에 대한 접근성이 낮습니다.

○ 고객의 협상력: 중간~높음.

● ● ● ‹ › C Q   ☆ ☰

프롬프트: 위 답변을 계속해줘.

▶ 네. 알겠습니다.

• 고객의 협상력: 중간~높음. 천연 화장품 시장은 다양한 브랜드와 제품이 존재하고, 고객은 온라인과 오프라인에서 쉽게 정보를 얻고 비교할 수 있습니다. 따라서 고객은 브랜드에 대한 충성도보다는 제품의 품질과 가격에 더 민감하게 반응할 수 있습니다. 하지만 천연 성분과 친환경 포장에 대한 고객의 인식과 태도가 높아지면서 브랜드의 가치 제안과 이미지에 대한 중요성도 증가하고 있습니다.

○ 공급자의 협상력: 중간~낮음. 천연 화장품 시장은 천연 성분과 친환경 포장을 위한 원자재와 기술에 대한 의존도가 높습니다. 따라서 공급자들은 브랜드들에 가격과 품질에 대한 영향력을 행사할 수 있습니다. 하지만 천연 성분과 친환경 포장에 대한 정부의 규제와 지원이 강화되면서 공급자들의 협상력은 상대적으로 약화할 수 있습니다.

○ 대체품의 위협: 중간~낮음. 천연 화장품 시장은 일반 화장품이나 의약외품 등의 대체품에 대한 위협을 받을 수 있습니다. 일반 화장품은 가격이 저렴하고 효능이 입증된 제품이 많고, 의약외품은 피부 문제를 해결하는 데 효과적인 제품이 많습니다. 하지만 천연 화장품 시장은 건강과 환경에 대한 고객의 관심 증가로 인해 지속해서 성장하고 있으며, 천연 성분과 친환경 포장에 대한 차별화된 가치를 제공할 수 있습니다.

○ 업계 내 경쟁: 높음. 천연 화장품 시장은 다양한 국내외 브랜드들이 존재하고, 유사한 콘셉트와 제품을 경쟁하고 있습니다. 따라서 신규 브랜드는 시장 진입과 성공을 위해 공격적인 마케팅 전략과 차별화된 제품 개발을 통해 경쟁력을 확보해야 합니다.

이렇게 경쟁사 분석을 통해 신규 브랜드가 진입할 시장의 장단점과 기회와 위협을 파악하고 시장에서 차별화된 경쟁력을 확보할 방안을 모색할 수 있습니다.

경쟁사 분석 단계에 대해 도움이 되셨길 바랍니다.

프롬프트: 5. 시장 세분화, 인구통계학적, 지리적, 심리적, 행동적 등 다양한 기준으로 시장을 세분화하고, 각 세분화된 시장의 크기, 성장률, 경쟁 정도 등을 분석합니다.

▶ 시장 세분화 단계에 대해 구체적인 예시와 함께 상세하게 정리해 드리겠습니다.

예를 들어 신규 화장품 브랜드의 콘셉트가 '천연 성분과 친환경 포장'이라고 가정해 봅시다. 이 경우 시장 세분화는 다음과 같이 할 수 있습니다.

• 인구통계학적 세분화: 고객을 나이, 성별, 소득, 학력, 직업 등의 인구통계학적 특성에 따라 세분화합니다. 예를 들어 신규 브랜드의 타깃 20~40대 여성으로 정할 수 있습니다.

• 지리적 세분화: 고객을 국가, 지역, 도시, 기후 등의 지리적 특성에 따라

세분화합니다. 예를 들어 신규 브랜드의 타깃 시장은 국내뿐만 아니라 해외 시장도 고려할 수 있습니다. 특히 한류와 K-뷰티 인기가 높은 동남아시아나 중국 등의 시장을 먼저 공략할 수 있습니다[1].

- 심리적 세분화: 고객을 가치관, 태도, 성격, 라이프스타일 등의 심리적 특성에 따라 세분화합니다. 예를 들어 신규 브랜드의 타깃 고객은 건강과 환경에 관한 관심이 높고 천연 성분과 친환경 포장에 대한 가치 인식이 높은 고객으로 정할 수 있습니다[2].

- 행동적 세분화: 고객을 구매 행동, 구매 패턴, 구매 결정 요인 등의 행동적 특성에 따라 세분화합니다. 예를 들어 신규 브랜드의 타깃 고객은 온라인과 오프라인에서 다양한 정보를 얻고 비교하는 스마트 쇼퍼이고, 제품의 품질과 가격뿐만 아니라 브랜드의 가치 제안과 이미지에도 중요성을 부여하는 고객으로 정할 수 있습니다[3].

이렇게 시장 세분화를 통해 각 세분된 시장의 크기, 성장률, 경쟁 정도 등을 분석하고 신규 브랜드가 집중할 수 있는 최적의 시장을 선택할 수 있습니다.

시장 세분화 단계에 대해 도움이 되셨길 바랍니다.

자세한 정보: 1. upinews.kr 2. data.go.kr 3. ko.surveymonkey.com +3 더 보기

● ● ● ‹ › C Q   ☆ ≡

프롬프트: 6. 제품과 판매 전략 기획, 제품 콘셉트, 브랜드 이미지, 효능과 특성, 원료와 제조 공정 등을 고려하여 제품을 기획합니다. 또한 온오프라인 채널별 판매 전략, 가격 정책 등을 수립합니다.

▶ 제품과 판매 전략 기획 단계에 대해 구체적인 예시와 함께 상세하게 정리해 드리겠습니다.

예를 들어 신규 화장품 브랜드의 콘셉트가 '천연 성분과 친환경 포장'이라고 가정해 봅시다. 이 경우 제품과 판매 전략 기획은 다음과 같이 할 수 있습니다.

- 제품 기획: 천연 성분과 친환경 포장을 강조하는 제품 콘셉트를 정합니다. 예를 들어 '자연에서 온 선물'이라는 슬로건을 사용하고, 제주도에서 재배한 천연 성분을 활용하며, 재활용할 수 있는 종이나 유리 등의 친환경 포장재를 사용할 수 있습니다. 또한 브랜드 이미지, 효능, 특성을 고려하여 제품 라인업을 구성합니다. 예를 들어 청정 자연을 상징하는 녹색 계열의 패키지 디자인을 사용하고, 보습과 진정 효과가 뛰어난 스킨케어 제품을

주력으로 개발할 수 있습니다. 마지막으로 원료와 제조 공정에 대한 연구 개발 비용과 인증 비용 등을 고려하여 제품의 가격대를 결정합니다. 예를 들어 중저가 대중적인 가격대로 설정하고, 천연 성분의 효능과 안전성을 입증하기 위한 인증 마크를 붙일 수 있습니다.

- 판매 전략 기획: 온오프라인 채널별 판매 전략을 수립합니다. 예를 들어 온라인 채널에서는 SNS와 유튜브 등을 통해 브랜드와 제품에 대한 홍보와 리뷰를 진행하고, 네이버 뷰티윈도나 H&B 온라인몰 등에서 제품을 판매할 수 있습니다. 또한 해외 시장에서는 한류와 K-뷰티 인기를 활용하여 글로벌 온라인 쇼핑몰이나 현지 유통사와 협력하여 제품을 판매할 수 있습니다. 오프라인 채널에서는 로드숍이나 편의점 등에서 제품을 판매하고, 체험 코너나 샘플 제공 등을 통해 고객의 관심과 구매 욕구를 유도할 수 있습니다.

이렇게 제품과 판매 전략 기획을 통해 신규 화장품 브랜드의 시장 진입과 성공을 위한 방안을 모색할 수 있습니다.

제품과 판매 전략 기획 단계에 대해 도움이 되셨길 바랍니다.

프롬프트: 7. 마케팅 전략 수립, 마케팅 목표 설정, 예산 배분, 매체 전략, 프로모션 전략 등을 고려하여 전반적인 마케팅 전략을 수립합니다.

▶ 마케팅 전략 수립 단계에 대해 구체적인 예시와 함께 상세하게 정리해 드리겠습니다.

예를 들어 신규 화장품 브랜드의 콘셉트가 '천연 성분과 친환경 포장'이라고 가정해 봅시다. 이 경우 마케팅 전략 수립은 다음과 같이 할 수 있습니다.

- 마케팅 목표 설정: 마케팅의 목적과 방향을 SMART 기준에 따라 구체적이고 측정할 수 있게 설정합니다. 예를 들어 신규 브랜드의 마케팅 목표는 다음과 같이 설정할 수 있습니다.

  ○ 브랜드 인지도 증대: 2023년까지 국내 20~40대 여성 고객 중 50% 이상이 브랜드 이름과 콘셉트를 인지하도록 한다.

  ○ 제품 판매량 증가: 2023년까지 국내 시장에서 100만 개 이상의 제품을 판매하고, 해외 시장에서 50만 개 이상의 제품을 판매하도록 한다.

  ○ 고객 만족도 향상 2023년까지 온오프라인에서 제품을 구매한 고객 중

80% 이상이 만족도가 높다고 응답하도록 한다.

- 예산 배분: 마케팅 목표를 달성하는 데 필요한 예산을 산정하고, 각 마케팅 활동으로 적절하게 배분합니다. 예를 들어 신규 브랜드의 마케팅 예산은 다음과 같이 배분할 수 있습니다.

  ○ 매체 전략: 총예산의 40%를 매체 전략에 할당한다. SNS와 유튜브 등의 온라인 매체와 로드숍과 편의점 등의 오프라인 매체를 통해 브랜드와 제품에 대한 홍보와 광고를 진행한다.

  ○ 프로모션 전략: 총예산의 30%를 프로모션 전략에 할당한다. 체험 코너나 샘플 제공 등의 오프라인 프로모션과 할인 쿠폰이나 리뷰 이벤트 등의 온라인 프로모션을 통해 고객의 관심과 구매 욕구를 유도한다.

  ○ 기타 전략: 총예산의 30%를 기타 전략에 할당한다. 인증 마크 부착이나 친환경 포장 재료 사용 등의 제품 개선과 협력사나 유통사와의 파트너십 구축 등을 통해 브랜드의 가치와 신뢰도를 높인다.

마케팅 성과 평가: 마케팅 활동의 효과와 성과를 평가하기 위해 적절한 지표와 도구를 활용합니다. 예를 들어 신규 브랜드의 마케팅 성과 평가는 다음과 같이 할 수 있습니다.

프롬프트: 위 답변 계속해줘.

▶ 네. 알겠습니다.

- 마케팅 성과 평가: 마케팅 활동의 효과와 성과를 평가하기 위해 적절한 지표와 도구를 활용합니다. 예를 들어 신규 브랜드의 마케팅 성과 평가는 다음과 같이 할 수 있습니다.

  ○ 브랜드 인지도 증대: SNS와 유튜브 등의 온라인 매체와 로드숍과 편의점 등의 오프라인 매체에서 브랜드와 제품에 대한 노출 횟수와 반응수를 측정하고, 온라인 설문조사나 인터뷰 등을 통해 고객의 브랜드 인지도를 측정한다.

  ○ 제품 판매량 증가: 온오프라인 채널별로 제품의 판매량과 매출액을 측정하고, 국내외 시장별로 제품의 시장점유율을 측정한다.

  ○ 고객 만족도 향상: 온오프라인에서 제품을 구매한 고객에게 리뷰나 평가를 요청하고 온라인 설문조사나 인터뷰 등을 통해 만족도를 측정한다.

이렇게 마케팅 전략 수립을 통해 신규 화장품 브랜드의 시장 진입과 성공을 위한 방안을 모색할 수 있습니다.

마케팅 전략 수립 단계에 대해 도움이 되셨길 바랍니다.

프롬프트: 8. 시장조사 결과 분석, 리포트 작성, 수집된 시장조사 결과를 정리하고 분석하여 전문가들의 의견을 종합한 리포트를 작성합니다. 이 리포트는 신규 화장품 브랜드 기획과 실행 과정에서 핵심 참고 자료로 활용됩니다.

▶ 시장조사 결과 분석과 리포트 작성 단계에 대해 구체적인 예시와 함께 상세하게 정리해 드리겠습니다. 예를 들어 신규 화장품 브랜드의 콘셉트가 '천연 성분과 친환경 포장'이라고 가정해 봅시다. 이 경우 시장조사 결과 분석과 리포트 작성은 다음과 같이 할 수 있습니다.

- 시장조사 결과 정리: 시장 크기와 성장률 조사, 고객 조사, 경쟁사 분석, 시장 세분화, 제품과 판매 전략 기획, 마케팅 전략 수립 등의 시장조사 과정에서 수집된 데이터와 인사이트를 정리합니다. 예를 들어 엑셀이나 파워포인트 등의 프로그램을 사용하여 표나 그래프 등으로 시각화하고 핵심 요약문을 작성할 수 있습니다.

- 시장조사 결과 분석: 정리된 시장조사 결과를 분석하여 신규 화장품 브랜드 기획에 필요한 중요한 결론과 제안을 도출합니다. 예를 들어 스왓 분석이나 포터의 다섯 경쟁요인 분석 등의 분석 도구를 활용하여 시장의 장단점과 기회와 위협을 파악하고 시장에서 차별화된 경쟁력을 확보할 방안을 모색할 수 있습니다.

- 리포트 작성: 분석된 시장조사 결과를 전문가들의 의견을 종합하여 리포트로 작성합니다. 이 리포트는 신규 화장품 브랜드 기획과 실행 과정에서 핵심 참고 자료로 활용됩니다. 예를 들어 리포트는 다음과 같은 구성으로 작성할 수 있습니다.

  ○ 표지: 리포트의 제목, 작성자, 작성일자 등을 기재합니다.

  ○ 목차: 리포트의 내용과 페이지 번호를 나열합니다.

  ○ 요약문: 리포트의 주요 내용과 결론을 간략하게 요약합니다.

  ○ 본문: 시장조사 결과 정리와 분석을 상세하게 설명하고 그래프나 표 등

으로 보완합니다.

○ 결론과 제안: 시장조사 결과를 바탕으로 신규 화장품 브랜드 기획에 필요한 중요한 결론과 제안을 제시합니다.

○ 참고문헌: 리포트 작성에 사용된 자료나 출처를 기재합니다.

이렇게 시장조사 결과 분석과 리포트 작성을 통해 신규 화장품 브랜드 기획에 필요한 체계적이고 신뢰할 수 있는 자료를 제공할 수 있습니다.

시장조사 결과 분석과 리포트 작성 단계에 대해 도움이 되셨길 바랍니다.

● ● ● ‹ › C Q   ☆ ☰

프롬프트: 9. 시장 출시 전 테스트 마케팅, 소규모 시장이나 특정 지역에서 제한된 기간 테스트 마케팅을 진행합니다. 이를 통해 실제 고객의 반응과 피드백을 확인하고 제품 개선과 마케팅 전략 수정에 참고할 수 있습니다.

▶ 시장 출시 전 테스트 마케팅 단계에 대해 구체적인 예시와 함께 상세하게 정리해 드리겠습니다.

예를 들어 신규 화장품 브랜드의 콘셉트가 '천연 성분과 친환경 포장'이라고 가정해 봅시다. 이 경우 시장 출시 전 테스트 마케팅은 다음과 같이 할 수 있습니다.

• 테스트 마케팅 대상 선정: 소규모 시장이나 특정 지역에서 테스트 마케팅을 진행하기 위해 대상을 선정합니다. 예를 들어 신규 브랜드의 타깃 고객인 20~40대 여성 고객이 많이 거주하고 천연 화장품에 대한 수요가 높은 서울 강남구나 제주도 등의 지역을 테스트 마케팅 대상으로 선정할 수 있습니다.

• 테스트 마케팅 기간 설정: 제한된 기간 테스트 마케팅을 진행하기 위해 기간을 설정합니다. 예를 들어 신규 브랜드의 제품은 보습과 진정 효과가 뛰어난 스킨케어 제품이므로 피부 건조함이 심한 12월에서 2월 사이의 3개월 동안 테스트 마케팅을 진행할 수 있습니다.

• 테스트 마케팅 방법 결정: 테스트 마케팅을 진행할 방법을 결정합니다. 예를 들어 온라인 채널에서는 SNS와 유튜브 등을 통해 브랜드와 제품에 대한 홍보와 리뷰를 진행하고 네이버 뷰티윈도나 H&B 온라인몰 등에서 제품을 판매할 수 있습니다. 오프라인 채널에서는 로드숍이나 편의점 등에서 제품을 판매하고 체험 코너나 샘플 제공 등의 프로모션을 진행할 수 있

습니다.

- 테스트 마케팅 결과 평가: 테스트 마케팅의 효과와 성과를 평가하기 위해 적절한 지표와 도구를 활용합니다. 예를 들어 브랜드 인지도 증대, 제품 판매량 증가, 고객 만족도 향상 등의 지표를 사용하여 테스트 마케팅의 결과를 측정하고 온라인 설문조사나 인터뷰 등을 통해 실제 고객의 반응과 피드백을 확인할 수 있습니다.

이렇게 시장 출시 전 테스트 마케팅을 통해 신규 화장품 브랜드의 제품 개선과 마케팅 전략 수정에 참고할 수 있습니다.

시장 출시 전 테스트 마케팅 단계에 대해 도움이 되셨길 바랍니다.

프롬프트: 10. 출시 후 시장조사와 모니터링, 브랜드 출시 후 지속적인 시장조사와 모니터링을 통해 최신 시장 동향, 경쟁사 전략, 고객 선호도 변화 등을 파악하고, 이를 바탕으로 전략 수정과 제품 개선을 진행합니다.

▶ 출시 후 시장조사와 모니터링 단계에 대해 구체적인 예시와 함께 상세하게 정리해 드리겠습니다.

예를 들어 신규 화장품 브랜드의 콘셉트가 '천연 성분과 친환경 포장'이라고 가정해 봅시다. 이 경우 출시 후 시장조사와 모니터링은 다음과 같이 할 수 있습니다.

- 최신 시장 동향 파악: 브랜드 출시 후 지속해서 화장품 시장의 규모와 성장률, 고객 선호도 변화, 새로운 제품이나 기술 등의 최신 시장 동향을 파악합니다. 예를 들어 유로모니터나 대한화장품산업연구원 등의 시장조사 기관이나 전문 매체의 보고서나 뉴스를 참고할 수 있습니다.

- 경쟁사 전략 분석: 브랜드 출시 후 지속해서 경쟁사의 제품 라인업, 가격 정책, 판매 채널, 마케팅 전략 등의 경쟁사 전략을 분석합니다. 예를 들어 경쟁사의 홈페이지나 SNS 등을 통해 경쟁사의 제품 정보나 홍보 내용을 확인하고, 온오프라인에서 경쟁사의 제품을 구매하거나 체험하여 품질과 효능을 비교할 수 있습니다.

- 고객 반응과 피드백 확인: 브랜드 출시 후 지속해서 실제 고객의 반응과 피드백을 확인하고, 이를 바탕으로 전략 수정과 제품 개선을 진행합니다. 예를 들어 SNS와 유튜브 등의 온라인 매체와 로드숍과 편의점 등의 오프라인 매체에서 고객의 리뷰나 평가를 수집하고, 온라인 설문조사나 인터

뷰 등을 통해 만족도와 의견을 측정할 수 있습니다.

이렇게 출시 후 시장조사와 모니터링을 통해 신규 화장품 브랜드의 시장 반응과 성과를 평가하고, 지속적인 개선과 혁신을 추구할 수 있습니다.

출시 후 시장조사와 모니터링 단계에 대해 도움이 되셨길 바랍니다.

자세한 정보: 1. dream.kotra.or.kr 2. meconomynews.com 3. cosinkorea.com +3 더 보기

프롬프트: 11. 결과 평가와 개선, KPIs(주요성과지표)를 설정하여 출시 후의 판매 성과, 마케팅 효과 등을 평가합니다. 만약 목표치에 미치지 못한다면 원인을 분석하고 개선 방안을 수립하여 브랜드의 성장을 도모합니다.

▶ 결과 평가와 개선 단계에 대해 구체적인 예시와 함께 상세하게 정리해 드리겠습니다.

예를 들어 신규 화장품 브랜드의 콘셉트가 '천연 성분과 친환경 포장'이라고 가정해 봅시다. 이 경우 결과 평가와 개선은 다음과 같이 할 수 있습니다.

- KPIs 설정: 출시 후의 판매 성과, 마케팅 효과 등을 평가하기 위해 KPIs(주요성과지표)를 설정합니다. 예를 들어 신규 브랜드의 주요성과지표는 다음과 같이 설정할 수 있습니다.

  ○ 판매 성과: 제품의 판매량, 매출액, 시장점유율 등을 측정합니다.

  ○ 마케팅 효과: 브랜드 인지도와 고객 만족도, SNS와 유튜브 등의 온라인 매체에서의 노출 횟수와 반응 수 등을 측정합니다.

- 결과 평가: 설정된 주요성과지표에 따라 출시 후의 결과를 평가합니다. 예를 들어 신규 브랜드의 결과 평가는 다음과 같이 할 수 있습니다.

  ○ 판매 성과: 2023년까지 국내 시장에서 100만 개 이상의 제품을 판매하고, 해외 시장에서 50만 개 이상의 제품을 판매하는 것이 목표였다. 하지만 실제로는 국내 시장에서 80만 개, 해외 시장에서 30만 개의 제품을 판매했다. 따라서 목표치에 미달했다.

  ○ 마케팅 효과: 2023년까지 국내 20~40대 여성 고객 중 50% 이상이 브랜드 이름과 콘셉트를 인지하고 제품을 구매한 고객 중 80% 이상이 만족도가 높다고 응답하는 것이 목표였다. 하지만 실제로는 국내 20~40대 여성 고객 중 40%가 브랜드 이름과 콘셉트를 인지하고 제

품을 구매한 고객 중 70%가 만족도가 높다고 응답했다. 따라서 목표치에 미달했다.

- 원인 분석: 결과 평가에서 목표치에 미치지 못한 원인을 분석합니다. 예를 들어 신규 브랜드의 원인 분석은 다음과 같이 할 수 있습니다.

  ○ 판매 성과: 경쟁사의 가격 인하나 신제품 출시 등으로 인해 시장점유율이 감소했다. 또한 해외 시장에서는 한류와 K-뷰티 인기가 하락하거나 현지화 전략이 부족하여 수출이 어려웠다.

  ○ 마케팅 효과: SNS와 유튜브 등의 온라인 매체에서의 홍보와 리뷰가 부족하거나 효과적

● ● ● ‹ › C Q   ☆ ≡

프롬프트: 위 답변 계속해줘.

▶ 네. 알겠습니다.

- 원인 분석: 결과 평가에서 목표치에 미치지 못한 원인을 분석합니다. 예를 들어 신규 브랜드의 원인 분석은 다음과 같이 할 수 있습니다.

  ○ 판매 성과: 경쟁사의 가격 인하나 신제품 출시 등으로 인해 시장점유율이 감소했다. 또한 해외 시장에서는 한류와 K-뷰티 인기가 하락하거나 현지화 전략이 부족하여 수출이 어려웠다.

  ○ 마케팅 효과: SNS와 유튜브 등의 온라인 매체에서의 홍보와 리뷰가 부족하거나 효과적이지 않았다. 또한 체험 코너나 샘플 제공 등의 오프라인 프로모션도 충분하지 않았다.

- 개선 방안 수립: 원인 분석을 바탕으로 전략 수정과 제품 개선을 위한 개선 방안을 수립합니다. 예를 들어 신규 브랜드의 개선 방안은 다음과 같이 수립할 수 있습니다.

  ○ 판매 성과: 경쟁사와 차별화된 가치 제안을 강화하고 신제품 개발이나 라인업 확대 등으로 제품 다양성을 높인다. 또한 해외 시장에서는 현지 고객의 니즈와 문화에 맞춘 현지화 전략을 수립하고 협력사나 유통사와의 파트너십을 강화한다.

  ○ 마케팅 효과: SNS와 유튜브 등의 온라인 매체에서의 홍보와 리뷰를 증가시키고, 효과적인 콘텐츠 제작과 타깃팅을 통해 고객의 관심과 구매 욕구를 유도한다. 또한 체험 코너나 샘플 제공 등의 오프라인 프로

모션도 확대하고 고객의 피드백을 반영하여 제품 개선을 진행한다.

이렇게 결과 평가와 개선을 통해 신규 화장품 브랜드의 성장을 도모할 수 있습니다.

결과 평가와 개선 단계에 대해 도움이 되셨길 바랍니다.

프롬프트: 12. 지속적인 시장 리서치, 고객 트렌드와 시장 동향 변화에 발맞춰 지속적으로 시장 리서치를 진행합니다. 이를 통해 신규 화장품 브랜드가 지속적으로 성장할 수 있는 기반이 마련됩니다.

▶ 지속적인 시장 리서치 단계에 대해 구체적인 예시와 함께 상세하게 정리해 드리겠습니다.

예를 들어 신규 화장품 브랜드의 콘셉트가 '천연 성분과 친환경 포장'이라고 가정해 봅시다. 이 경우 지속적인 시장 리서치는 다음과 같이 할 수 있습니다.

- 고객 트렌드 파악: 고객의 니즈, 선호도, 구매 패턴 등의 변화를 지속해서 파악합니다. 예를 들어 칸타월드패널[1]이나 대한화장품협회[2][3] 등의 시장 조사 기관이나 전문 매체의 보고서나 뉴스를 참고할 수 있습니다.

- 시장 동향 파악: 화장품 시장의 규모, 성장률, 새로운 제품이나 기술 등의 최신 시장 동향을 지속해서 파악합니다. 예를 들어 리서치컴퍼니[4]나 코신 코리아[5] 등의 시장조사 기관이나 전문 매체의 보고서나 뉴스를 참고할 수 있습니다.

- 시장 리서치 결과 활용: 고객 트렌드와 시장 동향을 바탕으로 신규 화장품 브랜드가 지속해서 성장할 수 있는 기반이 마련됩니다. 예를 들어 시장 리서치 결과를 활용하여 제품 개발, 라인업 확대, 가격 정책이나 판매 채널, 마케팅 전략 등을 수정하거나 개선할 수 있습니다.

이렇게 지속적인 시장 리서치를 통해 신규 화장품 브랜드가 고객 트렌드와 시장 동향에 발맞춰 유연하게 대응할 수 있습니다.

지속적인 시장 리서치 단계에 대해 도움이 되셨길 바랍니다.

자세한 정보: 1. kantarworldpanel.com   2. kcia.or.kr   3. kcia.or.kr   +3 더 보기

프롬프트: 13. 브랜드 확장 전략, 브랜드의 성장과 함께 라인업 확장, 카테고리 확장, 글로벌 시장 진출 등의 전략을 수립합니다. 이를 통해 브랜드의 지속적인 성장과 확장을 추구할 수 있습니다. 총체적으로 보았을 때 신규 화장품 브랜드 기획에 시장조사 프로세스는 꼼꼼하게 진행돼야 합니다. 앞서 제시한 과정을 통해 시장에서 경쟁력 있는 화장품 브랜드를 성공적으로 출시하고 지속적으로 성장할 기반을 마련할 수 있습니다.

▶ 브랜드 확장 전략 단계에 대해 구체적인 예시와 함께 상세하게 정리해 드리겠습니다.

예를 들어 신규 화장품 브랜드의 콘셉트가 '천연 성분과 친환경 포장'이라고 가정해 봅시다. 이 경우 브랜드 확장 전략은 다음과 같이 수립할 수 있습니다.

- 라인업 확장: 브랜드의 성장과 함께 제품의 다양성을 높이기 위해 라인업을 확장합니다. 예를 들어 기존에 스킨케어 제품만 있었다면 메이크업이나 바디케어 제품 등을 추가할 수 있습니다.

- 카테고리 확장: 브랜드의 성장과 함께 시장의 수요와 트렌드에 맞춰 카테고리를 확장합니다. 예를 들어 기존에 여성용 제품만 있었다면 남성용이나 유아용 제품 등을 추가할 수 있습니다.

- 글로벌 시장 진출: 브랜드의 성장과 함께 해외 시장의 기회를 탐색하고 글로벌 시장에 진출합니다. 예를 들어 한류와 K-뷰티 인기가 높은 중국이나 동남아시아 시장을 우선적으로 공략하고 현지 고객의 니즈와 문화에 맞춘 현지화 전략을 수립할 수 있습니다.

이렇게 브랜드 확장 전략을 통해 브랜드의 지속적인 성장과 확장을 추구할 수 있습니다.

총체적으로 보았을 때 신규 화장품 브랜드 기획에 시장조사 프로세스는 꼼꼼하게 진행돼야 합니다. 앞서 제시한 과정들을 통해 시장에서 경쟁력 있는 화장품 브랜드를 성공적으로 론칭하고 지속해서 성장할 기반을 마련할 수 있습니다.

브랜드 확장 전략 단계에 대해 도움이 되셨길 바랍니다.

14. 고객 피드백 수집과 관리. 브랜드 출시 후 고객의 피드백을 주기적으로 수집하고, 이를 분석하여 제품 개선과 서비스 개선에 활용합니다. 이 과정에서 고객과의 소통을 통해 브랜드 충성도를 높이고 지속적인 성장의 발판을 마련할 수 있습니다.

▷ 고객 피드백 수집과 관리 단계에 대해 구체적인 예시와 함께 상세하게 정리해 드리겠습니다.

예를 들어 신규 화장품 브랜드의 콘셉트가 '천연 성분과 친환경 포장'이라고 가정해 봅시다. 이 경우 고객 피드백 수집과 관리는 다음과 같이 할 수 있습니다.

- 고객 피드백 수집: 브랜드 출시 후 고객의 피드백을 주기적으로 수집합니다. 예를 들어 SNS와 유튜브 등의 온라인 매체와 로드숍과 편의점 등의 오프라인 매체에서 고객의 리뷰나 평가를 수집하고 온라인 설문조사나 인터뷰 등을 통해 고객의 만족도와 의견을 측정할 수 있습니다.

- 고객 피드백 분석: 수집된 고객 피드백을 분석하여 제품 개선과 서비스 개선에 활용합니다. 예를 들어 고객의 피드백에서 제품의 장단점, 서비스의 만족도와 불만족 요인, 추가적인 요구사항 등을 파악하고, 이를 바탕으로 제품의 품질과 효능을 개선하거나 서비스의 질과 속도를 개선할 수 있습니다.

- 고객과의 소통: 고객과의 소통을 통해 브랜드 충성도를 높이고 지속적인 성장의 발판을 마련할 수 있습니다. 예를 들어 고객에게 피드백에 대한 감사 인사와 개선 사항에 대한 안내를 전달하고 적절한 보상이나 혜택을 제공할 수 있습니다.

이렇게 고객 피드백 수집과 관리를 통해 신규 화장품 브랜드가 고객의 니즈와 만족도에 부응하고 지속해서 발전할 수 있습니다.

고객 피드백 수집과 관리 단계에 대해 도움이 되셨길 바랍니다.

프롬프트: 15. 협력사와의 관계 관리, 제조사, 유통업체, 마케팅 대행사 등 협력사와 긴밀한 관계를 유지하며 전략적 파트너십을 구축합니다. 이를 통해 브랜드의 성공적인 운영과 확장을 도모할 수 있습니다.

▶️ 협력사와의 관계 관리 단계에 대해 구체적인 예시와 함께 상세하게 정리해 드리겠습니다.

예를 들어 신규 화장품 브랜드의 콘셉트가 '천연 성분과 친환경 포장'이라고 가정해 봅시다. 이 경우 협력사와의 관계 관리는 다음과 같이 할 수 있습니다.

- 제조사와의 관계 관리: 제품의 품질과 안전성을 보장하기 위해 제조사와 긴밀한 관계를 유지하며 전략적 파트너십을 구축합니다. 예를 들어 제조사와의 계약 조건이나 주문량이나 납기일 등을 상호 협의하고, 제품의 원료나 포장재 등에 대한 품질 검사나 인증 절차 등을 공유하고, 제품 개발이나 개선에 대한 의견 교환을 진행할 수 있습니다.

- 유통업체와의 관계 관리: 제품의 판매량과 시장점유율을 높이기 위해 유통업체와 긴밀한 관계를 유지하며 전략적 파트너십을 구축합니다. 예를 들어 유통업체와의 계약 조건, 판매량, 마진율 등을 상호 협의하고 제품의 재고나 배송 상황 등을 공유하고, 프로모션이나 할인 등에 대한 의견 교환을 진행할 수 있습니다.

- 마케팅 대행사와의 관계 관리: 브랜드의 인지도와 고객 만족도를 높이기 위해 마케팅 대행사와 긴밀한 관계를 유지하며 전략적 파트너십을 구축합니다. 예를 들어 마케팅 대행사와의 계약 조건, 예산, 기간 등을 상호 협의하고, 브랜드의 콘셉트나 목표 등을 공유하고, 콘텐츠 제작이나 타깃팅 등에 대한 의견 교환을 진행할 수 있습니다.

이렇게 협력사와의 관계 관리를 통해 브랜드의 성공적인 운영과 확장을 도모할 수 있습니다.

협력사와의 관계 관리 단계에 대해 도움이 되셨길 바랍니다.

프롬프트: 16. 지속가능한 브랜드 경영, 지속가능한 화장품 브랜드 경영을 위해 친환경적인 원료 사용, 에코 패키지 개발, 환경 보호 캠페인 등의 전략을 수립하고 실행합니다. 이를 통해 고객의 지속가능한 소비 트렌드에 부응할 수 있습니다.

지속할 수 있는 브랜드 경영 단계에 대해 구체적인 예시와 함께 상세하게 정리해 드리겠습니다.

예를 들어 신규 화장품 브랜드의 콘셉트가 '천연 성분과 친환경 포장'이라고 가정해 봅시다. 이 경우 지속할 수 있는 브랜드 경영은 다음과 같이 할 수 있습니다.

- 친환경적인 원료 사용: 제품의 품질과 안전성을 보장하기 위해 친환경적인 원료를 사용합니다. 예를 들어 동물 유래 원료나 화학 합성 원료를 사용하지 않고, 식물성 천연 유기농 원료를 처방하며, 세계적 천연 유기농 인증기관인 에코서트의 인증을 받을 수 있습니다.

- 에코 패키지 개발: 제품의 포장재가 환경에 미치는 영향을 최소화하기 위해 에코 패키지를 개발합니다. 예를 들어 플라스틱이나 금속 등의 비분해성 재료를 사용하지 않고, 재활용이나 분해가 가능한 종이나 코르크 등의 친환경 재료를 사용하며, 포장재의 크기나 무게를 줄여 배출량을 감소시킬 수 있습니다.

- 환경 보호 캠페인: 브랜드의 철학과 가치를 고객에게 전달하기 위해 환경 보호 캠페인을 진행합니다. 예를 들어 환경단체와 협력하여 기부나 자원 봉사 등의 활동을 하거나, 고객에게 친환경 제품 사용이나 재활용 등의 교육을 제공하거나, SNS와 유튜브 등의 온라인 매체에서 환경 보호에 대한 콘텐츠를 제작하고 공유할 수 있습니다.

이렇게 지속할 수 있는 브랜드 경영을 통해 고객의 지속가능한 소비 트렌드에 부응할 수 있습니다.

지속할 수 있는 브랜드 경영 단계에 대해 도움이 되셨길 바랍니다.

자세한 정보: 1. adeukes.tistory.com 2. mobiinside.co.kr 3. koreascience.kr +3 더 보기

지금까지 챗GPT 역할을 '10년 차 화장품 브랜드 기획자'로 설정하고 신규 화장품 브랜드를 기획하는 관점에서 시장조사 프로세스

를 진행할 수 있도록 안내하는 실습을 해보았습니다. 이와 같이 챗 GPT를 통해서 업무를 진행하는 프로세스를 잘 설정하고 맥락을 유지할 수 있는 프롬프트를 작성하면 전체적인 관점에서 일관성을 갖고 브랜드 기획을 위한 시장조사를 완료할 수 있습니다.

3

> 마케팅 총괄 기획자로 설정하기 🔍

이번에는 앞에서 기획한 신규 브랜드(또는 기존 브랜드)에서 수익을 창출할 수 있는 흥미로운 캠페인 아이디어들을 작성하도록 챗GPT에게 프롬프트로 명령을 내려보겠습니다. 신규 브랜드를 기획했다면 성공적으로 브랜드를 출시하기 위한 마케팅 전략을 수립해야 합니다. 우선 실질적인 마케팅 성과를 창출하기 위해서 어떠한 논리적인 프로세스로 업무가 진행되는지 살펴보겠습니다.

1. 마케팅 목표 설정

브랜드 인지도 향상, 매출 증대, 고객 유치와 유지 등의 목표를 설정합니다. 목표 설정을 통해 마케팅 전략의 방향성을 명확히 할 수 있습니다.

2. 시장과 고객 세분화

시장을 세분화하여 타깃 시장을 선정하고 고객을 인구통계학적, 지리적, 심리적, 행동적 특성에 따라 세분화합니다. 이를 바탕으로 효과적인 마케팅 전략을 수립할 수 있습니다.

3. 경쟁사 분석

경쟁사들의 마케팅 전략과 홍보 활동을 분석하여 강점과 약점을 파악합니다. 이를 통해 차별화된 마케팅 전략을 수립할 수 있습니다.

4. 자원 배분과 예산 계획

마케팅 전략 수립에 필요한 예산과 자원을 배분하고 마케팅 채널별로 효율적인 예산 사용을 계획합니다.

5. 콘텐츠 전략 수립

타깃 고객에게 맞춤화된 콘텐츠를 기획하여 브랜드 인지도와 구매의욕을 높일 수 있도록 합니다. 이를 위해 블로그, SNS, 동영상, 인플루언서 협업 등 다양한 콘텐츠 형식을 활용할 수 있습니다.

6. 온라인과 오프라인 마케팅 전략 수립

온라인 마케팅은 자사 소셜미디어, 검색엔진 광고, 이메일 마케팅, 자사 홍보용 블로그, 인플루언서 협업 등을 활용하여 브랜드 인지도와 매출을 높입니다. 오프라인 마케팅은 전통적인 광고 매체, 오프라인 이벤트, 체험 프로그램, 팝업 스토어 등을 활용하여 브랜드 인지도와 매출을 높입니다. 온오프라인 마케팅 전략을 유기적으로 연계하여 효과를 극대화할 수 있습니다.

7. 프로모션 전략 수립

할인, 쿠폰, 사은품, 충성도 프로그램 등 다양한 프로모션 전략을 수립하여 고객의 구매의사, 재구매, 추천을 유도할 수 있습니다.

8. 유통 채널 전략 수립

고객이 제품을 쉽게 접하고 구매할 수 있도록 적절한 유통 채널을 선정합니다. 이를 위해 온라인 쇼핑몰, 오프라인 매장, 홈쇼핑, 전문 소매점 등 다양한 유통 채널을 활용할 수 있습니다.

9. 브랜드 이미지 관리

브랜드의 정체성과 가치를 반영하는 통일된 이미지를 구축하고 유지하기 위해 로고, 슬로건, 패키지 디자인 등의 요소를 관리합니다. 이를 통해 고객에게 브랜드의 가치를 전달할 수 있습니다.

10. 마케팅 효과 측정과 평가

설정된 핵심성과지표KPI를 기준으로 마케팅 전략의 효과를 측정하고 평가합니다. 분석 결과를 바탕으로 전략을 수정하거나 개선하여 지속적인 성장을 도모합니다.

11. 고객 통찰 확보

고객의 의견, 소비, 구매 패턴 등을 관찰하고 분석하여 마음을 통찰합니다. 이를 바탕으로 고객의 니즈에 맞는 제품을 개발하거나 마케팅 전략을 수정하고 개선할 수 있습니다.

12. 지속적인 커뮤니케이션

고객과 지속적인 커뮤니케이션을 통해 요구와 의견을 듣고 빠르게 반영해 브랜드 충성도를 높입니다. 이를 위해 소셜미디어, 고객센터, 이메일 뉴스레터 등 다양한 커뮤니케이션 채널을 활용할 수 있습니다.

13. 파트너십과 협업 전략

다른 브랜드, 인플루언서, 유통업체 등과 파트너십과 협업을 통해 시너지를 창출하고 브랜드의 인지도와 매출을 높입니다. 이를 위해 협업 상품 개발, 공동 마케팅, 크로스 프로모션 등 다양한 협업 전략을 수립할 수 있습니다.

14. 위기관리 전략

브랜드에 대한 부정적인 평가, 불만, 제품 결함 등의 위기 상황에 대비하여 적절한 대응과 관리 전략을 수립합니다. 이를 통해 브랜드 이미지의 손상을 최소화하고 신뢰도를 회복할 수 있습니다.

15. 지속적인 마케팅 전략 수정과 개선

시장 동향, 고객 트렌드, 경쟁사 전략 등의 변화에 민첩하게 대응하며 마케팅 전략을 지속적으로 수정하고 개선합니다. 이를 통해 브랜드의 지속적인 성장과 발전을 추구할 수 있습니다.

이처럼 성공적인 화장품 브랜드 출시를 위한 마케팅 전략은 타깃 고객을 명확히 선정하고 다양한 채널과 전략을 유기적으로 연계하여 시행하는 것이 중요합니다. 또한 지속적인 시장 모니터링과 고객 통찰을 통해 전략을 개선하며 브랜드의 성장과 발전을 도모할 수 있습니다.

이러한 마케팅 전략을 실행할 때 다음과 같은 사항들을 유념해야 합니다.

1. 고객 중심적 마케팅

고객의 니즈와 트렌드 변화에 발맞추어 마케팅 전략을 수정하고 개선하여 고객 만족도를 높입니다. 고객 만족도를 높임으로써 브랜드가 지속적으로 성장할 수 있습니다.

2. 데이터 분석과 활용

고객 데이터, 판매 데이터, 마케팅 효과 데이터 등을 체계적으로 수집하고 분석하면서 마케팅 전략을 개선합니다. 데이터 분석을 통해 목표 달성에 효과적인 전략을 수립할 수 있습니다.

3. 차별화된 제품과 서비스 제공

경쟁사와 차별화된 제품과 서비스로서 예를 들어 혁신적인 제품 개발, 맞춤형 서비스, 독특한 패키지 디자인 등을 제공합니다. 이를 통해 시장에서 우위를 점하고 브랜드 인지도를 높일 수 있습니다.

4. 통합적인 마케팅 활동

다양한 마케팅 채널과 전략을 통합적으로 관리하고 실행하여 전체적인 브랜드 이미지를 구축하고 유지합니다. 이를 통해 브랜드의 가치를 전달하고 시장점유율을 확대할 수 있습니다.

5. 지속가능한 마케팅 전략

지속가능한 마케팅 전략으로서 예를 들어 친환경적인 원료 사용, 에코 패키지 개발, 환경 보호 캠페인 등의 활동을 통해 브랜드의 가치를 전달합니다. 이를 통해 고객의 지속가능한 소비 트렌드에 부응하고 브랜드 이미지를 강화할 수 있습니다.

마케팅 전략 수립과 실행의 과정에서 이러한 사항들을 철저히 고려하면 신규 브랜드의 성공적인 출시와 지속적인 성장을 기대할 수 있습니다. 이렇게 신규 브랜드 기획 과정 후에 성공적으로 브랜드를 출시하기 위한 마케팅 전략을 수립하는 프로세스를 정리해 보았습니다. 이를 기반으로 '10년 차 화장품 브랜드 기획자'의 관점에서 '신규 화장품 브랜드를 성공적으로 출시하기 위한 마케팅 전략 수립' 프로세스를 챗GPT가 진행하도록 안내하는 실습을 해보겠습니다.

우선 10년 차 화장품 마케팅 전략 기획자의 관점에서 '신규 화장품 브랜드의 성공적인 출시 이후 마케팅 전략 수립과 실행 프로세스'를 상세하게 도출하도록 챗GPT에게 차례대로 질문하겠습니다.

프롬프트: '10년 차 화장품 마케팅 전략수립'의 관점에서 '신규 화장품 브랜드를 성공적으로 출시 이후에 마케팅 전략 수립과 실행 프로세스' 중 아래 단계를 구체적인 예시와 함께 상세하게 정리해줘.

 안녕하세요. 이것은 빙입니다. 화장품 마케팅 전략에 관심이 있으시군요.

신규 화장품 브랜드를 성공적으로 론칭한 이후에 마케팅 전략 수립과 실행 프로세스 중 '1. 마케팅 목표 설정'에 대해 구체적인 예시와 함께 상세하게 정리해 드리겠습니다.

마케팅 목표 설정은 마케팅 전략의 첫 단계로 브랜드의 비전과 가치를 반영하면서도 구체적이고 측정할 수 있는 목표를 설정하는 것입니다. 마케팅 목표는 브랜드 인지도 향상, 매출 증대, 고객 유치와 유지 등의 다양한 측면을 포함할 수 있습니다.

예를 들어 신규 화장품 브랜드의 비전이 '자연과 친화적인 화장품으로 고객의 피부 건강과 지구 환경을 동시에 책임지는 브랜드'라면 다음과 같은 마케팅 목표를 설정할 수 있습니다.

- 브랜드 인지도 향상: 1년 이내에 타깃 시장에서 자연 친화적인 화장품 브랜드로 인식되는 비율을 50% 이상으로 높인다.
- 매출 증대: 1년 이내에 타깃 시장에서 자연 친화적인 화장품 시장점유율을 10% 이상으로 확보한다.
- 고객 유치와 유지: 1년 이내에 신규 고객 수를 10만 명 이상으로 증가시키고 재구매율을 30% 이상으로 유지한다.

이렇게 마케팅 목표를 설정하면 다음 단계인 타깃 시장 분석, 경쟁사 분석, 마케팅 믹스 전략 수립 등에서 좀 더 효과적이고 효율적인 결정을 내릴 수 있습니다.

마케팅 전략에 대해 더 궁금하신 점이 있으시면 언제든지 말씀해주세요.

●●● ‹ › C Q   ☆ ☰

프롬프트: 1. 마케팅 목표 설정, 브랜드 인지도 향상, 매출 증대, 고객 유치와 유지 등의 목표를 설정합니다. 목표 설정을 통해 마케팅 전략의 방향성을 명확히 할 수 있습니다.

✓ '화장품 브랜드 마케팅 목표 설정' 검색 중

✓ 답변을 생성하는 중……

▶ 1. 마케팅 목표 설정

- 브랜드 인지도 향상, 매출 증대, 고객 유치와 유지 등의 목표를 설정합니다. 목표 설정을 통해 마케팅 전략의 방향성을 명확히 할 수 있습니다[1][2].

- 목표는 SMART 원칙에 따라 구체적Specific, 측정 가능Measurable, 도달 가능Achievable, 관련성 있는Relevant, 시간제한이 있는Time-bound 것으로 작성합니다[2].

- 예를 들어 '신규 화장품 브랜드를 성공적으로 론칭하기 위해 2023년까지 한국 시장에서 10%의 시장점유율을 달성하고, 연간 100억 원의 매출을 올리며, 10만 명의 고객을 확보하고 유지하는 것'이 SMART한 목표입니다[2].

자세한 정보: 1. packative.com   2. magazine.contenta.co   3. cosinkorea.com   +3 더 보기

●●● ‹ › C Q   ☆ ☰

프롬프트: 2. 시장과 고객 세분화, 화장품 시장을 세분화하고 타깃 시장을 선정하고 고객의 인구통계학적, 지리적, 심리적, 행동적 특성에 따라 세분화합니다. 이를 바탕으로 효과적인 마케팅 전략을 수립할 수 있습니다.

▶ 신규 화장품 브랜드를 성공적으로 론칭한 이후에 마케팅 전략 수립과 실행 프로세스 중 '2. 타깃 시장과 고객 세분화'에 대해 구체적인 예시와 함

께 상세하게 정리해 드리겠습니다.

타깃 시장과 고객 세분화는 화장품 시장의 세분화를 통해 타깃 시장을 선정하고 고객의 인구통계학적, 지리적, 심리적, 행동적 특성에 따라 세분화하는 것입니다. 이를 바탕으로 효과적인 마케팅 전략을 수립할 수 있습니다.

예를 들어 신규 화장품 브랜드의 비전이 '자연과 친화적인 화장품으로 고객의 피부 건강과 지구 환경을 동시에 책임지는 브랜드'라면 다음과 같은 타깃 시장과 고객 세분화를 할 수 있습니다.

- 타깃 시장: 한국보건산업진흥원의 자료에 따르면 2020년 한국의 화장품 시장 규모는 14조 6,000억 원으로 전년 대비 1.6% 증가했습니다. 그중 자연 친화적인 화장품은 2조 4,000억 원으로 전년 대비 5.5% 증가했습니다. 이는 자연 친화적인 화장품의 수요가 증가하고 있음을 나타냅니다. 따라서 신규 화장품 브랜드는 한국의 자연 친화적인 화장품 시장을 타깃 시장으로 선정할 수 있습니다.

- 고객 세분화: 고객 세분화를 위해 인구통계학적, 지리적, 심리적, 행동적 특성을 고려할 수 있습니다. 인구통계학적 특성은 나이, 성별, 소득, 학력 등을 포함합니다. 지리적 특성은 거주 지역, 기후, 문화 등을 포함합니다. 심리적 특성은 가치관, 태도, 성격 등을 포함합니다. 행동적 특성은 구매 동기, 구매 빈도, 구매량 등을 포함합니다.

예를 들어 신규 화장품 브랜드는 다음과 같은 고객 세그먼트를 정의할 수 있습니다.

  o 20대 여성: 자연 친화적인 화장품에 관심이 많고 피부 건강과 지구 환경을 중요하게 생각하는 젊은 여성들입니다. 소득은 낮지만 화장품에 대한 지출은 높습니다. 온라인 쇼핑과 소셜 미디어를 많이 이용하며 새로운 제품에 대한 정보를 적극적으로 찾고 공유합니다.

자세한 정보: 1. data.go.kr 2. cosinkorea.com 3. ko.surveymonkey.com +3 더 보기

프롬프트: 위 답변 계속해줘.

네. 알겠습니다.

- 30대 여성: 자연 친화적인 화장품에 대한 인식이 높고 피부 건강과 지구 환경을 동시에 챙기고 싶어하는 여성들입니다. 소득은 중상위권이며 화장

품에 대한 품질과 가격에 민감합니다. 오프라인 쇼핑과 온라인 쇼핑을 모두 이용하며 구매 전에 제품에 대한 리뷰나 평가를 참고합니다.

- 40대 여성: 자연 친화적인 화장품에 대한 지식이 풍부하고 피부 건강과 지구 환경을 장기적으로 고려하는 여성들입니다. 소득은 상위권이며 화장품에 대한 브랜드 충성도가 높습니다. 오프라인 쇼핑을 주로 이용하며 구매 후에 제품에 대한 만족도나 효과를 공유합니다.

이렇게 타깃 시장과 고객 세분화를 통해 신규 화장품 브랜드는 각 세그먼트의 특성과 니즈에 맞는 마케팅 전략을 수립할 수 있습니다.

마케팅 전략에 대해 더 궁금하신 점이 있으시면 언제든지 말씀해주세요.

프롬프트: 3. 경쟁사 분석, 경쟁사들의 마케팅 전략과 홍보 활동을 분석하여 강점과 약점을 파악합니다. 이를 통해 차별화된 마케팅 전략을 수립할 수 있습니다.

▶ 신규 화장품 브랜드를 성공적으로 론칭한 이후에 마케팅 전략 수립과 실행 프로세스 중 '3. 경쟁사 분석'에 대해 구체적인 예시와 함께 상세하게 정리해 드리겠습니다.

경쟁사 분석은 경쟁사들의 마케팅 전략과 홍보 활동을 분석하여 강점과 약점을 파악하고 차별화된 마케팅 전략을 수립할 수 있습니다.

예를 들어 신규 화장품 브랜드의 비전이 '자연과 친화적인 화장품으로 고객의 피부 건강과 지구 환경을 동시에 책임지는 브랜드'라면 다음과 같은 경쟁사 분석을 할 수 있습니다.

- 경쟁사: 자연 친화적인 화장품 브랜드는 다양하게 존재합니다. 예를 들어 록시땅®, 닥터브로너스®, 네이처리퍼블릭® 등이 있습니다. 이들은 각각 다른 자연 성분과 철학을 바탕으로 제품을 개발하고 마케팅하고 있습니다.

- 강점: 경쟁사들의 강점은 다음과 같습니다.

  ○ 록시땅: 프로방스의 자연에서 영감을 받은 제품과 향수를 제공하며 고품질과 고가격의 이미지를 가지고 있습니다. 또한 사회공헌 활동을 적극적으로 하며 친환경적인 용기와 포장재를 사용합니다.

  ○ 닥터브로너스: 유기농 성분으로 만든 비누와 바디케어 제품을 제공하고 동물실험을 하지 않고, 용기는 재활용 플라스틱을 사용합니다. 또한 공

정무역 인증을 받았으며, 사회적 기업으로서 이익 일부를 기부합니다.

○ 네이처리퍼블릭: 자연에서 얻은 신선하고 순수한 성분으로 제품을 만들고 저렴한 가격대로 다양한 제품을 제공합니다. 또한 유명 연예인을 모델로 사용하여 젊은층에 인기가 있으며 해외 진출도 활발하게 하고 있습니다.

• 약점: 경쟁사들의 약점은 다음과 같습니다.

○ 록시땅: 가격이 비싸서 일반 고객이 접근하기 어렵고 자연 친화적인 성분 외에도 화학 성분이 함유돼 있습니다. 또한 국내에서는 매장이 적고 온라인 판매가 주로 이루어집니다.

○ 닥터브로너스: 제품 종류가 한정돼 있고,

자세한 정보: 1. mk.co.kr   2. digitalchosun.dizzo.com   3. bntnews.co.kr   +3 더 보기

● ● ● ‹ › ⟳ ⌕   ☆ ☰

프롬프트: 위 답변 계속해줘.

▶ 네. 알겠습니다.

• 닥터브로너스: 제품 종류가 한정돼 있고 디자인이 복잡하고 낡아 보입니다. 또한 국내에서는 인지도가 낮고 매장이 적고 온라인 판매가 주로 이루어집니다.

• 네이처리퍼블릭: 자연 친화적인 성분 외에도 화학 성분이 함유돼 있고 품질에 대한 불만이 있습니다. 또한 과도한 확장으로 인해 매출이 감소하고 경영난에 허덕이고 있습니다.

이렇게 경쟁사 분석을 통해 신규 화장품 브랜드는 경쟁사들의 강점을 배우고, 약점을 보완하고, 차별화된 마케팅 전략을 수립할 수 있습니다.

마케팅 전략에 대해 더 궁금하신 점이 있으시면 언제든지 말씀해주세요.

▶ 신규 화장품 브랜드를 성공적으로 론칭한 이후에 마케팅 전략 수립과 실행 프로세스 중 '4. 예산 계획과 자원 배분'에 대해 구체적인 예시와 함께 상세하게 정리해 드리겠습니다.

예산 계획과 자원 배분은 마케팅 전략 수립에 필요한 예산과 자원을 배분하고 마케팅 채널별 효율적인 예산 사용을 계획하는 것입니다.

예를 들어 신규 화장품 브랜드의 비전이 '자연과 친화적인 화장품으로 고객의 피부 건강과 지구 환경을 동시에 책임지는 브랜드'라면 다음과 같은 예산 계획과 자원 배분을 할 수 있습니다.

• 예산 배분: 화장품 업종의 디지털 광고비는 2019년 1,131억 원으로 13%의 성장률을 나타냈습니다█. 이 중에서 동영상 광고비는 전년 대비 100억 원가량 증가했습니다█. 따라서 신규 화장품 브랜드는 디지털 마케팅에 집중하고, 특히 동영상 광고에 많은 예산을 투입할 수 있습니다. 예를 들어 총마케팅 예산이 10억 원이라면 디지털 마케팅에 7억 원(70%), 오프라인 마케팅에 3억 원(30%)을 배분할 수 있습니다. 그리고 디지털 마케팅 예산 중에서 동영상 광고에 4억 원(57%), 배너 광고에 2억 원(29%), 검색광고에 1억 원(14%)을 배분할 수 있습니다.

• 자원 배분: 마케팅 자원은 인적 자원과 물적 자원으로 구분할 수 있습니다. 인적 자원은 마케팅팀의 인력과 역량을 의미하며, 물적 자원은 마케팅 활동에 필요한 장비와 시설을 의미합니다. 신규 화장품 브랜드는 인적 자원과 물적 자원을 적절하게 배분하여 마케팅 전략을 실행할 수 있습니다.

예를 들어 신규 화장품 브랜드는 다음과 같은 자원 배분을 할 수 있습니다.

• 인적 자원: 마케팅팀은 디지털 마케팅 담당자와 오프라인 마케팅 담당자로 구성됩니다. 디지털 마케팅 담당자는 동영상 광고, 배너 광고, 검색광고 등의 디지털 채널을 관리하고 오프라인 마케팅 담당자는 매장 프로모션, 이벤트, 체험단 등의 오프라인

자세한 정보: 1. beautynury.com 2. beautynury.com 3. blog.hwahae.biz +3 더 보기

프롬프트: 위 답변 계속해줘.

 네. 알겠습니다.

- 인적 자원: 마케팅팀은 디지털 마케팅 담당자와 오프라인 마케팅 담당자로 구성됩니다. 디지털 마케팅 담당자는 동영상 광고, 배너 광고, 검색광고 등의 디지털 채널을 관리하고, 오프라인 마케팅 담당자는 매장 프로모션, 이벤트, 체험단 등의 오프라인 채널을 관리합니다. 각 담당자는 마케팅 전략과 목표에 맞게 콘텐츠를 기획하고 제작하며 효과 측정과 분석을 수행합니다.

- 물적 자원: 마케팅 활동에 필요한 장비와 시설을 물적 자원으로 볼 수 있습니다. 예를 들어 동영상 광고를 제작하기 위해서는 카메라, 마이크, 조명, 편집 프로그램 등이 필요합니다. 배너 광고를 제작하기 위해서는 디자인 프로그램, 인쇄기 등이 필요합니다. 검색광고를 집행하기 위해서는 키워드 도구, 광고 플랫폼 등이 필요합니다. 매장 프로모션을 진행하기 위해서는 포스터, 리플렛, 샘플 등이 필요합니다. 이벤트를 진행하기 위해서는 장소, 장비, 상품 등이 필요합니다. 체험단을 운영하기 위해서는 제품, 리뷰 플랫폼 등이 필요합니다.

이렇게 예산 계획과 자원 배분을 통해 신규 화장품 브랜드는 마케팅 전략을 효과적으로 수립하고 실행할 수 있습니다.

마케팅 전략에 대해 더 궁금하신 점이 있으시면 언제든지 말씀해주세요.

프롬프트: 5. 콘텐츠 전략 수립, 타깃 고객에게 맞춤화된 콘텐츠를 기획하여 브랜드 인지도와 구매의욕을 높일 수 있도록 합니다. 이를 위해 블로그, SNS, 동영상, 인플루언서 협업 등 다양한 콘텐츠 형식을 활용할 수 있습니다.

신규 화장품 브랜드를 성공적으로 론칭한 이후에 마케팅 전략 수립과 실행 프로세스 중 '5. 콘텐츠 전략 수립'에 대해 구체적인 예시와 함께 상세하게 정리해 드리겠습니다.

콘텐츠 전략 수립은 타깃 고객에게 맞춤화된 콘텐츠를 기획하여 브랜드 인지도와 구매 의욕을 높일 수 있도록 하는 것입니다. 이를 위해 블로그, SNS, 동영상, 인플루언서 협업 등 다양한 콘텐츠 형식을 활용할 수 있습니다.

예를 들어 신규 화장품 브랜드의 비전이 '자연과 친화적인 화장품으로 고객의 피부 건강과 지구 환경을 동시에 책임지는 브랜드'라면 다음과 같은 콘텐츠 전략 수립을 할 수 있습니다.

- 블로그: 블로그는 제품의 특징과 장점을 상세하게 설명하고, 고객의 후기나 Q&A를 게시할 수 있는 채널입니다. 또한 자연 친화적인 화장품에 대한 정보나 팁을 제공하고, 고객과 소통하고, 이벤트를 진행할 수 있는 채널입니다. 예를 들어 신규 화장품 브랜드는 자신의 제품이 어떤 자연 성분으로 만들어졌고 어떤 효과가 있는지를 블로그에 포스팅할 수 있습니다. 또한 고객이 제품을 사용하고 남긴 후기나 질문을 게시하고 답변해줄 수 있습니다. 그리고 자연 친화적인 화장품의 장점이나 사용 방법 등을 알려주는 팁을 게시하거나 고객이 참여할 수 있는 이벤트를 기획할 수 있습니다.

- SNS: SNS는 제품의 이미지와 스토리를 전달하고, 고객과 실시간으로 소통하고, 버즈 마케팅을 할 수 있는 채널입니다. 예를 들어 신규 화장품 브랜드는 인스타그램이나 페이스북 등의 SNS에 자신의 제품 사진이나 동영상을 업로드하고 제품의 콘셉트나 슬로건 등을 함께 게시할 수 있습니다. 또한 고객의 댓글이나 메시지에 답변하고, 공유하고, '좋아요'를 누르는 등의 활동을 통해 고객과 교감할 수 있습니다. 그리고 인플루언서들과 협업하여 제품을 홍보하고 고객의 관심과 호기심을 유도할 수 있습니다.

자세한 정보: 1. criteo.com 2. dbr.donga.com 3. dbpia.co.kr 3. cosinkorea.com +2 더 보기

● ● ● ‹ › ⟳ ◯   ☆ ≡

프롬프트: 위 답변 계속해줘.

▶ 네. 알겠습니다.

- 동영상: 동영상은 제품의 사용법이나 효과를 시각적으로 보여주고, 고객의 감성을 자극하고, 브랜드의 스토리를 전달할 수 있는 채널입니다. 예를 들어 신규 화장품 브랜드는 유튜브나 틱톡 등의 동영상 플랫폼에 자신의 제품을 사용하는 모습이나 리뷰를 업로드하고 제품의 특징이나 장점을 강조할 수 있습니다. 또한 고객의 취향이나 문화에 맞는 음악이나 편집을 활용하여 고객의 감성을 자극하고, 브랜드의 비전이나 철학을 담은 스토리를 전달할 수 있습니다.

- 인플루언서 협업: 인플루언서 협업은 타깃 고객에게 영향력이 있는 인플루언서들과 제품을 홍보하고, 고객의 신뢰와 호감을 얻고, 구매 전환율을 높일 수 있는 채널입니다. 예를 들어 신규 화장품 브랜드는 자연 친화적인 화장품에 관심이 있는 인플루언서들과 협업하여 제품을 소개하거나 리뷰하도록 요청할 수 있습니다. 또한 인플루언서들의 팔로우들과 소통하고 이벤트나 할인 쿠폰 등을 제공하여 고객의 구매 의욕을 높일 수 있습니다.

이렇게 콘텐츠 전략 수립을 통해 신규 화장품 브랜드는 타깃 고객에게 맞춤화된 콘텐츠를 제공하고 브랜드 인지도와 구매 의욕을 높일 수 있습니다.

마케팅 전략에 대해 더 궁금하신 점이 있으시면 언제든지 말씀해주세요.

●●● ‹ › C Q   ☆ ≡

프롬프트: 6. 온오프라인 마케팅 전략 수립, 온라인 마케팅은 소셜미디어, 검색엔진 광고, 이메일 마케팅, 블로그, 인플루언서 협업 등을 활용하여 브랜드 인지도와 매출을 높입니다. 오프라인 마케팅은 전통적인 광고 매체, 오프라인 이벤트, 체험 프로그램, 팝업 스토어 등을 활용하여 브랜드 인지도와 매출을 높입니다. 온오프라인 마케팅 전략을 유기적으로 연계하여 효과를 극대화할 수 있습니다.

신규 화장품 브랜드를 성공적으로 론칭한 이후에 마케팅 전략 수립과 실행 프로세스 중 '6. 온오프라인 마케팅 전략 수립'에 대해 구체적인 예시와 함께 상세하게 정리해 드리겠습니다.

온오프라인 마케팅 전략 수립은 온라인 마케팅과 오프라인 마케팅을 유기적으로 연계하여 브랜드 인지도와 매출을 높이는 것입니다. 온라인 마케팅은 소셜 미디어, 검색엔진 광고, 이메일 마케팅, 블로그, 인플루언서 협업 등을 활용하여 고객과 소통하고, 제품을 홍보하고, 구매로 이끌 수 있습니다. 오프라인 마케팅은 전통적인 광고 매체, 오프라인 이벤트, 체험 프로그램, 팝업스토어 등을 활용하여 고객에게 제품을 체험하고, 구매하도록 유도할 수 있습니다.

예를 들어 신규 화장품 브랜드의 비전이 '자연과 친화적인 화장품으로 고객의 피부 건강과 지구 환경을 동시에 책임지는 브랜드'라면 다음과 같은 온라인과 오프라인 마케팅 전략 수립을 할 수 있습니다.

- 온라인 마케팅 전략:
  ○ 소셜 미디어: 인스타그램이나 페이스북 등의 소셜 미디어에 자신의 제

품 사진이나 동영상을 업로드하고 제품의 콘셉트나 슬로건 등을 함께 게시합니다. 또한 고객의 댓글이나 메시지에 답변하고 공유하고 '좋아 요'를 누르는 등의 활동을 통해 고객과 교감합니다. 그리고 인플루언서 들과 협업하여 제품을 홍보하고 고객의 관심과 호기심을 유도합니다.

○ 검색엔진 광고: 구글이나 네이버 등의 검색엔진에 자신의 제품과 관련 된 키워드를 설정하고 광고를 집행합니다. 예를 들어 '자연 친화적인 화장품' '친환경 화장품' '자연 성분 화장품' 등의 키워드를 설정하고 자 신의 제품이나 브랜드를 소개하는 광고 문구와 링크를 게시합니다. 이 렇게 하면 고객이 해당 키워드로 검색할 때 자신의 광고가 상위에 노출 돼 클릭률과 방문율을 높일 수 있습니다.

○ 이메일 마케팅: 고객의 이메일 주소를 수집하고 정기적으로 자신의

● ● ● ‹ › C Q   ☆ ≡

프롬프트: 위 답변 계속해줘.

▶ 네. 알겠습니다.

• 이메일 마케팅: 고객의 이메일 주소를 수집하고 정기적으로 자신의 제품 이나 브랜드를 소개하는 이메일을 발송합니다. 예를 들어 신규 화장품 브 랜드는 고객에게 자신의 제품의 특징이나 장점을 알려주는 뉴스레터를 보 내거나 새로운 제품이나 이벤트를 안내하는 메일을 보낼 수 있습니다. 또 한 고객의 생일이나 기념일에 축하 메시지나 할인 쿠폰을 보내는 등의 방 법으로 고객 관계를 유지하고 재구매를 유도할 수 있습니다.

• 블로그: 블로그는 제품의 특징과 장점을 상세하게 설명하고 고객의 후기나 Q&A를 게시할 수 있는 채널입니다. 또한 자연 친화적인 화장품에 대한 정 보나 팁을 제공하고, 고객과 소통하고, 이벤트를 진행할 수 있는 채널입니 다. 예를 들어 신규 화장품 브랜드는 자신의 제품이 어떤 자연 성분으로 만 들어졌고, 어떤 효과가 있는지를 블로그에 포스팅할 수 있습니다. 또한 고 객이 제품을 사용하고 남긴 후기나 질문을 게시하고 답변해줄 수 있습니 다. 그리고 자연 친화적인 화장품의 장점이나 사용 방법 등을 알려주는 팁 을 게시하거나 고객이 참여할 수 있는 이벤트를 기획할 수 있습니다.

• 인플루언서 협업: 인플루언서 협업은 타깃 고객에게 영향력이 있는 인플 루언서들과 제품을 홍보하고 고객의 신뢰와 호감을 얻고 구매 전환율을 높일 수 있는 채널입니다. 예를 들어 신규 화장품 브랜드는 자연 친화적인 화장품에 관심 있는 인플루언서들과 협업하여 제품을 소개하거나 리뷰하

도록 요청할 수 있습니다. 또한 인플루언서들의 팔로우들과 소통하고 이벤트나 할인 쿠폰 등을 제공하여 고객의 구매 의욕을 높일 수 있습니다.

- 오프라인 마케팅 전략:

  ○ 전통적인 광고 매체: TV, 라디오, 신문, 잡지 등의 전통적인 광고 매체를 통해 제품을 홍보하고, 브랜드 인지도를 높일 수 있습니다. 예를 들어 신규 화장품 브랜드는 TV 광고에 자신의 제품과 슬로건을 담은 광고 영상을

● ● ● ‹ › C 🔍 ☆ ☰

프롬프트: 위 답변 계속해줘.

▶ 네. 알겠습니다.

- 전통적인 광고 매체: TV, 라디오, 신문, 잡지 등의 전통적인 광고 매체를 통해 제품을 홍보하고 브랜드 인지도를 높일 수 있습니다. 예를 들어 신규 화장품 브랜드는 TV 광고에 자신의 제품과 슬로건을 담은 광고 영상을 방송하거나 라디오 광고에 자신의 제품과 스토리를 담은 광고 음성을 방송할 수 있습니다. 또한 신문이나 잡지에 자신의 제품과 로고를 담은 광고 이미지를 게재할 수 있습니다.

  ○ 오프라인 이벤트: 오프라인 이벤트는 고객에게 제품을 체험하게 하고 구매하도록 유도하는 채널입니다. 예를 들어 신규 화장품 브랜드는 공원이나 쇼핑몰 등의 장소에서 제품 체험 이벤트를 진행할 수 있습니다. 이때 제품의 특징이나 장점을 설명하고, 샘플이나 리플렛을 나눠주고, 구매할 경우 할인 혜택이나 사은품을 제공할 수 있습니다.

  ○ 체험 프로그램: 체험 프로그램은 고객에게 제품을 사용하는 방법이나 팁을 알려주고 제품과 관련된 다양한 활동을 하게 하는 채널입니다. 예를 들어 신규 화장품 브랜드는 자신의 매장이나 스튜디오에서 제품 사용법이나 피부 관리법 등을 알려주는 워크숍이나 클래스를 개최할 수 있습니다. 또한 자연 친화적인 화장품에 대한 인식을 높이기 위해 자연 성분으로 만든 화장품을 직접 만들어 보는 DIY 프로그램을 운영할 수 있습니다.

  ○ 팝업 스토어: 팝업 스토어는 일정 기간만 운영되는 임시 매장으로서 고객에게 제품을 소개하고 판매하는 채널입니다. 예를 들어 신규 화장품 브랜드는 핫한 장소나 행사에 맞춰 팝업 스토어를 오픈하고 자신의 제

품과 브랜드를 홍보할 수 있습니다. 또한 팝업 스토어에서만 구매할 수 있는 한정판 제품이나 기념품을 제공하거나 고객과 소통하고 즐길 수 있는 다양한 콘셉트와 콘텐츠를 준비할 수 있습니다.

이렇게 온오프라인 마케팅 전략 수립을 통해 신규 화장품 브랜드는 고객에게 다양한 방식으로 접근

●●●〈 〉 C Q   ☆ ≡

프롬프트: 위 답변 계속해줘.

▶ 네. 알겠습니다.

- 온라인과 오프라인 마케팅 전략 수립을 통해 신규 화장품 브랜드는 고객에게 다양한 방식으로 접근하고 브랜드 인지도와 매출을 높일 수 있습니다.

마케팅 전략에 대해 더 궁금하신 점이 있으시면 언제든지 말씀해주세요.

●●●〈 〉 C Q   ☆ ≡

프롬프트: 7. 프로모션 전략 수립, 할인, 쿠폰, 사은품, 충성도 프로그램 등 다양한 프로모션 전략을 수립하여 고객의 구매의사, 재구매, 추천을 유도할 수 있습니다.

▶ 신규 화장품 브랜드를 성공적으로 론칭한 이후에 마케팅 전략 수립과 실행 프로세스 중 '7. 프로모션 전략 수립'에 대해 구체적인 예시와 함께 상세하게 정리해 드리겠습니다.

프로모션 전략 수립은 할인, 쿠폰, 사은품, 충성도 프로그램 등 다양한 프로모션 전략을 수립하여 고객의 구매 의사를 유도하고 재구매와 추천을 유도하는 것입니다.

예를 들어 신규 화장품 브랜드의 비전이 '자연과 친화적인 화장품으로 고객의 피부 건강과 지구 환경을 동시에 책임지는 브랜드'라면 다음과 같은 프로모션 전략 수립을 할 수 있습니다.

- 할인: 제품의 가격을 일정 동안 낮추거나 일정 금액 이상 구매하면 추가 할인을 제공하는 방식으로 고객의 구매 의사를 유도할 수 있습니다. 예를 들어 신규 화장품 브랜드는 자신의 제품을 10% 할인된 가격으로 판매하거나 5만 원 이상 구매하면 20% 할인을 제공하는 쿠폰을 발급할 수 있습니다.

- 쿠폰: 제품의 가격을 일정 비율이나 금액만큼 할인해주는 쿠폰을 제공하는 방식으로 고객의 구매 의사를 유도할 수 있습니다. 예를 들어 신규 화장품 브랜드는 자신의 제품을 구매한 고객에게 다음 구매 시 사용할 수 있는 10% 할인 쿠폰을 제공하거나 자신의 SNS나 블로그를 팔로우하거나 공유한 고객에게 5% 할인 쿠폰을 제공할 수 있습니다.

- 사은품: 제품과 함께 다른 제품이나 상품을 무료로 제공하는 방식으로 고객의 구매 의사를 유도하고 고객 만족도를 높일 수 있습니다. 예를 들어 신규 화장품 브랜드는 자신의 제품과 함께 샘플이나 미니어처를 제공하거나 일정 금액 이상 구매하면 에코백이나 텀블러 등의 상품을 제공할 수 있습니다.

- 충성도 프로그램: 제품을 구매하거나 리뷰를 남기거나 추천하는 등의 행위에 대해 포인트나 스탬프 등의 보상을 제공하고 일정 수준에 도달하면 추가 혜택을 주는 방식으로 재구매와 추천을 유도할 수 있습니다. 예를 들어 신규 화장품 브랜드는 자신의 제품을 구매할 때마다 포인트를 적립하고 1,000점이 되면 10% 할인 쿠폰을 발급

프롬프트: 위 답변 계속해줘.

네. 알겠습니다.

- 충성도 프로그램: 제품을 구매하거나 리뷰를 남기거나 추천하는 등의 행위에 대해 포인트나 스탬프 등의 보상을 제공하고 일정 수준에 도달하면 추가 혜택을 주는 방식으로 재구매와 추천을 유도할 수 있습니다. 예를 들어 신규 화장품 브랜드는 자신의 제품을 구매할 때마다 포인트를 적립하고 1,000점이 되면 10% 할인 쿠폰을 발급해주는 프로그램을 운영할 수 있습니다. 또한 자신의 제품에 대한 리뷰를 남기거나 SNS에 공유하거나 친구에게 추천하는 고객에게는 스탬프를 부여하고 10개가 되면 무료 제품을 제공해주는 프로그램을 운영할 수 있습니다.

이렇게 프로모션 전략 수립을 통해 신규 화장품 브랜드는 고객의 구매 의사

를 유도하고 재구매와 추천을 유도할 수 있습니다.

마케팅 전략에 대해 더 궁금하신 점이 있으시면 언제든지 말씀해주세요.

프롬프트: 8. 유통 채널 전략 수립, 고객이 제품을 쉽게 접하고 구매할 수 있도록 적절한 유통 채널을 선정합니다. 이를 위해 온라인 쇼핑몰, 오프라인 매장, 홈쇼핑, 전문 소매점 등 다양한 유통 채널을 활용할 수 있습니다.

▶ 신규 화장품 브랜드를 성공적으로 론칭한 이후에 마케팅 전략 수립과 실행 프로세스 중 '8. 유통 채널 전략 수립'에 대해 구체적인 예시와 함께 상세하게 정리해 드리겠습니다.

유통 채널 전략 수립은 고객이 제품을 쉽게 접근하고 구매할 수 있도록 적절한 유통 채널을 선정하는 것입니다. 이를 위해 온라인 쇼핑몰, 오프라인 매장, 홈쇼핑, 전문 소매점 등 다양한 유통 채널을 활용할 수 있습니다.

예를 들어 신규 화장품 브랜드의 비전이 '자연과 친화적인 화장품으로 고객의 피부 건강과 지구 환경을 동시에 책임지는 브랜드'라면 다음과 같은 유통 채널 전략 수립을 할 수 있습니다.

- 온라인 쇼핑몰: 온라인 쇼핑몰은 고객이 언제 어디서나 제품을 검색하고 비교하고 구매할 수 있는 유통 채널입니다. 예를 들어 신규 화장품 브랜드는 자신의 공식 웹사이트나 온라인 몰을 운영하고 제품의 사진, 설명, 후기 등을 게시할 수 있습니다. 또한 네이버나 카카오와 같은 포털 사이트나 인터파크나 11번가와 같은 오픈 마켓에서도 자신의 제품을 판매할 수 있습니다.

- 오프라인 매장: 오프라인 매장은 고객이 제품을 직접 보고 만지고 체험할 수 있는 유통 채널입니다. 예를 들어 신규 화장품 브랜드는 자신의 독립 매장이나 백화점이나 롯데마트와 같은 대형 유통점에 입점하여 제품을 판매할 수 있습니다. 또한 팝업 스토어나 트럭 스토어와 같은 이동식 매장을 운영하여 제품을 홍보하고 판매할 수 있습니다.

- 홈쇼핑: 홈쇼핑은 TV나 인터넷을 통해 제품을 소개하고 판매하는 유통 채널입니다. 예를 들어 신규 화장품 브랜드는 CJ오쇼핑이나 GS홈쇼핑과 같은 홈쇼핑 채널에 자신의 제품을 방송하고 제품의 특징이나 장점이나 사용법 등을 설명하고 할인 혜택이나 사은품 등을 제공할 수 있습니다.

- 전문 소매점: 전문 소매점은 특정 분야의 제품만을 판매하는 유통 채널입

니다. 예를 들어 신규 화장품 브랜

프롬프트: 위 답변 계속해줘.

 네. 알겠습니다.

- 전문 소매점: 전문 소매점은 특정 분야의 제품만을 판매하는 유통 채널입니다. 예를 들어 신규 화장품 브랜드는 올리브영이나 랄라블라와 같은 화장품 전문 소매점에 자신의 제품을 입점하고 제품의 진열이나 디스플레이를 통해 고객의 관심을 끌 수 있습니다. 또한 전문 매니저나 뷰티 어드바이저를 통해 제품에 대한 상담이나 체험을 제공할 수 있습니다.

이렇게 유통 채널 전략 수립을 통해 신규 화장품 브랜드는 고객이 제품을 쉽게 접근하고 구매할 수 있도록 적절한 유통 채널을 선정할 수 있습니다.

마케팅 전략에 대해 더 궁금하신 점이 있으시면 언제든지 말씀해주세요.

9. 브랜드 이미지 관리, 브랜드의 정체성과 가치를 반영하는 통일된 이미지를 구축하고 유지하기 위해 로고, 슬로건, 패키지 디자인 등의 요소를 관리합니다. 이를 통해 고객에게 브랜드의 가치를 전달할 수 있습니다.

 신규 화장품 브랜드를 성공적으로 론칭한 이후에 마케팅 전략 수립과 실행 프로세스 중 '9. 브랜드 이미지 관리'에 대해 구체적인 예시와 함께 상세하게 정리해 드리겠습니다.

브랜드 이미지 관리는 브랜드의 정체성과 가치를 반영하는 통일된 이미지를 구축하고 유지하기 위해 로고, 슬로건, 패키지 디자인 등의 요소를 관리하는 것입니다. 이를 통해 고객에게 브랜드의 가치를 전달할 수 있습니다.

예를 들어 신규 화장품 브랜드의 비전이 '자연과 친화적인 화장품으로 고객의 피부 건강과 지구 환경을 동시에 책임지는 브랜드'라면 다음과 같은 브랜드 이미지 관리를 할 수 있습니다.

- 로고: 로고는 브랜드의 이름과 콘셉트를 담은 심볼로서 고객이 브랜드를 인식하고 기억하는 데 중요한 역할을 합니다. 예를 들어 신규 화장품 브랜드는 자신의 브랜드 이름을 간결하고 독창적으로 표현하고 자연 친화적인 이미지를 나타내는 색상이나 모양을 사용하여 로고를 디자인할 수 있습니다.

- 슬로건: 슬로건은 브랜드의 비전과 가치를 간결하고 강력하게 전달하는 문구로서 고객이 브랜드에 대한 인식과 감성을 형성하는 데 중요한 역할을 합니다. 예를 들어 신규 화장품 브랜드는 자신의 제품이 자연과 친화적이고 피부 건강에 좋다는 메시지를 담은 슬로건을 만들 수 있습니다. 예시로는 '자연과 피부가 함께 숨 쉬는 화장품' '자연 그대로의 아름다움을 위한 화장품' '피부와 지구를 동시에 책임지는 화장품' 등이 있습니다.

- 패키지 디자인: 패키지 디자인은 제품의 외관과 기능을 담은 디자인으로서 고객이 제품을 선택하고 구매하는 데 중요한 역할을 합니다. 예를 들어 신규 화장품 브랜드는 자신의 제품이 자연 친화적이고 친환경적이라는 이미지를 나타내기 위해 패키지 디자인에 다음과 같은 요소를 고려할 수 있습니다.

- 색상: 색상은 제품의 분위기와 감성을 전달하는 요소로서 고객의 시선을 끌고 구매 의사에 영향을 줍니다. 예를 들어 신규 화장품 브랜드는 자연 친화적인 이미지를 나타내기 위해 초록색이나 베이지색

● ● ● ‹ › C ⟲ Q   ☆ ≡

프롬프트: 위 답변 계속해줘.

▶ 네. 알겠습니다.

- 패키지 디자인: 패키지 디자인은 제품의 외관과 기능을 담은 디자인으로서 고객이 제품을 선택하고 구매하는 데 중요한 역할을 합니다. 예를 들어 신규 화장품 브랜드는 자신의 제품이 자연 친화적이고 친환경적이라는 이미지를 나타내기 위해 패키지 디자인에 다음과 같은 요소를 고려할 수 있습니다.

  ○ 색상: 색상은 제품의 분위기와 감성을 전달하는 요소로서 고객의 시선을 끌고 구매 의사에 영향을 줍니다. 예를 들어 신규 화장품 브랜드는 자연 친화적인 이미지를 나타내기 위해 초록색이나 베이지색과 같은 자연스러운 색상을 패키지 디자인에 사용할 수 있습니다.

○ 모양: 모양은 제품의 특징과 기능을 전달하는 요소로서 고객의 편리함과 만족도에 영향을 줍니다. 예를 들어 신규 화장품 브랜드는 자연 친화적인 이미지를 나타내기 위해 원형이나 타원형과 같은 부드러운 모양의 패키지 디자인을 사용할 수 있습니다. 또한 제품의 용량이나 내용물을 쉽게 확인하고 사용할 수 있도록 투명하거나 반투명한 재질을 사용할 수 있습니다.

○ 문구: 문구는 제품의 이름과 설명을 전달하는 요소로서 고객의 인식과 신뢰에 영향을 줍니다. 예를 들어 신규 화장품 브랜드는 자연 친화적인 이미지를 나타내기 위해 제품의 이름에 자연 성분이나 효능을 담은 단어를 사용할 수 있습니다. 예시: '그린 티 클렌징폼' '로즈워터 토너' '카밀러 크림' 등. 또한 제품의 설명에 자연 성분이나 친환경 인증 등의 정보를 포함하여 고객에게 제품의 가치를 전달할 수 있습니다.

이렇게 브랜드 이미지 관리를 통해 신규 화장품 브랜드는 브랜드의 정체성과 가치를 반영하는 통일된 이미지를 구축하고 유지할 수 있습니다.

마케팅 전략에 대해 더 궁금하신 점이 있으시면 언제든지 말씀해주세요.

프롬프트: 10. 마케팅 효과 측정과 평가, 설정된 핵심성과지표KPI를 기준으로 마케팅 전략의 효과를 측정하고 평가합니다. 분석 결과를 바탕으로 전략을 수정하거나 개선하여 지속적인 성장을 도모합니다.

▶ 신규 화장품 브랜드를 성공적으로 론칭한 이후에 마케팅 전략 수립과 실행 프로세스 중 '10. 마케팅 효과 측정과 평가'에 대해 구체적인 예시와 함께 상세하게 정리해 드리겠습니다.

마케팅 효과 측정과 평가는 설정된 KPIs(핵심성과지표)를 기준으로 마케팅 전략의 효과를 측정하고 평가하는 것입니다. 분석 결과를 바탕으로 전략 수정과 개선을 진행하여 지속적인 성장을 도모하는 것입니다.

예를 들어 신규 화장품 브랜드의 목표가 '브랜드 인지도와 매출을 20% 증가시키는 것'이라면 다음과 같은 주요성과지표를 설정하고 측정하고 평가할 수 있습니다.

• 브랜드 인지도: 브랜드 인지도는 고객이 브랜드의 이름, 로고, 슬로건 등을 인식하고 기억하는 정도를 나타내는 지표입니다. 브랜드 인지도를 측정하기 위해 다음과 같은 방법을 사용할 수 있습니다.

○ 브랜드 인지도 조사: 고객에게 온라인이나 오프라인으로 설문조사나 인터뷰를 진행하여 브랜드의 이름, 로고, 슬로건 등을 보여주고 인식하고 기억하는지를 확인합니다. 또한 고객이 브랜드의 이미지나 감성을 어떻게 생각하는지를 파악합니다.

○ 웹사이트 방문자 수: 웹사이트 방문자 수는 고객이 브랜드의 웹사이트에 얼마나 많이 방문하는지를 나타내는 지표입니다. 웹사이트 방문자 수를 측정하기 위해 다음과 같은 방법을 사용할 수 있습니다.

○ 구글 애널리틱스: 구글 애널리틱스는 웹사이트의 트래픽과 행동을 분석하고 보고하는 도구입니다. 구글 애널리틱스를 통해 웹사이트의 총 방문자 수, 신규 방문자 수, 재방문자 수, 페이지뷰 수, 체류 시간 등의 지표를 확인할 수 있습니다.

○ 네이버 애널리틱스: 네이버 애널리틱스는 네이버에서 제공하는 웹사이트 분석 도구입니다. 네이버 애널리틱스를 통해 웹사이트의 총 방문자 수, 신규 방문자 수, 재방문자 수, 페이지뷰 수, 체류 시간 등의 지표를 확인할 수 있습니다.

• 매출: 매출은 제품의 판매량과 가격을 곱한 값으로써 브랜드의 성과를 나타내는 지표입니다. 매출을 측정하기 위해 다음과 같은 방법을 사용할 수 있습니다.

○ 온라인 매출: 온라인 매출은

프롬프트: 10. 마케팅 효과 측정과 평가, 설정된 핵심성과지표KPI를 기준으로 마케팅 전략의 효과를 측정하고 평가합니다. 분석 결과를 바탕으로 전략을 수정하거나 개선하여 지속적인 성장을 도모합니다.

✓ '화장품 브랜드 마케팅 효과 측정' 검색 중

✓ 답변을 생성하는 중……

▶ 신규 화장품 브랜드를 성공적으로 론칭한 후에 마케팅 전략 수립과 실행 프로세스 중 '10. 마케팅 효과 측정과 평가' 단계는 다음과 같이 정리할 수 있습니다.

• 설정된 KPIs(핵심성과지표)를 기준으로 마케팅 전략의 효과를 측정하고 평가합니다. KPIs는 마케팅 목표에 따라 다르게 설정할 수 있으며, 예를 들어

브랜드 인지도를 높이기 위한 목표라면 광고 회상, 브랜드 인지도, 고려도 등의 지표를 사용할 수 있습니다[1][2]. 마케팅 효과 측정을 위한 도구로는 구글 애즈Google Ads의 브랜드 광고효과[1][2], 크리테오Criteo의 오디언스 Audiences[3] 등이 있습니다.

• 분석 결과를 바탕으로 전략 수정과 개선을 진행하여 지속적인 성장을 도모합니다. 분석 결과에서 어떤 마케팅 채널이나 메시지가 잘 작동하고 있는지, 어떤 고객 세그먼트가 가장 반응이 좋은지, 어떤 부분이 개선이 필요한지 등을 파악하고 그에 따라 예산 배분, 타깃팅, 콘텐츠 등을 조정합니다. 예를 들어 STP 마케팅 전략을 적용한 화장품 광고에서는 시장 세분화, 타깃팅, 포지셔닝 등의 요소를 분석하고 개선할 수 있습니다[4]. 마케팅 환경 변화에도 민감하게 반응하여 가장 잘하는 것, 잘할 수 있는 것을 선택해 집중하는 것이 중요합니다[5][6].

기관이나 전문 매체의 보고서나 뉴스를 참고할 수 있습니다.

자세한 정보: 1. support.google.com 2. support.google.com 3. criteo.com +3 더 보기

● ● ● ‹ › C Q   ☆ ≡

프롬프트: 10. 마케팅 효과 측정과 평가, 설정된 핵심성과지표KPI를 기준으로 마케팅 전략의 효과를 측정하고 평가합니다. 분석 결과를 바탕으로 전략을 수정하거나 개선하여 지속적인 성장을 도모합니다.

✓ '화장품 브랜드 마케팅 효과 측정과 평가' 검색 중

✓ 답변을 생성하는 중……

▶ 10. 마케팅 효과 측정과 평가

• 설정된 **KPIs(핵심성과지표)**를 기준으로 마케팅 전략의 효과를 측정하고 평가합니다. 핵심성과지표는 브랜드 인지도, 매출, 고객 수, 고객 만족도, 고객 충성도 등이 될 수 있습니다[8].

• 측정 방법은 브랜드 광고효과 측정 기능을 활용하여 광고가 사용자의 제품 또는 브랜드 인지도에 미치는 영향을 확인할 수 있습니다[1][2]. 또한 구글 애널리틱스나 소셜 미디어 분석 도구 등을 이용하여 웹사이트 방문자 수, 클릭률, 전환율 등의 지표를 파악할 수 있습니다[3].

• 분석 결과를 바탕으로 전략 수정과 개선을 진행하여 지속적인 성장을 도모합니다. 예를 들어 광고효과가 낮다면 광고 매체나 메시지를 변경하거나

제품 품질이나 가격이 만족스럽지 않다면 제품 개선이나 할인 쿠폰 등의
판촉 활동을 강화할 수 있습니다[4][5].

자세한 정보: 1. support.google.com 2. support.google.com 3. cosinkorea.com +3 더 보기

●●●‹›C Q   ☆ ≡

프롬프트: 11. 고객 통찰 확보. 고객의 의견, 소비와 구매패턴 등을 관찰하고
분석하여 고객의 마음을 통찰합니다. 이를 바탕으로 고객의 니즈에 맞는 제품
을 개발하거나 마케팅 전략을 수정하고 개선할 수 있습니다.

✓ '화장품 브랜드 고객 통찰' 검색 중

✓ 답변을 생성하는 중······

▶ 신규 화장품 브랜드를 성공적으로 론칭한 이후에 마케팅 전략 수립과 실
행 프로세스 중 '11. 고객 통찰 확보' 단계는 다음과 같이 정리할 수 있습
니다.

- 고객의 의견, 소비 행태, 구매패턴 등을 관찰하고 분석하여 고객 통찰을
확보합니다. 이를 위해 빅데이터 분석을 활용하여 고객의 감성, 구매 요
소, 브랜드 인지도, 구매 전환율 등을 파악할 수 있습니다[1][2][3]. 또한 온라
인과 오프라인 설문조사를 통해 고객의 만족도, 재구매 의향, 개선사항 등
을 직접적으로 수집할 수 있습니다[4][5].

- 이를 바탕으로 고객의 니즈에 맞는 제품 개발과 마케팅 전략을 수정과 개
선할 수 있습니다. 예를 들어 고객이 선호하는 성분이나 향을 반영하여 제
품을 개선하거나 가장 영향력이 높은 광고 채널이나 메시지를 선택하여
마케팅 효과를 극대화할 수 있습니다[6][7]. 또한 고객의 트렌드 변화에도 신
속하게 대응하여 **클린(C.L.E.A.N)**과 같은 새로운 키워드를 도입할 수 있
습니다[8].

자세한 정보: 1. yna.co.kr 2. scienceon.kisti.re.kr 3. mobinside.co.kr +3 더 보기

●●●‹›C Q   ☆ ≡

✓ '화장품 브랜드 고객 통찰 확보' 검색 중

✓ 답변을 생성하는 중……

▶ 11. 고객 통찰 확보

- 고객의 의견, 소비 행태, 구매패턴 등을 관찰하고 분석하여 고객 통찰을 확보합니다. 고객 통찰이란 고객의 니즈, 동기, 감정 등을 깊이 있게 이해하고 해석하는 것입니다[■].

- 이를 바탕으로 고객의 니즈에 맞는 제품 개발과 마케팅 전략을 수정하고 개선할 수 있습니다[■][■].

- 고객 통찰을 확보하는 방법은 다양합니다. 예를 들어 시장조사를 통해 고객의 인식, 선호도, 만족도 등을 파악할 수 있습니다[■]. 또한 소셜 미디어 분석을 통해 고객의 의견, 반응, 트렌드 등을 파악할 수 있습니다[■]. 또한 구글 애널리틱스나 고객관계관리CRM, Customer Relationship Management 시스템 등을 이용하여 웹사이트 방문자 수, 구매 이력, 재구매율 등의 데이터를 수집하고 분석할 수 있습니다[■].

자세한 정보: 1. scienceon.kisti.re.kr 2. cosinkorea.com 3. yna.co.kr +3 더 보기

프롬프트: 12. 지속적인 커뮤니케이션, 브랜드와 고객 간의 지속적인 커뮤니케이션을 통해 고객의 요구와 의견을 듣고 빠르게 반영하여 브랜드의 충성도를 높입니다. 이를 위해 소셜 미디어, 고객센터, 이메일 뉴스레터 등 다양한 커뮤니케이션 채널을 활용할 수 있습니다.

▶ 신규 화장품 브랜드를 성공적으로 론칭한 이후에 마케팅 전략 수립과 실행 프로세스 중 '12. 지속적인 커뮤니케이션' 단계는 다음과 같이 정리할 수 있습니다.

- 브랜드와 고객 간의 지속적인 커뮤니케이션을 통해 고객의 요구와 의견을 듣고, 이를 빠르게 반영하여 브랜드의 충성도를 높입니다. 예를 들어 고객이 제품에 대해 만족하거나 불만을 표현할 때는 적절한 답변이나 해결책을 제공하여 신뢰를 얻을 수 있습니다. 또한 고객의 생일이나 기념일 등에 축하 메시지나 쿠폰을 보내주어 감동을 유도할 수 있습니다.

- 이를 위해 소셜 미디어, 고객센터, 이메일 뉴스레터 등 다양한 커뮤니케이션 채널을 활용할 수 있습니다. 예를 들어 소셜 미디어에서는 제품 소개, 리뷰, 팁, 이벤트 등의 다양한 콘텐츠를 공유하고, 고객의 댓글이나 DM에

신속하게 응답하여 소통할 수 있습니다. 고객센터에서는 전화, 카카오톡, 웹사이트 등의 다양한 방법으로 고객의 문의나 불만을 처리하고 이메일 뉴스레터에서는 새로운 제품 정보, 할인 혜택, 성분 정보 등의 유용한 정보를 전달할 수 있습니다.

프롬프트: 13. 파트너십과 협업 전략, 다른 브랜드, 인플루언서, 유통업체 등과 파트너십과 협업을 통해 시너지를 창출하고, 브랜드의 인지도와 매출을 높입니다. 이를 위해 협업 상품 개발, 공동 마케팅, 크로스 프로모션 등 다양한 협업 전략을 수립할 수 있습니다.

✓ '화장품 브랜드 파트너십 협업 전략' 검색 중

✓ 답변을 생성하는 중……

▶️ 신규 화장품 브랜드를 성공적으로 론칭한 이후에 마케팅 전략 수립과 실행 프로세스 중 '13. 파트너십과 협업 전략' 단계는 다음과 같이 정리할 수 있습니다.

다른 브랜드, 인플루언서, 유통 업체 등과의 파트너십과 협업을 통해 시너지를 창출하고 브랜드의 인지도와 매출을 높입니다. 예를 들어 다른 산업 분야나 틈새시장에 존재하는 브랜드와의 협업을 통해 브랜드의 조합이 이해되고 상호보완적인 마케팅 목표를 달성할 수 있습니다[■]. 또한 인플루언서와의 협업을 통해 타깃 고객에게 신뢰도 있는 제품 정보를 전달할 수 있습니다. 마지막으로 유통 업체와의 협업을 통해 글로벌 시장에 진출하고 유통망을 확대할 수 있습니다[■■].

• 이를 위해 협업 상품 개발, 공동 마케팅, 크로스 프로모션 등 다양한 협업 전략을 수립할 수 있습니다. 예를 들어 협업 상품 개발에서는 브랜드의 비전, 핵심 키워드, 코어 타깃, 고객 가치 제안 등을 공유하고 서로의 장점을 살린 제품을 만들 수 있습니다[■]. 공동 마케팅에서는 브랜드 간의 상호 홍보를 통해 고객에게 다양한 정보와 혜택을 제공할 수 있습니다. 크로스 프로모션에서는 브랜드 간의 상호 할인을 통해 고객의 구매 의사를 높일 수 있습니다[■].

자세한 정보: 1. magazine.contenta.co   2. packative.com   3. newswire.co.kr   +3 더 보기

●●●< >C Q   ☆ ☰

프롬프트: 14. 위기관리 전략, 브랜드에 대한 부정적인 평가, 불만, 제품 결함 등의 위기 상황에 대비하여 적절한 대응과 관리 전략을 수립합니다. 이를 통해 브랜드 이미지의 손상을 최소화하고 신뢰도를 회복할 수 있습니다.

✓ '화장품 브랜드 위기관리 전략' 검색 중

✓ 답변을 생성하는 중……

▶ 신규 화장품 브랜드를 성공적으로 론칭한 이후에 마케팅 전략 수립과 실행 프로세스 중 '14. 위기관리 전략' 단계는 다음과 같이 정리할 수 있습니다.

- 브랜드에 대한 부정적인 평가, 불만, 제품 결함 등의 위기 상황에 대비하여 적절한 대응과 관리 전략을 수립합니다. 예를 들어 고객이 제품의 효능이나 성분에 대해 의심하거나 비판할 때는 제품의 품질과 안전성을 입증할 수 있는 자료나 증거를 제공하고 고객의 의견을 존중하고 사과하는 태도를 보여줄 수 있습니다[1]. 또한 제품에 결함이 발견되거나 리콜이 필요한 경우에는 빠르고 정확하게 공지하고 제품 교환이나 환불 등의 보상을 제공할 수 있습니다[2].

- 이를 통해 브랜드 이미지의 손상을 최소화하고 신뢰도를 회복할 수 있습니다. 예를 들어 화장품 브랜드 클리오는 온라인 채널 강화, 수출 확대, 신규 브랜드 론칭으로 위기를 이겨내고 있습니다. 현재 49개인 매장 수도 2021년 상반기 38개로 축소해 고정비 부담을 덜었습니다. 위기 속에서 사업 다각화의 속도를 높인 것입니다[3]. 또한 화장품 브랜드 더바디샵은 CEO가 전 세계를 돌며 환경에 대한 자신의 견해를 피력하는 과정을 홍보해 세계적인 브랜드로 성공했습니다[4].

자세한 정보: 1. thinkwithgoogle.com 2. asana.com 3. cosinkorea.com +3 더 보기

●●●< >C Q   ☆ ☰

프롬프트: 15. 지속적인 마케팅 전략 수정과 개선, 시장 동향, 고객 트렌드, 경쟁사 전략 등의 변화에 민첩하게 대응하며 마케팅 전략을 지속적으로 수정하고 개선합니다. 이를 통해 브랜드의 지속적인 성장과 발전을 추구할 수 있습니다.

▶ 신규 화장품 브랜드를 성공적으로 론칭한 이후에 마케팅 전략 수립과 실행 프로세스 중 '15. 지속적인 마케팅 전략 수정과 개선' 단계는 다음과 같이 정리할 수 있습니다.

- 시장 동향, 고객 트렌드, 경쟁사 전략 등의 변화에 민첩하게 대응하며 마케팅 전략을 지속해서 수정하고 개선합니다. 예를 들어 코로나19와 같은 비상 상황이 발생하면 온라인 채널을 강화하거나 고객의 안전과 건강에 관한 관심을 반영하여 마케팅 메시지나 콘텐츠를 변경할 수 있습니다. 또한 고객의 선호나 요구가 변화하면 제품의 품질이나 기능을 개선하거나 새로운 제품을 출시할 수 있습니다.

- 이를 통해 브랜드의 지속적인 성장과 발전을 추구할 수 있습니다. 예를 들어 화장품 브랜드 '클린C.L.E.A.N'은 2021년의 화장품 트렌드 키워드로 꼽힌 컬래버레이션Collaboration, 맞춤형 화장품Labeling, 윤리적 소비Ethical Consumption, 트러블 케어Acne, 자연 유래 성분Natural Ingredients 등을 반영하여 마케팅 전략을 수정하고 개선하고 있다.

'10년 차 화장품 브랜드 기획자'의 관점에서 '신규 화장품 브랜드를 성공적으로 출시하기 위한 마케팅 전략을 수립하고 실행하는 프로세스'를 살펴보았습니다. 이렇게 신규 화장품 출시 후의 마케팅 전략 수립과 실행에도 챗GPT를 활용하여 그 효율성을 높여나갈 수 있습니다.

4

콘텐츠 제작자로 설정하기   🔍

    신규 기획 브랜드와 상품을 타깃 고객에게 알리고 소통할 수 있는 다양한 소통 매체의 성향과 특성에 맞게 콘텐츠를 기획하고 메시지를 작성하는 법을 알아보겠습니다.

    지금까지 '10년 차 화장품 브랜드 기획자' 관점에서 '신규 화장품 브랜드를 기획하는 시장조사 프로세스'와 '10년 차 화장품 마케팅 전략 수립과 기획자' 관점에서 '신규 화장품 브랜드를 성공적으로 출시한 이후에 마케팅 전략 수립과 실행 프로세스'를 구체적으로 살펴보았습니다.

    이번에는 '타깃 고객의 마음을 사로잡는 SNS 마케팅을 집행하기' 위해서 챗GPT를 '10년 차 콘텐츠 제작자'로 설정해서 콘텐츠를 기획하고 발행하는 프로세스를 진행하겠습니다. 우선 신규 브랜드를 출시하고 성공적인 SNS 마케팅 전략을 실행하기 위해서 콘텐츠를 기획하고 실행하고 성과를 분석하고 개선하는 전반적인 과정을 정리하겠습니다.

1. 타깃 고객 선정

타깃 고객의 연령, 성별, 관심사 등을 분석하여 특성을 정확하게 파악합니다. 이를 통해 콘텐츠가 고객의 관심사와 니즈에 부합하도록 기획할 수 있습니다.

2. 콘텐츠 콘셉트와 형식 결정

브랜드의 아이덴티티와 타깃 고객의 선호도를 고려해 콘텐츠의 콘셉트와 형식을 결정합니다. 예를 들어 동영상, 이미지, 텍스트, 인플루언서 협업 등 다양한 형태의 콘텐츠를 고려할 수 있습니다.

3. 스토리텔링 기법 활용

브랜드의 가치와 제품의 특징을 적절하게 녹여낼 수 있는 스토리를 구상합니다. 감동적인 스토리텔링을 통해 고객의 감성을 자극하여 브랜드와 감정적으로 연결합니다.

4. 콘텐츠 제작과 게시

결정된 콘셉트, 형식, 스토리에 맞추어 콘텐츠를 제작하고 최적화된 시간대와 요일에 SNS를 게시합니다. 이를 통해 최대한 많은 고객에게 콘텐츠가 노출되도록 합니다.

5. 해시태그와 키워드 활용

트렌드와 관련된 해시태그와 키워드를 활용하여 콘텐츠의 가시성을 높입니다. 이를 통해 타깃 고객뿐만 아니라 관련 분야에 관심이 있는 사람들에게도 콘텐츠가 전파되도록 합니다.

6. 인플루언서 협업과 파트너십

인플루언서와 협업하여 콘텐츠의 영향력을 높여서 노출량을 올리는 작업을 진행합니다. 인플루언서의 팔로우들에게 브랜드 인지도와 신뢰도를 높일 수 있습니다.

7. 성과 분석

콘텐츠의 조회수, 좋아요, 댓글, 공유 등의 지표를 분석하여 성과를 측정합니다. 또한 구글 애널리틱스와 같은 툴을 활용하여 트래픽과 구매 전환율 등의 지표를 파악합니다. 이러한 지표들을 통해 콘텐츠의 성과를 정량적으로 평가할 수 있습니다.

8. 고객 피드백 수집

댓글, 메시지, 고객센터 등을 통해 고객 피드백을 수집합니다. 이를 통해 고객 의견을 듣고 콘텐츠 개선점을 파악할 수 있습니다.

9. 콘텐츠 개선과 최적화

성과 분석과 고객 피드백을 바탕으로 콘텐츠를 개선하고 최적화합니다. 예를 들어 효과적인 콘셉트, 형식, 시간대, 해시태그 등을 지속적으로 찾아내고 적용하여 콘텐츠의 효과를 높입니다.

10. 지속적인 모니터링과 개선

SNS 콘텐츠 마케팅은 한 번의 성과로 끝나는 것이 아니라 지속적인 모니터링과 개선을 통해 브랜드 인지도와 매출을 꾸준히 높여나가야 합니다. 시장의 변화와 고객 트렌드를 적극적으로 반영하여 콘텐츠 전략을 지속적으로 수정하고 개선하며 브랜드의 성장을 도모해야 합니다.

이처럼 신규 브랜드의 SNS 마케팅에 성공하기 위해서는 콘텐츠 기획, 제작, 실행, 성과 분석, 개선 등의 프로세스를 철저하고 지속적으로 관리해야 합니다. 이를 통해 타깃 고객의 마음을 사로잡고 브랜드 인지도와 매출을 높일 수 있습니다.

이러한 콘텐츠 기획과 제작 업무 프로세스를 챗GPT가 진행할 수 있도록 안내하는 질문을 해보겠습니다.

●●● ‹ › C 🔍   ☆ ≡

프롬프트: '10년 차 SNS 콘텐츠 기획과 제작 전문가' 관점에서 '신규 출시된 화장품 브랜드에 대해서 타깃 고객의 마음을 사로잡는 SNS 마케팅 기획과 제작 프로세스' 중 아래 단계를 구체적인 예시와 함께 상세하게 정리해줘.

프롬프트: 1. 타깃 고객 선정, 타깃 고객의 연령, 성별, 관심사 등을 분석하여 특성을 정확하게 파악합니다. 이를 통해 콘텐츠가 고객의 관심사와 니즈에 부합하도록 기획할 수 있습니다.

✓ '신규 론칭된 화장품 브랜드' 검색 중

✓ 답변을 생성하는 중……

▶️ 안녕하세요. 이것은 빙입니다. SNS 콘텐츠 기획과 제작 전문가 관점에서 '신규 론칭된 화장품 브랜드에 대해서 타깃 고객의 마음을 사로잡는 SNS 마케팅을 기획하고 실행하기 위한 프로세스' 중 타깃 고객 선정, 타깃 고객의 연령, 성별, 관심사 등을 분석하여 특성을 "정확하게 파악합니다." 단계에 대해 구체적인 예시와 함께 상세하게 정리해 드리겠습니다.

먼저 신규 론칭된 화장품 브랜드의 콘셉트와 특징을 파악합니다. 예를 들어 아모레퍼시픽이 2020년에 론칭한 감각주의 라이프스타일 브랜드 '필보이드 FILLVOID'는 글로벌 향료 업체와 공동 개발한 니치 향수를 주력 제품으로 하고 있습니다. 이러한 브랜드의 경우 향수에 관한 관심과 감각이 높은 고객을 타깃으로 할 수 있습니다.

다음으로 타깃 고객의 연령, 성별, 관심사 등을 분석하여 특성을 정확하게 파악합니다. 이를 위해 다양한 방법을 사용할 수 있습니다. 예를 들어

- 시장조사: 타깃 고객의 구매력, 구매동기, 구매경로, 구매빈도 등을 조사하여 소비패턴과 트렌드를 파악합니다. 이를 통해 콘텐츠가 고객의 니즈와 맞는지 확인할 수 있습니다.

- 경쟁사 분석: 비슷한 콘셉트나 제품을 가진 경쟁사의 SNS 채널을 분석하여 타깃 고객의 반응과 피드백을 파악합니다. 이를 통해 콘텐츠가 고객의 관심과 맞는지 확인할 수 있습니다.

- 고객 인터뷰: 타깃 고객을 직접 인터뷰 하여 제품에 대한 인식과 선호도, 기대치 등을 파악합니다. 이를 통해 콘텐츠가 고객의 감정과 맞는지 확인할 수 있습니다.

예를 들어 '필보이드'의 경우 시장조사를 통해 20~30대 여성이 주요 고객이며 향수에 대한 지식과 취향이 다양하고 세련된 것을 선호한다는 것을 알 수 있습니다. 경쟁사 분석을 통해 다른 니치 향수 브랜드들과 비교하여 '필보이드'의 차별점과 장점을 강조할 수 있습니다. 고객 인터뷰를 통해 '필보이드'의

자세한 정보: 1. beautynury.com 2. cosinkorea.com 3. meconomynews.com +3 더 보기

●●● < > ↻ Q ☆ ≡

프롬프트: 위 답변 계속해줘

네. 계속하겠습니다.

제품에 대한 인식, 선호도, 기대치 등을 파악할 수 있습니다. 이를 통해 콘텐츠가 고객의 감정과 맞는지 확인할 수 있습니다.

이렇게 타깃 고객의 특성을 정확하게 파악한 후에는 콘텐츠 전략을 수립하고 콘텐츠를 제작하고 배포하며 콘텐츠의 평가와 개선을 반복하는 과정을 거치게 됩니다. 이에 대해서는 다음 단계에서 자세히 설명해 드리겠습니다.

프롬프트: 2. 콘텐츠 콘셉트와 형식 결정, 브랜드의 아이덴티티와 타깃 고객의 선호도를 고려하여 콘텐츠의 콘셉트와 형식을 결정합니다. 예를 들어 동영상, 이미지, 텍스트, 인플루언서 협업 등 다양한 형태의 콘텐츠를 고려할 수 있습니다.

네. 알겠습니다. SNS 콘텐츠 기획과 제작 전문가 관점에서 '신규 론칭된 화장품 브랜드에 대해서 타깃 고객의 마음을 사로잡는 SNS 마케팅을 기획하고 실행하기 위한 프로세스' 중 2. 콘텐츠 콘셉트와 형식 결정, 브랜드의 아이덴티티, 타깃 고객의 선호도를 고려하여 콘텐츠의 콘셉트와 형식을 결정합니다. 단계에 대해 구체적인 예시와 함께 상세하게 정리해 드리겠습니다.

먼저 콘텐츠의 콘셉트를 결정합니다. 콘텐츠의 콘셉트는 브랜드의 아이덴티티와 메시지를 잘 전달할 수 있는 주제나 스토리라인을 의미합니다. 예를 들어 '필보이드'의 경우 감각주의 라이프스타일 브랜드로서 자신만의 향을 찾고 표현하는 고객을 대상으로 하고 있습니다. 따라서 콘텐츠의 콘셉트는 '나만의 향을 찾아라' '내 취향대로 향기를 즐겨라' '내 감성을 향으로 표현해라' 등과 같이 고객의 취향과 감성을 자극할 수 있는 것으로 결정할 수 있습니다.

다음으로 콘텐츠의 형식을 결정합니다. 콘텐츠의 형식은 콘텐츠를 전달할 수 있는 매체나 방식을 의미합니다. 예를 들어 동영상, 이미지, 텍스트, 인플루언서 협업 등 다양한 형태의 콘텐츠를 고려할 수 있습니다. 이때 타깃 고객의 선호도와 행동 패턴을 고려해 가장 효과적인 형식을 선택해야 합니다. 예를 들어 '필보이드'의 경우 20~30대 여성이 주요 고객이며 향수에 대한 지식과 취향이 다양하고 세련된 것을 선호한다는 것을 알고 있습니다. 따라서 콘텐츠의 형식은 '필보이드'의 제품과 스토리를 잘 보여줄 수 있는 동영상이나 이미지가 적합합니다. 또한 인플루언서 협업을 통해 제품에 대한 신뢰도와 인지도를 높일 수 있습니다.

이렇게 콘텐츠의 콘셉트와 형식을 결정한 후에는 콘텐츠를 제작하고 배포하며 콘텐츠의 평가와 개선을 반복하는 과정을 거치게 됩니다. 이에 대해서는 다음 단계에서 자세히 설명해 드리겠습니다.

● ● ● ‹ › C Q   ☆ ☰

프롬프트: 3. 스토리텔링 기법 활용, 브랜드의 가치와 제품의 특징을 적절하게 녹여낼 수 있는 스토리를 구상합니다. 감동적인 스토리텔링을 통해 고객의 감성을 자극하여 브랜드와 감정적으로 연결합니다.

네. 알겠습니다. SNS 콘텐츠 기획과 제작 전문가 관점에서 '신규 론칭된 화장품 브랜드에 대해서 타깃 고객의 마음을 사로잡는 SNS 마케팅을 기획하고 실행하기 위한 프로세스' 중 3. 스토리텔링 기법 활용, 감동적인 스토리텔링을 통해 고객의 감성을 자극하고 브랜드와의 감정적 연결을 구축합니다. 이를 위해 브랜드의 가치와 제품의 특징을 적절하게 녹여낼 수 있는 스토리를 구상합니다. 단계에 대해 구체적인 예시와 함께 상세하게 정리해 드리겠습니다.

먼저 스토리텔링이란 무엇인지 알아보겠습니다. 스토리텔링이란 이야기를 통해 정보나 메시지를 전달하는 기법입니다. 스토리텔링은 고객의 감성을 자극하고 공감을 유도하며 기억에 남게 하는 효과가 있습니다. 따라서 SNS 마케팅에서 스토리텔링을 활용하면 브랜드와 제품에 대한 인지도와 호감도를 높일 수 있습니다.

다음으로 스토리텔링을 활용하기 위해서는 어떤 스토리를 구상해야 하는지 알아보겠습니다. 스토리를 구상할 때는 다음과 같은 요소들을 고려해야 합니다.

- 주인공: 스토리의 주체가 되는 인물이나 캐릭터입니다. 주인공은 타깃 고객과 비슷하거나 동일한 특성이 있어야 합니다. 이를 통해 고객이 주인공과 자신을 동일시하고 스토리에 몰입할 수 있습니다.

- 문제: 스토리의 충돌이나 갈등이 생기는 상황입니다. 문제는 주인공의 니즈나 공통점과 관련돼 있어야 합니다. 이를 통해 고객이 주인공의 문제에 공감하고 해결책을 찾고자 할 수 있습니다.

- 해결책: 스토리의 해결이나 결말이 되는 방법입니다. 해결책은 브랜드나 제품이 제공하는 가치나 특징과 관련돼 있어야 합니다. 이를 통해 고객이 브랜드나 제품에 대한 호감도와 신뢰도를 높일 수 있습니다.

예를 들어 '필보이드'의 경우 다음과 같은 스토리를 구상할 수 있습니다.

- 주인공: 20대 여성으로 자신만의 취향과 감성을 가지고 있지만 일상에서 표현하기 어려워하는 인물입니다.

- 문제: 주인공은 회사에서 열심히 일하지만 본인의 개성과 재능을 인정받지 못하고 있습니다.

프롬프트: 4. 콘텐츠 제작, 게시, 결정된 콘셉트, 형식, 스토리에 맞추어 콘텐츠를 제작하고 최적화된 시간대와 요일에 SNS에 콘텐츠를 게시합니다. 이를 통해 최대한 많은 고객에게 콘텐츠가 노출되도록 합니다.

네. 알겠습니다. SNS 콘텐츠 기획과 제작 전문가 관점에서 '신규 론칭된 화장품 브랜드에 대해서 타깃 고객의 마음을 사로잡는 SNS 마케팅을 기획하고 실행하기 위한 프로세스' 중 4. 콘텐츠 제작과 게시, 결정된 콘셉트, 형식, 스토리에 맞추어 콘텐츠를 제작하고 최적화된 시간대와 요일에 SNS 게시를 진행합니다. 이를 통해 최대한 많은 고객에게 콘텐츠가 노출되도록 합니다. 단계에 대해 구체적인 예시와 함께 상세하게 정리해 드리겠습니다.

먼저 콘텐츠를 제작합니다. 콘텐츠를 제작할 때는 다음과 같은 요소들을 고려해야 합니다.

- 제목: 콘텐츠의 첫인상을 결정하는 요소입니다. 제목은 간결하고 명확하게 콘텐츠의 주제나 메시지를 전달할 수 있어야 합니다. 또한 키워드나 숫자 등을 활용하여 고객의 호기심과 관심을 유도할 수 있어야 합니다.

- 본문: 콘텐츠의 핵심 내용을 전달하는 요소입니다. 본문은 스토리텔링 기법을 활용하여 고객의 감성을 자극하고 브랜드와 제품의 가치와 특징을 적절하게 녹여낼 수 있어야 합니다. 또한 문장이나 단락을 짧게 유지하고 구분 선이나 이모티콘 등을 활용하여 가독성을 높일 수 있어야 합니다.

- 이미지: 콘텐츠의 시각적인 효과를 증대시키는 요소입니다. 이미지는 고품질이고 적절한 크기와 비율을 가지고 있어야 합니다. 또한 제목이나 본문과 연관성이 있고 브랜드나 제품의 분위기와 어울리는 색상과 스타일을 가지고 있어야 합니다.

- 동영상: 콘텐츠의 생동감과 설득력을 높이는 요소입니다. 동영상은 고품질이고 적절한 길이와 크기를 가지고 있어야 합니다. 또한 제목이나 본문과 연관성이 있고 브랜드나 제품의 스토리와 특징을 잘 보여줄 수 있는 내

용과 편집을 가지고 있어야 합니다.

- 호출 문구: 콘텐츠의 마무리를 강조하는 요소입니다. 호출 문구는 고객에게 행동을 유도하거나 반응을 요청하는 문구입니다. 예를 들어 '지금 바로 구매하세요' '댓글로 의견 남겨주세요' '공유하기 버튼을 눌러주세요' 등과 같은 문구가 있습니다. 호출

● ● ● ⟨ ⟩ ↻ ⌕   ☆ ☰

프롬프트: 위 답변 계속해줘.

▶ 네. 계속하겠습니다.

호출 문구는 고객의 참여와 활동을 촉진하고 브랜드와의 관계를 강화할 수 있어야 합니다.

예를 들어 '필보이드'의 경우 다음과 같은 콘텐츠를 제작할 수 있습니다.

- 제목: 나만의 향을 찾아라! 필보이드와 함께하는 향수 테스트

- 본문: 안녕하세요? 필보이드입니다. 필보이드는 감각주의 라이프스타일 브랜드로서 자신만의 향을 찾고 표현하는 고객을 위한 니치 향수를 제공합니다. 오늘은 필보이드의 향수 중에서 자신에게 가장 잘 어울리는 향을 찾아볼 수 있는 테스트를 준비했습니다. 간단한 질문에 답하면 당신의 취향과 감성에 맞는 향수를 추천해 드립니다. 지금 바로 동영상을 시청하고 테스트에 참여해 보세요!

- 이미지: 필보이드의 로고와 제품 이미지를 배경으로 한 이미지

- 동영상: 필보이드의 제품과 스토리를 소개하고 간단한 질문에 따라 다른 향수를 추천하는 동영상

- 호출 문구: 당신에게 맞는 향수를 찾았나요? 댓글로 당신의 결과와 의견을 남겨주세요. 공유하기 버튼을 눌러서 친구들과 함께 테스트해 보세요!

다음으로 콘텐츠를 게시합니다. 콘텐츠를 게시할 때는 다음과 같은 요소들을 고려해야 합니다.

- 시간대: 콘텐츠가 최대한 많은 고객에게 노출되게 하려면 최적화된 시간대를 선택해야 합니다. 시간대는 타깃 고객의 생활 패턴과 SNS 이용 패턴에 따라 달라질 수 있습니다. 예를 들어 20~30대 여성이 주요 고객인 경우 출근 전, 점심시간, 퇴근 후 등에 SNS를 많이 이용할 가능성이 큽니다.

- 요일: 콘텐츠가 최대한 많은 고객에게 노출되게 하려면 최적화된 요일을

선택해야 합니다. 요일은 타깃 고객의 생활 패턴과 SNS 이용 패턴에 따라 달라질 수 있습니다. 예를 들어 20~30대 여성이 주요 고객인 경우 주말이나 월요일 등에 SNS를 많이 이용할 가능성이 큽니다.

- 채널: 콘텐츠가 최대한 많은 고객에게 노출되게 하려면 적절한 SNS 채널을 선택해야 합니다. 채널은 타깃 고객의 선호도와 콘텐츠의 형식에 따라 달라질 수 있습니다. 예를 들어 20~30대 여성

프롬프트: 위 답변 계속해줘.

▶ 네. 계속하겠습니다.

이 주요 고객인 경우 인스타그램이나 유튜브 등의 시각적인 채널을 선호할 가능성이 큽니다.

이렇게 콘텐츠를 제작하고 게시한 후에는 콘텐츠의 평가와 개선을 반복하는 과정을 거치게 됩니다. 이에 대해서는 다음 단계에서 자세히 설명해 드리겠습니다.

프롬프트: 5. 해시태그와 키워드 활용, 트렌드와 관련된 해시태그와 키워드를 활용하여 콘텐츠의 가시성을 높입니다. 이를 통해 타깃 고객뿐만 아니라 관련 분야에 관심이 있는 사람들에게도 콘텐츠가 전파되도록 합니다.

▶ 네. 알겠습니다. SNS 콘텐츠 기획과 제작 전문가 관점에서 '신규 론칭된 화장품 브랜드에 대해서 타깃 고객의 마음을 사로잡는 SNS 마케팅을 기획하고 실행하기 위한 프로세스' 중 5. 해시태그와 키워드 활용, 트렌드와 관련된 해시태그와 키워드를 활용하여 콘텐츠의 가시성을 높입니다. 이를 통해 타깃 고객뿐만 아니라 관련 분야에 관심이 있는 사람들에게도 콘텐츠가 전파되도록 합니다. 단계에 대해 구체적인 예시와 함께 상세하게 정리해 드리겠습니다.

먼저 해시태그란 무엇인지 알아보겠습니다. 해시태그란 # 기호와 함께 사용

하는 단어나 구문으로 콘텐츠의 주제나 카테고리를 나타내는 라벨입니다. 해시태그를 활용하면 콘텐츠의 가시성을 높일 수 있습니다. SNS에서는 해시태그를 검색하거나 클릭하면 해당 해시태그가 포함된 모든 콘텐츠를 볼 수 있기 때문입니다. 따라서 해시태그를 통해 타깃 고객뿐만 아니라 관련 분야에 관심이 있는 사람들에게도 콘텐츠가 전파될 수 있습니다.

다음으로 키워드란 무엇인지 알아보겠습니다. 키워드란 콘텐츠의 내용이나 메시지를 요약하는 단어나 구문으로 제목이나 본문에 포함되는 경우가 많습니다. 키워드를 활용하면 콘텐츠의 가시성을 높일 수 있습니다. SNS에서는 키워드를 검색하거나 클릭하면 해당 키워드가 포함된 모든 콘텐츠를 볼 수 있기 때문입니다. 따라서 키워드를 통해 타깃 고객뿐만 아니라 관련 분야에 관심이 있는 사람들에게도 콘텐츠가 전파될 수 있습니다.

예를 들어 '필보이드'의 경우 다음과 같은 해시태그와 키워드를 활용할 수 있습니다.

- 해시태그: #필보이드 #FILLVOID #니치향수 #감각주의 #나만의향 #내감성을향으로 #향수추천 #향수 테스트
- 키워드: 필보이드, FILLVOID, 니치 향수, 감각주의, 나만의 향, 내 감성을 향으로, 향수 추천, 향수 테스트 이렇게 해시태그와 키워드를 활용하여 콘텐츠의 가시성을 높인 후에는 콘텐츠의 평가와 개선을 반복하는 과정을 거치게 됩니다. 이에 대해서는 다음 단계

●●● < > C Q   ☆ ≡

프롬프트: 6. 인플루언서 협업과 파트너십, 인플루언서와의 협업을 통해 콘텐츠의 영향력을 높이고 노출량을 높이는 작업을 진행합니다. 인플루언서의 팔로우들에게 브랜드 인지도와 신뢰도를 높일 수 있습니다.

 네. 알겠습니다. SNS 콘텐츠 기획과 제작 전문가 관점에서 '신규 론칭된 화장품 브랜드에 대해서 타깃 고객의 마음을 사로잡는 SNS 마케팅을 기획하고 실행하기 위한 프로세스' 중 6. 인플루언서 협업과 파트너십, 인플루언서와의 협업을 통해 콘텐츠의 영향력과 노출을 높입니다. 인플루언서의 팔로우들에게 브랜드 인지도를 높이고, 신뢰성 있는 정보 전달을 기대할 수 있습니다. 단계에 대해 구체적인 예시와 함께 상세하게 정리해 드리겠습니다.

먼저 인플루언서란 무엇인지 알아보겠습니다. 인플루언서란 SNS에서 다수의 팔로우를 보유하고 있으며 자신의 의견이나 추천이 영향력을 가지는 사

람입니다. 인플루언서는 자신의 분야나 취향에 따라 다양한 콘텐츠를 제작하고 공유하며 팔로우들과 소통하고 피드백을 받습니다. 인플루언서는 자신의 팔로우들에게 신뢰와 권위를 가지고 있으며 구매 결정에 영향을 줄 수 있습니다.

다음으로 인플루언서와의 협업이란 무엇인지 알아보겠습니다. 인플루언서와의 협업이란 브랜드와 인플루언서가 상호 이익을 위해 함께 작업하는 것입니다. 예를 들어 브랜드는 인플루언서에게 제품이나 서비스를 제공하거나 비용을 지급하고 인플루언서는 브랜드나 제품에 대한 솔직한 의견이나 추천을 콘텐츠로 제작하고 공유합니다. 이를 통해 브랜드는 인플루언서의 팔로우들에게 노출되고 인지도와 호감도를 높일 수 있습니다. 인플루언서는 브랜드로부터 제공받은 제품이나 서비스를 즐기거나 수익을 얻을 수 있습니다.

예를 들어 '필보이드'의 경우 다음과 같은 인플루언서와의 협업을 진행할 수 있습니다.

- 인스타그램: 향수에 대한 지식과 취향이 다양하고 세련된 20~30대 여성들을 타깃으로 하는 인스타그램 인플루언서와 협업합니다. 예를 들어 @perfume_lover라는 계정을 운영하는 인플루언서가 있습니다. 이 인플루언서는 10만 명 이상의 팔로우를 보유하고 있으며,

---

● ● ● 〈 〉 ⟳ Q   ☆ ≡

프롬프트: 위 답변 계속해줘.

▶ 네. 계속하겠습니다.

다양한 브랜드와 종류의 향수를 소개하고 리뷰하는 콘텐츠를 제작하고 공유합니다. '필보이드'는 이 인플루언서에게 제품을 제공하고 인플루언서는 '필보이드'의 제품에 대한 솔직한 의견과 추천을 포함하는 콘텐츠를 제작하고 공유합니다.

- 유튜브: 향수에 대한 지식과 취향이 다양하고 세련된 20~30대 여성들을 타깃으로 하는 유튜브 인플루언서와 협업합니다. 예를 들어 퍼퓸 러버 Perfume Lover라는 채널을 운영하는 인플루언서가 있습니다. 이 인플루언서는 10만 명 이상의 구독자를 보유하고 있으며, 다양한 브랜드와 종류의 향수를 소개하고 리뷰하는 동영상 콘텐츠를 제작하고 공유합니다. '필보이드'는 이 인플루언서에게 자신의 제품을 제공하고, 인플루언서는 '필보이드'의 제품에 대한 솔직한 의견과 추천을 포함하는 동영상 콘텐츠를 제작하고 공유합니다.

- 블로그: 향수에 대한 지식과 취향이 다양하고 세련된 20~30대 여성들을 타깃으로 하는 블로그 인플루언서와 협업합니다. 예를 들어 향수사랑이라는 블로그를 운영하는 인플루언서가 있습니다. 이 인플루언서는 매월 수만 명 이상의 방문자를 보유하고 있으며 다양한 브랜드와 종류의 향수를 소개하고 리뷰하는 텍스트와 이미지 콘텐츠를 제작하고 공유합니다. '필보이드'는 이 인플루언서에게 제품을 제공하고, 인플루언서는 '필보이드'의 제품에 대한 솔직한 의견과 추천을 포함하는 텍스트와 이미지 콘텐츠를 제작하고 공유합니다.

이렇게 인플루언서와의 협업을 진행하여 콘텐츠의 영향력과 노출을 높인 후에는 콘텐츠의 평가와 개선을 반복하는 과정을 거치게 됩니다. 이에 대해서는 다음 단계에서 자세히 설명해 드리겠습니다.

●●● < > C Q   ☆ ☰

프롬프트: 7. 성과 분석, 콘텐츠의 조회수, 좋아요, 댓글, 공유 등의 지표를 분석하여 성과를 측정합니다. 또한 구글 애널리틱스와 같은 툴을 활용하여 트래픽, 구매 전환율 등의 지표를 파악합니다. 이러한 지표들을 통해 콘텐츠의 성과를 정량적으로 평가할 수 있습니다.

네. 알겠습니다. SNS 콘텐츠 기획과 제작 전문가 관점에서 '신규 론칭된 화장품 브랜드에 대해서 타깃 고객의 마음을 사로잡는 SNS 마케팅을 기획하고 실행하기 위한 프로세스' 중 7. 성과 분석, 콘텐츠의 조회수, 좋아요, 댓글, 공유 등의 지표를 분석하여 성과를 측정합니다. 또한 구글 애널리틱스와 같은 툴을 활용하여 트래픽과 구매 전환율 등의 지표도 파악할 수 있습니다. 이러한 지표들을 통해 콘텐츠의 성과를 정량적으로 평가할 수 있습니다. 단계에 대해 구체적인 예시와 함께 상세하게 정리해 드리겠습니다.

먼저 성과 분석이란 무엇인지 알아보겠습니다. 성과 분석이란 콘텐츠가 얼마나 많은 사람에게 도달하고 얼마나 많은 반응과 행동을 유도하는지를 측정하는 것입니다. 성과 분석을 통해 콘텐츠의 효과와 문제점을 파악하고 개선 방안을 도출할 수 있습니다.

다음으로 성과 분석을 위해 사용할 수 있는 지표들은 무엇인지 알아보겠습니다. 성과 분석을 위해 사용할 수 있는 지표들은 다음과 같습니다.

- 조회수: 콘텐츠가 몇 번이나 조회되었는지를 나타내는 지표입니다. 조회수는 콘텐츠의 가시성과 인기도를 나타낼 수 있습니다.

- 좋아요: 콘텐츠에 대한 고객의 호감도나 만족도를 나타내는 지표입니다. 좋아요는 콘텐츠의 품질과 가치를 나타낼 수 있습니다.

- 댓글: 콘텐츠에 대한 고객의 의견이나 피드백을 나타내는 지표입니다. 댓글은 콘텐츠의 관심도와 감정적 연결도를 나타낼 수 있습니다.

- 공유: 콘텐츠가 다른 사람들에게 전파되었는지를 나타내는 지표입니다. 공유는 콘텐츠의 영향력과 확산력을 나타낼 수 있습니다.

- 트래픽: 콘텐츠가 유입시킨 방문자의 수와 행동을 나타내는 지표입니다. 트래픽은

프롬프트: 위 답변 계속해줘.

 네. 계속하겠습니다.

콘텐츠가 브랜드나 제품에 대한 인지도와 구매 의사를 증진했는지를 나타낼 수 있습니다.

- 구매 전환율: 콘텐츠가 유입시킨 방문자 중에서 실제로 구매를 완료한 비율을 나타내는 지표입니다. 구매 전환율은 콘텐츠가 브랜드나 제품에 대한 신뢰도와 설득력을 가졌는지를 나타낼 수 있습니다.

예를 들어 '필보이드'의 경우 다음과 같은 성과 분석을 진행할 수 있습니다.

- 조회수: 인스타그램에서 1만 회, 유튜브에서 5만 회, 블로그에서 3만 회의 조회수를 기록했습니다.

프롬프트: 위 답변 계속해줘.

네. 계속하겠습니다.

해시태그나 키워드 등을 추가하거나, 인플루언서와의 협업을 늘리거나, 광고를 집행할 수 있습니다. 반면에 댓글이나 공유 등의 지표가 낮다면 콘텐츠의

스토리나 메시지 등을 개선하거나, 호출 문구나 이벤트 등을 추가하거나, 고객과의 소통을 강화할 수 있습니다.

이렇게 콘텐츠의 평가와 개선을 반복하는 과정을 통해 SNS 마케팅 효과를 극대화할 수 있습니다. 이상으로 SNS 콘텐츠 기획과 제작 전문가 관점에서 신규 론칭된 화장품 브랜드에 대해서 타깃 고객의 마음을 사로잡는 SNS 마케팅을 기획하고 실행하기 위한 프로세스에 대해 구체적인 예시와 함께 상세하게 정리해 드렸습니다. 감사합니다.

프롬프트: 8. 고객 피드백 수집, 댓글, 메시지, 고객센터 등을 통해 고객의 피드백을 수집합니다. 이를 통해 고객의 의견을 듣고 콘텐츠를 개선할 점을 파악할 수 있습니다.

네. 알겠습니다. SNS 콘텐츠 기획과 제작 전문가 관점에서 '신규 론칭된 화장품 브랜드에 대해서 타깃 고객의 마음을 사로잡는 SNS 마케팅을 기획하고 실행하기 위한 프로세스' 중 8. 고객 피드백 수집, 댓글, 메시지, 고객센터 등을 통해 고객의 피드백을 수집합니다. 이를 통해 고객의 의견을 듣고 콘텐츠의 개선점을 파악할 수 있습니다. 단계에 대해 구체적인 예시와 함께 상세하게 정리해 드리겠습니다.

먼저 고객 피드백이란 무엇인지 알아보겠습니다. 고객 피드백이란 고객이 브랜드나 제품에 대한 자신의 의견이나 감정을 표현하는 것입니다. 고객 피드백은 콘텐츠의 효과와 만족도를 측정하고, 고객의 니즈와 공통점을 파악하고, 브랜드와 고객의 관계를 강화하는 데 도움이 됩니다.

다음으로 고객 피드백을 수집하는 방법은 무엇인지 알아보겠습니다. 고객 피드백을 수집하는 방법은 다음과 같습니다.

- 댓글: 콘텐츠에 대한 고객의 의견이나 감정을 나타내는 방법입니다. 댓글은 콘텐츠에 직접적으로 달리는 경우와 다른 사람들의 댓글에 답글로 달리는 경우가 있습니다. 댓글을 수집하려면 콘텐츠에 호출 문구나 질문 등을 추가하여 고객의 반응을 유도하거나 댓글에 대한 답변이나 감사 인사 등을 통해 고객과 소통할 수 있습니다.

- 메시지: 콘텐츠에 대한 고객의 의견이나 감정을 나타내는 방법입니다. 메시지는 콘텐츠에 직접적으로 보내는 경우와 SNS 계정에 보내는 경우가

있습니다. 메시지를 수집하려면 콘텐츠에 메시지를 보내도록 유도하는 문구나 이벤트 등을 추가하거나 메시지에 대한 답변이나 감사 인사 등을 통해 고객과 소통할 수 있습니다.

- 고객센터: 콘텐츠에 대한 고객의 의견이나 감정을 나타내는 방법입니다. 고객센터는 전화나 이메일 등으로 연락하는 경우가 있습니다. 고객센터를 수집하려면 콘텐츠에 연락처나 링크 등을 추가하여 고객이 쉽게 접근할 수 있도록 하거나 고객센터에 대한 답변이나

●●● ‹ › Ｃ Ｑ ☆ ≡

프롬프트: 위 답변 계속해줘.

▶️ 네. 계속하겠습니다.

감사 인사 등을 통해 고객과 소통할 수 있습니다.

예를 들어 '필보이드'의 경우 다음과 같은 고객 피드백을 수집할 수 있습니다.

- 댓글: 콘텐츠에 대한 고객의 의견이나 감정을 나타내는 댓글들을 수집합니다. 예를 들어 '향수 테스트 너무 재밌었어요. 저는 라벤더 향이 나왔는데 딱 제 취향이네요. 필보이드 향수 꼭 사고 싶어요. 필보이드 향수 정말 좋아요. 제가 쓰는 향수는 항상 친구들에게 칭찬받아요. 감각주의 라이프스타일에 딱 맞는 향수인 것 같아요.' '필보이드 향수는 어디서 살 수 있나요? 온라인 스토어 링크 좀 주세요.' 등과 같은 댓글들이 있습니다. 이러한 댓글들을 통해 고객의 만족도, 호감도, 구매 의사 등을 파악할 수 있습니다.

- 메시지: 콘텐츠에 대한 고객의 의견이나 감정을 나타내는 메시지들을 수집합니다. 예를 들어 '안녕하세요. 필보이드입니다. 저는 향수에 대해 잘 모르는데 필보이드 향수는 어떤 특징이 있나요?' '안녕하세요. 필보이드입니다. 저는 향수 테스트를 해봤는데 재즈 향이 나왔어요. 재즈 향은 어떤 분위기의 향인가요?' '안녕하세요. 필보이드입니다. 저는 필보이드 향수를 구매했는데 배송은 언제 되나요?' 등과 같은 메시지들이 있습니다. 이러한 메시지들을 통해 고객의 관심도, 궁금증, 문의 사항 등을 파악할 수 있습니다.

- 고객센터: 콘텐츠에 대한 고객의 의견이나 감정을 나타내는 고객센터 연락을 수집합니다. 예를 들어 '안녕하세요. 필보이드입니다. 저는 필보이드 향수를 사용하고 있는데 너무 만족스러워서 칭찬하고 싶어서 전화했어요.

정말 감사합니다.''안녕하세요. 필보이드입니다. 저는 필보이드 향수를 구매했는데 제품에 문제가 있어서 교환하고 싶어서 전화했어요. 어떻게 해야 하나요?''안녕하세요. 필보이드입니다. 저는 필보이드와 협업하고 싶은 인플루언서인데 어떻게 연락할 수 있나요?' 등과 같은 고객센터 연락들이 있습니다. 이러한 고객센터

●●● ‹ › C ⟳ ☆ ≡

프롬프트: 위 답변 계속해줘.

▶ 네. 계속하겠습니다.

연락들을 통해 고객의 칭찬, 불만, 제안 등을 파악할 수 있습니다.

이렇게 고객 피드백을 수집한 후에는 콘텐츠의 개선점을 도출하고 개선 방안을 적용하는 과정을 거치게 됩니다. 이에 대해서는 다음 단계에서 자세히 설명해 드리겠습니다. 이상으로 SNS 콘텐츠 기획과 제작 전문가 관점에서 '신규 론칭된 화장품 브랜드에 대해서 타깃 고객의 마음을 사로잡는 SNS 마케팅을 기획하고 실행하기 위한 프로세스'에 대해 구체적인 예시와 함께 상세하게 정리해 드렸습니다. 감사합니다.

●●● ‹ › C ⟳ ☆ ≡

프롬프트: 9. 콘텐츠 개선과 최적화, 성과 분석과 고객 피드백을 바탕으로 콘텐츠를 개선하고 최적화합니다. 예를 들어 효과적인 콘셉트, 형식, 시간대, 해시태그 등을 지속적으로 찾아내고 적용하여 콘텐츠의 효과를 높입니다.

▶ 네. 알겠습니다. SNS 콘텐츠 기획과 제작 전문가 관점에서 '신규 론칭된 화장품 브랜드에 대해서 타깃 고객의 마음을 사로잡는 SNS 마케팅을 기획하고 실행하기 위한 프로세스' 중 9. 콘텐츠 개선과 최적화, 성과 분석, 고객 피드백을 바탕으로 콘텐츠를 개선하고 최적화합니다. 예를 들어 효과적인 콘셉트, 형식, 시간대, 해시태그 등을 찾아내어 지속해서 적용하여 콘텐츠의 효과를 높입니다. 단계에 대해 구체적인 예시와 함께 상세하게 정리해 드리겠습니다.

먼저 콘텐츠 개선이란 무엇인지 알아보겠습니다. 콘텐츠 개선이란 콘텐츠의 효

과와 만족도를 높이기 위해 콘텐츠의 내용이나 형식 등을 수정하거나 보완하는 것입니다. 콘텐츠 개선을 통해 콘텐츠의 품질과 가치를 높일 수 있습니다.

다음으로 콘텐츠 최적화란 무엇인지 알아보겠습니다. 콘텐츠 최적화란 콘텐츠의 가시성과 인기도를 높이기 위해 콘텐츠의 제목, 이미지, 해시태그 등을 수정하거나 보완하는 것입니다. 콘텐츠 최적화를 통해 콘텐츠의 영향력과 확산력을 높일 수 있습니다.

예를 들어 '필보이드'의 경우 다음과 같은 콘텐츠 개선과 최적화를 진행할 수 있습니다.

- 내용: 성과 분석과 고객 피드백을 바탕으로 콘텐츠의 내용을 개선합니다. 예를 들어 고객이 향수에 대한 자세한 정보나 사용 방법 등을 원한다면 콘텐츠에 그러한 정보를 추가하거나 강조합니다.

- 형식: 성과 분석과 고객 피드백을 바탕으로 콘텐츠의 형식을 개선합니다. 예를 들어 고객이 동영상보다 이미지나 텍스트가 더 잘 보인다고 하면 콘텐츠의 형식을 그에 맞게 변경하거나 조정합니다.

- 제목: 성과 분석과 고객 피드백을 바탕으로 콘텐츠의 제목을 최적화합니다. 예를 들어 고객이 특정 키워드나 문구에 더 반응한다면

프롬프트: 위 답변 계속해줘.

▶ 콘텐츠의 제목에 그러한 키워드나 문구를 추가하거나 강조합니다.

- 이미지: 성과 분석과 고객 피드백을 바탕으로 콘텐츠의 이미지를 최적화합니다. 예를 들어 고객이 특정 색상이나 스타일에 더 반응한다면 콘텐츠의 이미지를 그에 맞게 변경하거나 조정합니다.

- 해시태그: 성과 분석과 고객 피드백을 바탕으로 콘텐츠의 해시태그를 최적화합니다. 예를 들어 고객이 특정 해시태그를 더 많이 검색하거나 클릭한다면 콘텐츠의 해시태그를 그에 맞게 추가하거나 변경합니다.

- 시간대: 성과 분석과 고객 피드백을 바탕으로 콘텐츠의 시간대를 최적화합니다. 예를 들어 고객이 특정 시간대에 더 많이 접속하거나 반응한다면 콘텐츠의 시간대를 그에 맞게 조정합니다.

이렇게 콘텐츠의 개선과 최적화를 진행하여 콘텐츠의 효과를 높인 후에는 콘텐츠의 평가와 개선을 반복하는 과정을 거치게 됩니다. 이상으로 SNS 콘텐

츠 기획과 제작 전문가 관점에서 '신규 론칭된 화장품 브랜드에 대해서 타깃 고객의 마음을 사로잡는 SNS 마케팅을 기획하고 실행하기 위한 프로세스'에 대해 구체적인 예시와 함께 상세하게 정리해 드렸습니다. 감사합니다.

프롬프트: 10. 지속적인 모니터링과 개선, SNS 콘텐츠 마케팅은 한 번의 성 과로 끝나는 것이 아니라 지속적인 모니터링과 개선을 통해 브랜드 인지도와 매출을 꾸준히 높여나가야 합니다. 시장의 변화와 고객 트렌드를 적극적으로 반영하여 콘텐츠 전략을 지속적으로 수정하고 개선하며 브랜드의 성장을 도 모해야 합니다.

안녕하세요. 이것은 빙입니다.

'10. 지속적인 모니터링과 개선' 단계는 SNS 콘텐츠 마케팅의 마지막 단계이 지만 가장 중요한 단계입니다. 이 단계에서는 SNS 콘텐츠의 효과를 측정하고 분석하여 콘텐츠의 장단점을 파악하고 필요한 경우 콘텐츠의 형식, 내용, 톤, 주기 등을 수정하거나 개선합니다. 또한 시장의 변화와 고객 트렌드를 적극적 으로 반영하여 콘텐츠 전략을 지속해서 업데이트하고 최적화합니다.

이 단계를 구체적인 예시와 함께 상세하게 정리하면 다음과 같습니다.

- SNS 콘텐츠의 효과 측정과 분석: SNS 플랫폼에서 제공하는 분석 도구를 활용하여 콘텐츠의 조회수, '좋아요' 댓글, 공유, 저장 등의 지표를 확인합 니다. 또한 구글 애널리틱스나 네이버 애널리틱스와 같은 외부 도구를 이 용하여 콘텐츠가 브랜드 웹사이트나 온라인 스토어로 유입된 트래픽과 전 환율을 살펴봅니다. 이러한 지표들을 통해 콘텐츠의 성과와 목표 달성도 를 평가하고, 어떤 콘텐츠가 타깃 고객에게 잘 맞고, 어떤 콘텐츠가 브랜 드 인지도와 매출에 기여하는지 파악합니다.

- 콘텐츠의 장단점 파악과 수정과 개선: 분석 결과를 바탕으로 콘텐츠의 장 단점을 파악하고 필요한 경우 콘텐츠의 형식, 내용, 톤, 주기 등을 수정하 거나 개선합니다. 예를 들어 비디오 콘텐츠가 이미지 콘텐츠보다 더 많은 관심과 참여를 유도한다면 비디오 콘텐츠의 비중을 늘리고 비디오의 길이 나 편집 방식 등을 최적화합니다. 또는 화장품 사용법이나 리뷰 등의 정보 성 콘텐츠가 더 많은 유입과 전환을 가져온다면 정보성 콘텐츠의 주제와 깊이를 다양화하고 더 많은 고객에게 도움이 되는 정보를 제공합니다. 반 대로 성과가 낮거나 부정적인 반응을 일으킨 콘텐츠는 삭제하거나 수정합 니다.

- 시장의 변화와 고객 트렌드 반영과 콘텐츠 전략 업데이트와 최적화: SNS 콘텐츠 마케팅은 한 번에 완성되는 것이 아닙니다.

챗GPT가 신규 화장품 브랜드의 성공적인 SNS 마케팅을 위해서 콘텐츠를 기획하고 실행하고 성과를 분석하고 개선하는 전반적인 프로세스를 실행하도록 안내하는 실습을 해보았습니다. 이렇게 챗GPT가 콘텐츠 기획과 발행 프로세스를 철저하고 지속적으로 관리하게 함으로써 타깃 고객의 마음을 사로잡고 브랜드 인지도와 매출을 높일 수 있습니다.

3부

챗GPT로 마케팅 설계하기

ChatGPT

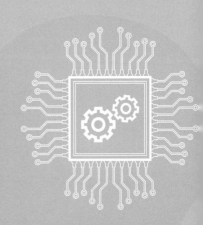

4장

마케팅 비밀 공식 구현하기

이 장은 러셀 브런슨의 『마케팅 설계자』를 바탕으로 챗GPT 프롬프트로 구현한 내용입니다. 러셀 브런슨은 마케팅 전문가이자 기업가로 온라인 비즈니스를 성공시키기 위한 전략적인 마케팅 시스템을 만드는 방법을 공유하고자 책을 출간했습니다.

그 책에는 마케팅의 핵심 개념과 원리를 이해하고 고객의 관심과 신뢰를 얻기 위한 가치 제안을 만드는 방법, 잠재 고객이 구매로 이어지는 일련의 단계를 통해 안내하는 과정인 판매 깔때기를 설계하고 최적화하는 방법, 트래픽, 이메일, 소셜 미디어 등 다양한 채널을 통해 웹사이트에 방문자를 유도하고 지속적으로 고객과 소통하고 판매를 촉진하는 방법, 온라인 비즈니스를 지속적으로 테스트하고 개선하며 더 높은 가치와 가격의 상품으로 고객을 유도하는 방법 등이 매우 실무적으로 상세하게 다뤄져 있습니다. 마케팅과 세일즈의 본질에 대해 깊이 있게 설명하고 실제 사례와 팁을 통해 쉽게 응용할 수 있도록 구성돼 있습니다. 온라인 비즈니스에 관심이 있는 사람이라면 꼭 구매해서 필독하시길 권해드립니다.

또한 언급되는 사례는 '팬덤퍼널 fandomfunnel.com'이라는 챗GPT를 활용한 퍼스널 브랜딩 교육과 컨설팅 회사 사례로 작성됐습니다. 팬덤퍼널은 개인의 차별화된 콘셉트를 도출해서 챗GPT로 빠르게 퍼스널 브랜딩을 기획하고 다양한 채널의 브랜딩 콘텐츠를 효과적으로 제작할 수 있도록 도와주는 회사입니다.

1

고객용 가치 사다리 설계하기 🔍

러셀 브런슨이 쓴 『마케팅 설계자』에서 제시한 '마케팅 비밀 공식'은 다음과 같은 질문으로 구성돼 있습니다.

질문 1. 당신이 꿈에 그리는 고객은 '누구'인가?

질문 2. 그 고객은 '어디에' 모여 있는가?

질문 3. 그 고객의 관심을 사로잡기 위해서 사용할 수 있는 '미끼'는 무엇인가?

질문 4. 그 고객을 위해 만들 수 있는 독특한 '결과'는 무엇인가?

이러한 네 가지 질문을 "20~30대 마케팅 전문가들이 '팬덤퍼널'이라는 퍼스널 브랜딩을 구축하고 글로벌 팬덤 기반을 확보하는 서비스"를 사례로 하여 답변을 작성하면 다음과 같습니다.

질문 1. 당신이 꿈에 그리는 고객은 '누구'인가?

주요 타깃 고객이 느끼는 불안과 결핍 등 감정을 분석하면 다음과 같습니다.

1차 타깃 고객: N잡러가 되고 싶은 재능 많은 20~30대 MZ세대
- 내가 좋아하는 것이 명확하고 나만의 차별적인 영역으로 키우고 싶은데 여기에 도전하기에는 당장 수익이 나오지 않아서 불안감을 느끼고 있습니다.
- 현재 직장에서 배우는 업무도 빠르게 습득하고 싶고 내가 성장하는 과정을 잘 정리해서 내 분야 전문가로 퍼스널 브랜딩을 구축하고 싶은데 도저히 시간이 나지 않습니다.

2차 타깃 고객: 은퇴 이후에 자동 소득이 나오기를 기대하는 40~50대 X세대
- 직장에서 연차는 쌓이고 빠르게 관리자 또는 임원이 되기는 했지만 매년 내가 얼마나 더 직장을 다닐 수 있을까 불안합니다.
- 언제든지 후배들이 치고 올라올 수 있어서 체면이 떨어지기 전에 직장을 알아서 그만둬야 할 것 같은데 그다음에 무엇으로 먹고살아야 할지 모르겠습니다.

3차 타깃 고객: 은퇴 이후의 삶이 무료하고 자기 효능감이 떨어진 60~70대 베이비부머 세대
- 직장을 은퇴하고 이것저것 시도하고 창업도 도전했지만 결과

적으로 별 소득 없이 실패하기만 했습니다.

- 내 노후는 스스로 준비하고 싶었는데 자녀 교육과 결혼에 모든 노후 비상금을 다 써버렸고 이제는 수입도 없고 어떻게 살아야 할지 막막합니다.

질문 2. 그 고객은 '어디에' 모여 있는가?

타깃 고객은 다양한 '마케팅, 자기계발, 창업, 투자 관련 커뮤니티'에서 열정적으로 최신 전문 지식을 습득하고 있습니다.

1차 타깃 고객: N잡러가 되고 싶은 재능 많은 20~30대 MZ세대

- 청년 마케터 커뮤니티, 자기계발(전자책, 유튜버, 인스타그램) 커뮤니티, 그로스해킹 관련 커뮤니티, 그로우앤베터 커뮤니티, 롱블랙 커뮤니티, 썸원 이메일 구독자

2차 타깃 고객: 은퇴 이후의 자동 소득이 나오기를 기대하는 40~50대 X세대

- 자기계발 커뮤니티, 창업 커뮤니티, 업무 전문 분야 리더십 커뮤니티, 동문 동창 커뮤니티

3차 타깃 고객: 은퇴 이후의 삶이 무료하고 자기 효능감이 떨어진 60~70대 베이비부머 세대

- 노후 투자 커뮤니티, 창업 커뮤니티, 백화점 문화센터 커뮤니티

질문 3. 그 고객의 관심을 사로잡기 위해서 당신이 사용할 수 있는 '미끼'는 무엇인가?

타깃 고객이 내 안의 새로운 가치를 발견하여 미래에 대한 불안감을 해소하고, 주변에 나와 비슷한 사람과 공감의 소통을 하고 나만의 전문성을 기반으로 나만의 콘텐츠 자산을 구축해서 미래를 대비하도록 정보를 제공합니다.

타깃 고객의 관심을 사로잡기 위해서 제공할 수 있는 미끼는 '최신 마케팅, 자기계발, 창업, 투자 관련 트렌드를 공유하는 무료 웨비나 세션 또는 강의 콘텐츠'입니다.

질문 4. 그 고객을 위해 만들 수 있는 독특한 '결과'는 무엇인가?

타깃 고객을 위해서 만들 수 있는 독특한 결과는 '자신의 재능과 경험을 기반으로 차별화된 콘텐츠 자산을 축적함으로써 자신의 가치를 발견하고 같은 생각과 방향성을 가진 팔로우들과 소통하면서 새로운 가치를 창출하는 크리에이터 마인드로 변화된다'는 점입니다.

이러한 '마케팅 비밀 공식'에 대입하여 작성한 "20~30대 마케팅 전문가들이 '팬덤퍼널'을 통해서 퍼스널 브랜딩을 구축하고 글로벌 팬덤 기반을 확보하는 서비스" 답변을 기반으로 챗GPT가 1차 타깃 고객을 대상으로 팬덤퍼널의 꿈의 고객을 정의하는 프롬프트를 작성해보겠습니다.

● ● ● 〈 〉 C Q   ☆ ☰

프롬프트: 팬덤퍼널의 꿈의 고객은 'N잡러가 되고 싶은 재능 많은 20~30대 MZ세대'로서 좋아하는 영역을 기반으로 자신만의 차별적인 전문 영역으로 키우고 싶은데 준비하기에는 시간도 없고 당장 수익이 나오지 않아서 불안감을 느끼고 있습니다. 또한 현재 직장에 다니면서 새롭게 배우는 업무도 빠르게 습득하고 싶고 성장하는 과정을 잘 정리해서 자기 분야 전문가로 퍼스널 브랜딩을 구축하고 싶지만 어떻게 시작하고 관리해야 할지 잘 모르는 고객들입니다.
이 고객은 다양한 '마케팅, 자기계발, 창업, 투자 관련 커뮤니티'에서 열정적으로 최신 전문 지식을 습득하고 있습니다. 이러한 꿈의 고객의 관심을 사로잡기 위해서 제공할 수 있는 미끼는 '최신 마케팅, 자기계발, 창업, 투자 관련 트렌드를 공유하는 무료 웨비나 세션 또는 강의 콘텐츠'입니다. 타깃 고객을 위해서 만들 수 있는 독특한 결과는 '자신의 재능과 경험을 기반으로 차별화된 콘텐츠 자산을 축적함으로써 자신의 가치를 발견하고 같은 생각과 방향성을 가진 팔로우들과 지속적으로 소통하면서 새로운 가치를 창출하는 크리에이터 마인드로 변화된다'는 점입니다.

이러한 팬덤퍼널의 꿈의 공식을 기반으로 다음과 같이 챗GPT에게 타깃 고객을 찾아보고 타깃 고객 페르소나를 정리하도록 질문해보겠습니다.

● ● ● 〈 〉 C Q   ☆ ☰

프롬프트: 위의 팬덤퍼널 꿈의 공식의 정의를 기반으로 퍼스널 브랜딩 컨설팅 서비스를 판매하기 위한 타깃 고객 세그먼트를 3개만 제안해줘.
이때 '타깃 고객 세그먼트'는 우리가 목표로 하는 시장에 있는 고객을 다양한 관점에서 작은 그룹으로 나눈다는 뜻입니다. 이렇게 나눠진 세그먼트 중 목표 고객을 정하는 것을 타깃 고객 세그먼트라고 합니다. 페르소나는 작은 그룹으로 나누어진 고객 그룹을 좀 더 이해하기 쉬운 형태로 상세하게 묘사하는 방법입니다. 딱 어떤 특정 고객 한 명이 생각날 정도로 상세하게 묘사하는 것이 좋습니다.

▶️ 안녕하세요. 이것은 빙입니다. 퍼스널 브랜딩 컨설팅 서비스를 판매하기 위한 타깃 고객 세그먼트를 3개 제안해 드리겠습니다.

1. 창업을 준비하고 있는 20~30대 MZ세대: 이들은 자신의 비전과 가치를 실현하기 위해 창업을 준비하고 있으며 자신의 분야에서 전문가로 인정받고 싶어합니다. 그러나 창업에 필요한 마케팅, 자기계발, 투자 등의 지식과 능력이 부족하다고 느끼며 경쟁력 있는 콘텐츠를 만들어서 자신의 브랜드를 알리는 방법을 모릅니다. 팬덤퍼널의 퍼스널 브랜딩 컨설팅 서비스는 이들에게 최신 트렌드와 실전 노하우를 공유하고 자신의 재능과 경험을 바탕으로 차별화된 콘텐츠 자산을 만들어 나가는 방법을 가르쳐줍니다. 이를 통해 이들은 자신의 창업 아이디어와 비전을 명확하게 전달하고 같은 목표와 가치를 가진 사람들과 연결돼 새로운 시너지를 창출할 수 있습니다.

2. 직장인이면서 사이드 프로젝트를 하는 20~30대 MZ세대: 이들은 현재 직장에서도 성과를 내면서 자신이 좋아하는 영역에서 사이드 프로젝트를 하고 있습니다. 그러나 사이드 프로젝트에 필요한 시간과 비용이 부족하고 자신의 프로젝트가 다른 사람들에게 어떻게 인식되는지 잘 모릅니다. 팬덤퍼널의 퍼스널 브랜딩 컨설팅 서비스는 이들에게 시간과 비용 효율적인 콘텐츠 제작 방법과 자신의 프로젝트와 관련된 최신 마케팅, 자기계발, 창업, 투자 관련 트렌드를 공유해줍니다. 이를 통해 이들은 자신의 프로젝트에 대한 열정과 전문성을 보여주고, 관심 있는 사람들과 소통하면서 피드백을 받고 개선할 수 있습니다.

3. 자신의 재능을 살리고 싶은 20~30대 MZ세대: 이들은 자신이 가진 재능을 살리고 싶지만 어떻게 시작해야 할지 모르거나 재능을 수익화하는 방법을 찾지 못합니다. 그러나 자신의 재능과 관련된 콘텐츠를 만들고 공유하는 것에 관심이 있으며, 다른 사람들과 소통하고 싶어합니다. 팬덤퍼널의 퍼스널 브랜딩 컨설팅 서비스는 이들에게 자신의 재능과 관련된 콘텐츠 제작

●●●‹›C Q   ☆ ≡

프롬프트: 위 답변 계속해줘.

▶️ 네. 계속하겠습니다.

3. 자신의 재능을 살리고 싶은 20~30대 MZ세대 (이어서): 팬덤퍼널의 퍼스널 브랜딩 컨설팅 서비스는 이들에게 자신의 재능과 관련된 콘텐츠 제작과 배포 방법과 자신의 재능을 수익화하는 방법을 가르쳐 줍니다. 이를 통해 이들은

자신의 재능과 가치를 발견하고 같은 재능과 취향을 가진 사람들과 소통하고 협업할 수 있습니다.

이상으로 퍼스널 브랜딩 컨설팅 서비스를 판매하기 위한 타깃 고객 세그먼트 3개를 제안해 드렸습니다. 감사합니다. ★

● ● ● ‹ › C Q   ☆ ≡

프롬프트: 위의 3가지 타깃 고객 세그먼트를 3개 제안한 근거 데이터를 알려 줘. 시장 크기, 시장 성장성, 경쟁 강도로 정리해 주면 좋겠어.

✓ "20~30대 MZ세대 시장 크기" 검색 중

✓ 답변을 생성하는 중……

▶ 네. 알겠습니다.

위의 3가지 타깃 고객 세그먼트를 3개 제안한 근거 데이터를 시장 크기, 시장 성장성, 경쟁 강도로 정리해 드리겠습니다.

1. 창업을 준비하고 있는 20~30대 MZ세대

- 시장 크기: 2020년 기준으로 국내 창업률은 5.2%로 전년 대비 0.4%포인트 증가했으며 창업자 수는 153만 명으로 역대 최고치를 기록했습니다[■]. 이 중 20~30대 창업자 수는 45만 명으로 전체 창업자의 29.4%를 차지했습니다[■].

- 시장 성장성: 코로나 팬데믹 이후 비대면 서비스와 플랫폼 기반의 창업이 활성화되고 있으며, 정부의 창업 지원 정책과 사회적 인식 변화에 따라 창업에 관한 관심과 도전이 높아지고 있습니다[■]. 또한 MZ세대는 자신의 가치와 비전을 실현하기 위해 창업을 선호하는 경향이 있으며 디지털 기술과 소셜 미디어에 익숙하여 창업에 유리한 환경을 갖추고 있습니다[■].

- 경쟁 강도: 퍼스널 브랜딩 컨설팅 서비스는 창업자들이 자기 아이디어와 비전을 명확하게 전달하고 타깃 고객과 연결하고 자신의 분야에서 전문가로 인정받을 수 있도록 도와주는 서비스입니다. 이러한 서비스는 현재 국내에 다양한 형태로 존재하고 있으며, 예를 들면 브랜드 스토리텔링 컨설팅, 콘텐츠 마케팅 컨설팅, SNS 마케팅 컨설팅 등이 있습니다[■]. 이러한 서비스들은 각각 다른 강점과 특징을 가지고 있으며 창업자들의 니즈와 목표에 따라 선택할 수 있습니다. 따라서 퍼스널 브

랜딩 컨설팅 서비스의 경쟁 강도는 높은 편입니다.

2. 직장인이면서 사이드 프로젝트를 하는 20~30대 MZ세대

○ 시장 크기: 2020년 기준으로 국내에서 사이드 프로젝트를 하는 직장 인은 약 400만 명으로 추정되며, 이 중 20~30대 직장인은 약 200만 명으로 전체의 절반을 차지합니다[5]. 사이드 프로젝트를 하는 직장인들 은 평균적으로 월 100만 원 이상의 수익을 올리고 있으며, 이 중에서 도 20~30대 직장인들은 월 200만 원 이상의 수익을

자세한 정보: 1. ajunews.com   2. biz.chosun.com   3. hankyung.com   4. mk.co.kr   +2 더 보기

● ● ● ‹ › ⟳ Q   ☆ ≡

프롬프트: 위 답변 계속해줘.

▶ 네. 알겠습니다.

2. 직장인이면서 사이드 프로젝트를 하는 20~30대 MZ세대 (이어서)

○ 시장 성장성: 코로나 팬데믹 이후 비대면 환경과 원격 근무가 확산하면 서 사이드 프로젝트를 하기에 더 유리한 조건이 마련되었습니다. 또한 MZ세대는 자신의 취미와 재능을 살리고 싶은 욕구가 강하며 부수입을 창출하고 싶은 니즈가 높습니다. 이러한 요인들로 인해 사이드 프로젝 트를 하는 직장인들의 수는 계속 증가할 것으로 예상됩니다.

○ 경쟁 강도: 퍼스널 브랜딩 컨설팅 서비스는 사이드 프로젝트를 하는 직 장인들이 자신의 프로젝트에 대한 열정과 전문성을 보여주고 관심 있 는 사람들과 소통하고 피드백을 받을 수 있도록 도와주는 서비스입니 다. 이러한 서비스는 현재 국내에 다양한 형태로 존재하고 있으며, 예를 들면 블로그 컨설팅, 유튜브 컨설팅, 인스타그램 컨설팅 등이 있습니다. 이러한 서비스들은 각각 다른 강점과 특징을 가지고 있으며 사이드 프 로젝트를 하는 직장인들의 니즈와 목표에 따라 선택할 수 있습니다. 따 라서 퍼스널 브랜딩 컨설팅 서비스의 경쟁 강도는 높은 편입니다.

3. 자신의 재능을 살리고 싶은 20~30대 MZ세대

○ 시장 크기: 2020년 기준으로 국내 크리에이터 수는 약 100만 명으로 추정됩니다. 이 중 20~30대 크리에이터 수는 약 60만 명으로 전체의 60%를 차지합니다. 크리에이터는 자신의 재능과 취향을 바탕으로 다 양한 콘텐츠를 제작하고 공유하는 사람들을 말합니다. 크리에이터는

유튜브, 인스타그램, 틱톡 등의 소셜 미디어 플랫폼을 활용하여 자기 팬들과 소통하고 수익을 창출합니다.

○ 시장 성장성: 코로나 팬데믹 이후 비대면 문화와 디지털 콘텐츠 소비가 급증하면서 크리에이터 시장은 확대되고 있습니다. 또한 MZ세대는 자신의 재능과 가치를 발견하고 싶은 욕구가 강하며 다른 사람들과 소통하고 협업하고 싶은 니즈가 높습니다. 이러한 요인들로 인해 크리에이터를 하고 싶은 사람들의 수는 계속 증가할 것으로 예상됩니다.

○ 경쟁 강도:

● ● ● ‹ › C Q   ☆ ☰

프롬프트: 위 답변 계속해줘.

▶ 네. 알겠습니다.

3. 자신의 재능을 살리고 싶은 20~30대 MZ세대 (이어서)

○ 경쟁 강도: 퍼스널 브랜딩 컨설팅 서비스는 크리에이터가 되고 싶은 사람들이 자신의 재능과 관련된 콘텐츠 제작과 배포 방법과 자신의 재능을 수익화하는 방법을 가르쳐주는 서비스입니다. 이러한 서비스는 현재 국내에 다양한 형태로 존재하고 있으며, 예를 들면 크리에이터 아카데미, 크리에이터 스쿨, 크리에이터 캠프 등이 있습니다. 이러한 서비스들은 각각 다른 강점과 특징을 가지고 있으며 크리에이터가 되고 싶은 사람들의 니즈와 목표에 따라 선택할 수 있습니다. 따라서 퍼스널 브랜딩 컨설팅 서비스의 경쟁 강도는 높은 편입니다.

이상으로 퍼스널 브랜딩 컨설팅 서비스를 판매하기 위한 타깃 고객 세그먼트 3개를 제안한 근거 데이터를 시장 크기, 시장 성장성, 경쟁 강도로 정리해 드렸습니다. 감사합니다.

● ● ● ‹ › C Q   ☆ ☰

프롬프트: 팬덤퍼널의 퍼스널 브랜딩 컨설팅 서비스를 판매하기 위해서 위에서 제시한 타깃 고객 세그먼트의 타깃 고객 페르소나를 정리해줘.

▶ 네. 알겠습니다.

팬덤퍼널의 퍼스널 브랜딩 컨설팅 서비스를 판매하기 위해서 위에서 제시한 타깃 고객 세그먼트의 타깃 고객 페르소나를 정리해 드리겠습니다.

1. 창업을 준비하고 있는 20~30대 MZ세대

- 이름: 김민수

- 나이: 28세

- 직업: IT 회사 직원

- 취미: 코딩, 게임, 독서

- 가족: 부모님과 동생

- 소득: 월 300만 원

- 문제점: 자신의 비전과 가치를 실현하기 위해 창업을 준비하고 있지만 창업에 필요한 마케팅, 자기계발, 투자 등의 지식과 능력이 부족하다고 느낀다. 또한 자기 아이디어와 비전을 명확하게 전달하고, 타깃 고객과 연결하고, 자신의 분야에서 전문가로 인정받는 방법을 모른다.

- 니즈: 최신 트렌드와 실전 노하우를 공유하고 자신의 재능과 경험을 바탕으로 차별화된 콘텐츠 자산을 만들어 나가는 방법을 배우고 싶다. 또한 같은 목표와 가치를 가진 사람들과 연결돼 새로운 시너지를 창출할 수 있는 기회를 얻고 싶다.

2. 직장인이면서 사이드 프로젝트를 하는 20~30대 MZ세대

- 이름: 박지영

- 나이: 32세

- 직업: 패션 회사 디자이너

- 취미: 그림 그리기, 영화 보기, 여행

- 가족: 남편과 딸

- 소득: 월 400만 원

- 문제점: 현재 직장에서도 성과를 내면서 자신이 좋아하는 그림 그리기를 사이드 프로젝트로 하고 있다. 그러나 사이드 프로젝트에 필요한 시간과 비용이 부족하고 자신의 그림이 다른 사람들에게 어떻게 인식되는지 잘 모른다. 또한 자신의 그림에 대한 열정과 전문성을 보여주고 관심 있는 사람들과 소통하고 피드백을 받는 방법을 모른다.

- 니즈: 시간과 비용 효율적인 그림 제작 방법과 자신의 그림과 관련된 최신 마케팅, 자기계발, 창업, 투자 관련 트렌드를 공유해주는 서비스

를 이용하고 싶다. 또한 자신의 그림을 다양한 채널로 배포하고 팬들과 소통하면서 피드백을 받고 개선할 기회를 얻고 싶다.

●●● ‹ › C Q   ☆ ≡

프롬프트: 위 답변 계속해줘.

▶ 네. 계속하겠습니다.

3. 자신의 재능을 살리고 싶은 20~30대 MZ세대 (이어서)

    ○ 이름: 이현우

    ○ 나이: 26세

    ○ 직업: 대학생

    ○ 취미: 노래 부르기, 기타 치기, 랩 만들기

    ○ 가족: 부모님과 형

    ○ 소득: 월 100만 원 (아르바이트)

    ○ 문제점: 자신이 가진 노래와 랩 재능을 살리고 싶지만 어떻게 시작해야 할지 모르고 재능을 수익화하는 방법을 찾지 못한다. 그러나 자신의 노래와 랩과 관련된 콘텐츠를 만들고 공유하는 것에 관심이 있으며 다른 사람들과 소통하고 싶다.

    ○ 니즈: 자신의 노래와 랩과 관련된 콘텐츠 제작과 배포 방법과 자신의 재능을 수익화하는 방법을 배우고 싶다. 또한 자신의 재능과 가치를 발견하고, 같은 재능과 취향을 가진 사람들과 소통하고, 협업할 기회를 얻고 싶다.

이상으로 팬덤퍼널의 퍼스널 브랜딩 컨설팅 서비스를 판매하기 위해서 위에서 제시한 타깃 고객 세그먼트의 타깃 고객 페르소나를 정리해 드렸습니다. 감사합니다.

지금까지 팬덤퍼널의 꿈의 공식을 기반으로 챗GPT에게 '1차 타깃 고객: N잡러가 되고 싶은 재능 많은 20~30대 MZ세대'에 속하는 타깃 고객 세그먼트를 찾아보고 각 고객 세그먼트의 타깃 페르

소나를 정리하도록 실습해보았습니다.

이러한 방식으로 챗GPT에게 명확하게 어떤 잠재고객을 타깃팅해야 하는지, 그 시장이 얼마나 크고 앞으로도 성장 가능성이 있는지, 그리고 구체적인 타깃 페르소나는 무엇인지 도출하는 업무를 맡길 수 있습니다.

2

| 나만의 차별화 전략 수립하기 | 🔍 |

이제 나만의 차별화 전략을 수립해보겠습니다. 마케팅 설계자가 차별화 전략을 짜기 위해 다음과 같은 여섯 가지 질문을 한다고 가정해봅시다.

질문 1. 당신이 꿈에 그리는 고객은 '누구'인가? 이 고객은 어떤 사람일까?

질문 2. 그 고객은 '어디에' 모여 있는가? 꿈의 고객이 드나드는 최고의 웹사이트는 어떤 것들이 있는가?

질문 3. 그 고객의 관심을 사로잡기 위해서 당신이 사용할 수 있는 '미끼(후크, 스토리, 제안)'는 무엇인가?

질문 4. 그 고객을 위해 만들 수 있는 독특한 '결과'는 무엇인가?

질문 5. 그 고객이 갖고 있는 목표를 3단계로 구체적으로 파악하고 타깃 고객이 원하는 가치market-in와 회사가 제공할 수 있는 가치

product-out가 완벽하게 서로 매칭될 수 있는 차별화 포인트는 무엇인가?

질문 6. 이 제품과 서비스를 다른 회사가 아니라 왜 우리 회사가 만들어야 하는가?

이 여섯 가지 질문에 앞에서 챗GPT가 상세하게 제시한 세 가지 타깃 고객 세그먼트 중에서 두 번째인 '직장인이면서 사이드 프로젝트를 하고 있는 20~30대 MZ세대'에 속하는 박지영 페르소나를 대입하여 챗GPT의 답변을 도출해보겠습니다.

질문 1. 당신이 꿈에 그리는 고객은 '누구'인가? 이 고객은 어떤 사람일까?

- 그들은 어떤 것에 열정을 가지고 있을까?
- 그들의 목표와 꿈과 소망은 무엇일까?
- 어떤 제안을 해야 이런 고객만 끌어들일 수 있을까?

●●● ‹ › C Q   ☆ ☰

프롬프트: 위에서 제시한 두 번째 고객 세그먼트인 '직장인이면서 사이드 프로젝트를 하고 있는 20~30대 MZ세대'에 속하는 박지영 페르소나에 대해서 좀 더 집중적으로 이해하고 싶어. 박지영 잠재고객은 어떤 것에 열정을 갖고 있을까? 그녀의 목표와 꿈과 소망은 무엇인지, 어떤 제안을 해야 이런 꿈의 고객을 끌어들일 수 있을지 구체적이고 상세한 예시를 들어서 정리해줘.

▶ 네. 알겠습니다.

박지영 잠재고객은 자신이 좋아하는 그림 그리기에 열정을 갖고 있습니다. 그녀는 어릴 때부터 그림 그리는 것을 좋아했으며 대학에서는 디자인을 전공했습니다. 현재는 패션 회사에서 디자이너로 일하고 있지만 자신의 취향과 스타일을 담은 그림을 그리고 싶은 욕구가 있습니다. 그녀의 목표는 자신의 그림을 통해 다른 사람들에게 감동과 영감을 주고 자신의 콘텐츠를 통해 수익을 창출하는 것입니다. 그녀의 꿈은 자신의 그림을 전시하거나 출판하고 다른 크리에이터들과 협업하고 자신의 브랜드를 만드는 것입니다. 그녀의 소망은 자신의 재능과 가치를 인정받고 같은 취향과 취미를 가진 사람들과 소통하고 자신의 콘텐츠를 통해 세상에 긍정적인 영향을 미치는 것입니다.

이런 꿈의 고객을 끌어들일 수 있는 제안은 다음과 같습니다.

- "당신의 그림에는 당신만의 이야기와 감성이 담겨 있습니다. 당신의 그림을 통해 다른 사람들에게 감동과 영감을 주고 싶지 않으세요? 팬덤퍼널의 퍼스널 브랜딩 컨설팅 서비스를 통해 당신의 그림에 대한 열정과 전문성을 보여주고 관심 있는 사람들과 소통하고 피드백을 받으세요. 당신의 그림이 당신의 브랜드가 되는 순간을 함께 만들어 드리겠습니다."

- "당신은 패션 회사에서 디자이너로 일하면서 자신이 좋아하는 그림 그리기를 사이드 프로젝트로 하고 있습니다. 하지만 사이드 프로젝트에 필요한 시간과 비용이 부족하고 자신의 그림이 다른 사람들에게 어떻게 인식되는지 잘 모르시죠? 팬덤퍼널의 퍼스널 브랜딩 컨설팅 서비스를 통해 시간과 비용 효율적인 그림 제작 방법과 자신의 그림과 관련된 최신 마케팅, 자기계발, 창업, 투자 관련 트렌드를 공유해 드리겠습니다. 당신의 그림을 다양한 채널로 배포하고 팬들과 소통하면서 피드백을 받고 개선할 기회를 드리겠습니다."

- "당신은 자신이 가진 재능을 살리고 싶은 20~30대 MZ세대입니다. 당신은 자신의 재능과 가치를 발견하고 싶어하며 같은 재능과 취향을 가진 사람들과 소통하고 협업하고 싶어합니다."

● ● ● ‹ › ⟳ 　Q 　　　　　　　　　　　　　　　　　☆　≡

프롬프트: 위 답변 계속해줘.

▶ 네. 계속하겠습니다.

- "당신은 자신이 가진 재능을 살리고 싶은 20~30대 MZ세대입니다. 당신은 자신의 재능과 가치를 발견하고 싶어하며 같은 재능과 취향을 가진 사람들과 소통하고 협업하고 싶어합니다. 하지만 자신의 재능과 관련된 콘

텐츠를 만들고 공유하는 방법을 모르시거나 재능을 수익화하는 방법을 찾지 못하셨죠? 팬덤퍼널의 퍼스널 브랜딩 컨설팅 서비스를 통해 자신의 재능과 관련된 콘텐츠 제작과 배포 방법과 자신의 재능을 수익화하는 방법을 배우세요. 당신의 재능과 가치를 인정받고 같은 재능과 취향을 가진 사람들과 소통하고 협업할 기회를 드리겠습니다."

이상으로 박지영 잠재고객에 대해서 좀 더 집중적으로 이해하고 그녀의 목표와 꿈과 소망에 맞는 제안을 구체적이고 상세한 예시로 들어서 정리해 드렸습니다. 감사합니다.

질문 2. 그 고객은 '어디에' 모여 있는가? 꿈의 고객이 드나드는 최고의 웹사이트는 어떤 것들이 있는가?

- 그 고객은 어떤 그룹이나 게시판에 글을 올리며 모임에 참여하는가?
- 그 고객이 참여하는 페이스북 그룹은 어떤 것들이 있는가?
- 그 고객이 페이스북이나 인스타그램에서 팔로우하는 인플루언서들은 누구인가?
- 그 고객은 어떤 팟캐스트 방송을 듣는가?
- 그 고객은 어떤 이메일 뉴스레터를 구독하는가?
- 그 고객이 자주 찾아가는 블로그는 어떤 것들이 있는가?
- 그 고객은 유튜브에서 어떤 채널을 구독하는가?
- 그 고객이 정보를 찾을 때 사용하는 구글 검색어는 어떤 것들이 있는가?

프롬프트: 위에서 제시한 두 번째 고객 세그먼트인 '직장인이면서 사이드 프로젝트를 하고 있는 20~30대 MZ세대'에 속하는 박지영 페르소나에 대해서 좀 더 집중적으로 이해하고 싶어. 박지영 잠재고객은 어떤 그룹이나 게시판에 글을 올리며 모임에 참여할까? 그녀가 참여하는 페이스북 그룹은 어떤 것들이 있을까? 그녀가 페이스북이나 인스타그램에서 팔로우하는 인플루언서들은 누구일까? 그녀는 어떤 팟캐스트 방송을 들을까? 그녀가 구독하는 이메일 뉴스레터는 어떤 것들이 있을까? 그녀가 자주 찾아가는 블로그는 어떤 것들이 있을까? 그녀는 유튜브에서 어떤 채널을 구독할까? 그녀가 정보를 찾을 때 사용하는 구글 검색어는 어떤 것들이 있을까? 이 질문들에 대해서 매우 구체적이고 상세한 예시를 들어서 정리해줘.

✓ '그림 그리기 사이드 프로젝트 페이스북 그룹' 검색 중

✓ 답변을 생성하는 중……

▶ 네. 알겠습니다.

박지영 잠재고객은 그림 그리기를 사이드 프로젝트로 하고 있으며 자신의 그림에 대한 열정과 전문성을 보여주고 관심 있는 사람들과 소통하고 피드백을 받고 싶어합니다. 그녀는 다음과 같은 그룹이나 게시판에 글을 올리며 모임에 참여합니다.

- 페이스북 그룹: 그림 그리는 사람들의 모임, 그림으로 이야기하는 사람들, 그림으로 수익창출하는 방법 공유

- 네이버 카페: 그림으로 즐기는 삶, 그림으로 표현하는 감성, 그림으로 시작하는 창업

- 인스타그램 해시태그: #그림스타그램, #일러스트레이터, #그림콘텐츠

그녀가 참여하는 페이스북 그룹은 다음과 같습니다.

- 그림 그리는 사람들의 모임: 그림을 좋아하고 배우고 싶은 사람들이 모여서 자신의 그림을 공유하고, 피드백을 주고받으며, 그림 관련 정보와 팁을 공유하는 그룹입니다. 현재 2만 명 이상의 회원이 있으며 매주 온라인 또는 오프라인으로 모임을 합니다.

- 그림으로 이야기하는 사람들: 자신의 이야기와 감성을 그림으로 표현하고 싶은 사람들이 모여서 자신의 그림과 이야기를 공유하고 다른 사람들의 그림과 이야기에 공감하고 응원하는 그룹입니다. 현재 1만 명 이상의 회원이 있으며 매월 온라인 또는 오프라인으로 전시회를 엽니다.

- 그림으로 수익창출하는 방법 공유: 자신의 그림을 통해 수익을 창출하고 싶은 사람들이 모여서 자신의 그림과 수익 모델을 공유하고 다른 사람들의 그림과 수익 모델에 조언하고 의견을 나누는 그룹입니다. 현재 5,000명 이상의 회원이 있으며 매달 온라인 또는 오프라인으로 세미나나 워크숍을 진행합니다.

- 김민지: 패션 디자이너이자 일러스트레이터로 활동하는 인플루언서입니다. 자신의 패션 디자인과 일러스트 작품을 소개하고 패션과 일러스트에 관한 팁과 정보를 공유합니다. 페이스북과 인스타그램에서 각각 10만 명 이상의 팔로우를 보유하고 있으며 자신의 브랜드를 운영하고 있습니다.

- **박준

자세한 정보: 1. actumn.tistory.com   2. autodraw.com   3. blog.naver.com   +1 더 보기

●●●‹›C Q   ☆ ≡

프롬프트: 위 답변 계속해줘.

▶ 네네. 계속하겠습니다.

- 박준: 웹툰 작가이자 유튜버로 활동하는 인플루언서입니다. 자신의 웹툰 작업 과정과 노하우를 소개하고 웹툰과 관련된 리뷰와 코멘터리를 공유합니다. 페이스북과 인스타그램에서 각각 5만 명 이상의 팔로우를 보유하고 있으며 유튜브에서 20만 명 이상의 구독자를 보유하고 있습니다.

- 이수진: 그림 작가이자 블로거로 활동하는 인플루언서입니다. 자신의 그림일기와 에세이를 소개하고 그림에 관한 감상과 철학을 공유합니다. 페이스북과 인스타그램에서 각각 3만 명 이상의 팔로우를 보유하고 있으며 자신의 블로그에서 10만 명 이상의 방문자를 유치하고 있습니다.

그녀가 듣는 팟캐스트 방송은 다음과 같습니다.

- 그림으로 즐기는 삶: 그림을 좋아하는 사람들을 위한 팟캐스트 방송입니다. 그림에 관한 다양한 주제와 정보를 다루고 그림을 통해 삶을 즐기는 방법을 알려줍니다. 매주 한 번 업로드되며 평균 재생 시간은 30분입니다.

- 크리에이터 스토리: 다양한 분야의 크리에이터들을 인터뷰하는 팟캐스트 방송입니다. 크리에이터들의 콘텐츠 제작 과정과 노하우, 성공과 실패 이야기, 크리에이터로서의 비전과 가치 등을 들려줍니다. 매주 두 번 업로드되며 평균 재생 시간은 1시간입니다.

- 사이드 프로젝트 마스터: 사이드 프로젝트를 하고 싶은 사람들을 위한 팟 캐스트 방송입니다. 사이드 프로젝트의 필요성과 장점, 사이드 프로젝트를 시작하고 유지하고 성장시키는 방법, 사이드 프로젝트를 통해 수익을 창출하는 방법 등을 알려줍니다. 매주 세 번 업로드되며 평균 재생 시간은 20분입니다.

그녀가 구독하는 이메일 뉴스레터는 다음과 같습니다.

- 그림으로 배우는 디자인: 그림으로 디자인에 관한 기본 개념과 원리를 설명해주는 이메일 뉴스레터입니다. 매일 아침 한 편씩 발송되며 구독료는 월 1만 원입니다.

- 크리에이터 뉴스: 크리에이터들을 위한 최신 뉴스와 트렌드를 알려주는 이메일 뉴스레터입니다. 매주 월요일과 목요일에 한 편씩 발송되며 구독료는 무료입니다.

● ● ● ‹ › C Q

프롬프트: 위 답변 계속해줘.

▶ 네. 계속하겠습니다.

- 사이드 프로젝트 아이디어: 사이드 프로젝트를 하고 싶은데 어떤 것을 해야 할지 모르는 사람들을 위해 다양한 아이디어를 제공하는 이메일 뉴스레터입니다. 매주 수요일에 한 편씩 발송되며 구독료는 무료입니다.

그녀가 자주 찾아가는 블로그는 다음과 같습니다.

- 그림으로 즐기는 삶: 그림 작가인 김민지의 개인 블로그입니다. 자신의 그림일기와 에세이를 공유하고 그림에 관한 감상과 철학을 공유합니다. 매주 두 번 포스팅하며 평균 조회수는 1만 회 이상입니다.

- 크리에이터 스토리: 다양한 분야의 크리에이터들을 인터뷰하는 블로그입니다. 크리에이터들의 콘텐츠 제작 과정과 노하우, 성공과 실패 이야기, 크리에이터로서의 비전과 가치 등을 들려줍니다. 매주 한 번 포스팅하며 평균 조회수는 5,000회 이상입니다.

- 사이드 프로젝트 마스터: 사이드 프로젝트를 하고 싶은 사람들을 위한 블로그입니다. 사이드 프로젝트의 필요성과 장점, 사이드 프로젝트를 시작하고 유지하고 성장시키는 방법, 사이드 프로젝트를 통해 수익을 창출하는 방법 등을 알려줍니다. 매일 한 번 포스팅하며 평균 조회수는 3,000회

이상입니다.

그녀가 유튜브에서 구독하는 채널은 다음과 같습니다.

- 김민지: 패션 디자이너이자 일러스트레이터인 김민지의 유튜브 채널입니다. 자신의 패션 디자인과 일러스트 작업 과정과 노하우를 소개하고 패션과 일러스트에 관한 팁과 정보를 공유합니다. 매주 한 번 영상을 업로드하며 구독자 수는 20만 명 이상입니다.

- 박준: 웹툰 작가이자 유튜버인 박준의 유튜브 채널입니다. 자신의 웹툰 작업 과정과 노하우를 소개하고 웹툰과 관련된 리뷰와 코멘터리를 공유합니다. 매주 두 번 영상을 업로드하며 구독자 수는 50만 명 이상입니다.

- 이수진: 그림 작가이자 블로거인 이수진의 유튜브 채널입니다. 자신의 그림일기와 에세이를 소개하고 그림에 관한 감상과 철학을 공유합니다. 매달 한 번 영상을 업로드하며 구독자 수는 10만 명 이상입니다.

그녀가 정보를 찾을 때 사용하는 구글 검색어는 다음과 같습니다.

- 그림으로 수익창출하는 방법

- 그림으로

프롬프트: 위 답변 계속해줘.

네. 계속하겠습니다.

- 그림으로 표현하는 방법
- 그림으로 이야기하는 방법
- 그림으로 브랜딩하는 방법
- 그림으로 즐기는 삶

그녀가 정보를 찾을 때 사용하는 다른 검색어는 다음과 같습니다.

- 그림 관련 책 추천
- 그림 관련 온라인 강의 추천
- 그림 관련 전시회 정보

- 그림 관련 인플루언서 추천

그녀가 정보를 찾을 때 사용하는 다른 플랫폼은 다음과 같습니다.

- 네이버 블로그: 그림에 관한 다양한 정보와 팁을 공유하는 블로그를 찾아
보고 댓글을 달거나 북마크를 합니다.
- 인스타그램: 그림에 관한 다양한 콘텐츠와 작품을 공유하는 인스타그램
계정을 팔로우하고, 좋아요나 댓글을 남기거나 DM을 보냅니다.
- 유튜브: 그림에 관한 다양한 영상과 튜토리얼을 공유하는 유튜브 채널을
구독하고, 좋아요나 댓글을 남기거나 알림을 설정합니다.

이상으로 박지영 잠재고객이 어떤 것에 열정을 갖고 있는지, 그녀의 목표와
꿈과 소망은 무엇인지, 어떤 제안을 해야 이런 꿈의 고객을 끌어들일 수 있는
지 구체적이고 상세한 예시를 들어서 정리해 드렸습니다. 감사합니다.★

질문 3. 그 고객의 관심을 사로잡기 위해서 당신이 사용할 수 있는 '미
끼(후크-스토리-제안)'는 무엇인가?

- 이 스토리의 목표는 고객과 친밀감을 쌓는 한편 당신의 제안
을 거부해야 한다는 고객의 잘못된 믿음을 깨뜨리는 것이다.
- 이 제안은 여러분이 꿈의 고객을 위해 만든 것이므로 고객이
원하는 바로 그 결과를 제공할 수 있다.
- 이 단계는 정확하게 수행하기만 한다면 당신이 타깃으로 삼
은 고객들만 끌어당길 것이며 표적이 아닌 고객은 제외될 것
이다.

프롬프트: 위에서 제시한 두 번째 고객 세그먼트인 '직장인이면서 사이드 프로젝트를 하고 있는 20~30대 MZ세대'에 속하는 박지영 페르소나의 관심을 사로잡기 위해서 '미끼가 될 수 있는 세일즈 레터'를 '고객의 흥미를 유도하는 후크-매력적인 스토리-거부할 수 없는 제안' 형태로 매우 구체적이고 상세한 예시를 들어서 작성해줘.
이 스토리의 목표는 고객과 친밀감을 쌓는 이 제안을 거부해야 한다는 고객의 잘못된 믿음을 깨뜨리는 것이야. 이 제안은 나의 꿈의 고객을 위해 만든 것이므로 고객이 원하는 바로 그 결과를 제공할 수 있어야 해. 이 단계는 정확하게 수행하기만 한다면 타깃 고객만 끌어당기고 타깃이 아닌 고객은 제외할 수 있어야 해.

▶ 박지영 잠재고객의 관심을 사로잡기 위해서 미끼가 될 수 있는 세일즈 레터를 후크, 매력적인 스토리, 거부할 수 없는 제안 형태로 작성해 드리겠습니다.

[세일즈 레터]

안녕하세요. 박지영 님.

저는 팬덤퍼널의 퍼스널 브랜딩 컨설팅 서비스를 운영하는 김민수라고 합니다.

저는 박지영 님의 그림을 인스타그램에서 보고 감명받았습니다. 박지영 님의 그림에는 박지영 님만의 색깔과 감성이 담겨 있습니다. 저는 박지영 님의 그림을 통해 박지영 님의 이야기와 감정을 느낄 수 있었습니다.

저는 박지영 님처럼 그림을 좋아하고 배우고 싶은 사람들이 많다고 생각합니다. 저는 박지영 님의 그림을 통해 다른 사람들에게 감동과 영감을 주고 싶습니다. 저는 박지영 님의 그림을 통해 수익을 창출하고 싶습니다.

하지만 저도 알고 있습니다. 그림을 사이드 프로젝트로 하면서 겪는 어려움과 고민을요.

• 사이드 프로젝트에 필요한 시간과 비용이 부족하다.

• 자신의 그림이 다른 사람들에게 어떻게 인식되는지 잘 모른다.

• 자신의 그림에 대한 열정과 전문성을 보여주고 관심 있는 사람들과 소통하고 피드백을 받는 방법을 모른다.

저도 이런 어려움과 고민을 겪었습니다. 저도 그림을 좋아하는 직장인이었습니다. 저도 사이드 프로젝트로 그림을 그리고 싶었습니다. 저도 자신의 그림으로 세상에 긍정적인 영향을 미치고 싶었습니다.

그래서 저는 팬덤퍼널의 퍼스널 브랜딩 컨설팅 서비스를 만들었습니다.

팬덤퍼널은 그림을 좋아하고 배우고 싶은 사람들을 위한 서비스입니다. 팬덤퍼널은 다음과 같은 것들을 제공합니다.

- 자신의 그림에 대한 열정과 전문성을 보여주고 관심 있는 사람들과 소통하고 피드백을 받으세요. 당신의 그림이 당신의 브랜드가 되는 순간을 함께 만들어 드리겠습니다.

- 자신의 그림을 다양한 채널로 배포하고 팬들과 소통

● ● ● ‹ › C ⟳ Q   ☆ ≡

프롬프트: 위 답변 계속해줘.

▶ 네. 계속하겠습니다.

- 자신의 그림을 다양한 채널로 배포하고 팬들과 소통하면서 피드백을 받고 개선할 기회를 드리겠습니다. 당신의 그림을 통해 수익을 창출하고, 다른 크리에이터들과 협업하고, 자신의 브랜드를 만들 수 있도록 도와드리겠습니다.

이런 서비스에 관심이 있으시다면 지금 바로 저에게 연락해주세요. 저는 박지영 님의 그림에 대한 열정과 전문성을 인정하고 박지영 님의 그림을 통해 세상에 긍정적인 영향을 미치고 싶다는 소망을 지지합니다. 그래서 저는 박지영 님께 특별한 제안을 하고자 합니다.

저는 팬덤퍼널의 퍼스널 브랜딩 컨설팅 서비스를 3개월 동안 무료로 이용할 기회를 드리겠습니다. 단, 박지영 님은 서비스를 이용하시면서 자신의 그림과 관련된 콘텐츠를 최소 한 달에 한 번 이상 공유하셔야 합니다. 그리고 서비스를 이용하신 후에는 저에게 피드백과 후기를 남겨주셔야 합니다.

이런 제안은 오늘만 유효합니다. 내일이 되면 다시는 받을 수 없는 기회입니다.

박지영 님, 지금 바로 결정해주세요. 저는 박지영 님의 그림을 세상에 알리고 싶습니다. 저는 박지영 님의 꿈을 함께 이루고 싶습니다.

저와 함께하시겠습니까?

그렇다면 지금 바로 아래의 버튼을 클릭해주세요.

[서비스 신청하기]

감사합니다.

팬덤퍼널의 퍼스널 브랜딩 컨설팅 서비스 운영자 김민수 올림.

질문 4. 그 고객을 위해 만들 수 있는 독특한 '결과'는 무엇인가?

- 당신이 완벽한 제안으로 꿈의 고객을 사로잡은 다음에 던져야 할 마지막 질문은 어떤 결과 혹은 가치를 고객에게 줄 것인가이다.
- 사업의 핵심은 고객에게 줄 수 있는 '결과'가 무엇이냐이다.
- 당신과 당신의 고객이 이 개념을 이해하기만 하면 가격은 더 이상 장애물이 되지 않는다.
- 당신은 일정 수준 이상의 잠재고객 수 또는 매출액을 보장하는 세일즈 퍼널을 제공할 수 있다. 여기에서 세일즈 퍼널이란 고객이 브랜드(상품이나 서비스)를 인지하고 구매하기까지의 일련의 단계를 의미한다.

●●● ‹ › C Q ☆ ☰

프롬프트: 위에서 제시한 두 번째 고객 세그먼트인 '직장인이면서 사이드 프로젝트를 하고 있는 20~30대 MZ세대'에 속하는 박지영 페르소나의 관심을 사로잡기 위해서 '미끼가 될 수 있는 세일즈 레터'를 '고객의 흥미를 유도하는 후크-매력적인 스토리-거부할 수 없는 제안' 형태로 매우 구체적이고 상세한 예시를 들어서 작성해줘.
내가 완벽한 제안으로 꿈의 고객을 사로잡은 다음에 던져야 할 마지막 질문은 어떤 결과 혹은 가치를 고객에게 줄 것인가야. 팬덤퍼널 사업에서 핵심적인 문제는 고객에게 줄 수 있는 '결과'가 무엇이냐이기 때문이야. 나와 내 고객이 이 개념을 이해하기만 하면 가격은 더 이상 장애물이 되지 않아. 고객은 가격과 상관없이 내 제안을 감사한 마음으로 받아들이게 돼. 이렇게 되면 나는 일정 수준 이상의 잠재고객 수 또는 매출액을 보장하는 매력적인 세일즈 퍼널을 제공할 수 있게 돼.

▶ 네. 알겠습니다.

박지영 페르소나 고객을 위해 만들 수 있는 독특한 '결과'는 다음과 같습니다.

• 박지영 님은 자신의 그림에 대한 열정과 전문성을 보여줄 수 있습니다. 박지영 님은 자신의 그림과 관련된 콘텐츠를 다양한 채널로 배포하고 관심 있는 사람들과 소통하고 피드백을 받을 수 있습니다. 박지영 님은 자신의 그림이 자신의 브랜드가 되는 순간을 경험할 수 있습니다.

• 박지영 님은 자신의 그림을 통해 수익을 창출할 수 있습니다. 박지영 님은 자신의 그림과 관련된 최신 마케팅, 자기계발, 창업, 투자 관련 트렌드를 알고 자신의 그림과 관련된 수익 모델을 만들고 적용할 수 있습니다. 박지영 님은 자신의 그림을 통해 월 100만 원 이상의 부수입을 얻을 수 있습니다.

• 박지영 님은 자신의 그림으로 세상에 긍정적인 영향을 미칠 수 있습니다. 박지영 님은 자신의 그림을 통해 다른 사람들에게 감동과 영감을 주고 다른 크리에이터들과 협업하고 자신의 브랜드를 만들 수 있습니다. 박지영 님은 자신의 그림을 통해 전시회나 출판 등의 큰 꿈을 이룰 수 있습니다.

이런 결과를 얻기 위해서는 팬덤퍼널의 퍼스널 브랜딩 컨설팅 서비스를 이용하셔야 합니다.

팬덤퍼널은 그림을 좋아하고 배우고 싶은 사람들을 위한 서비스입니다. 팬덤퍼널은 시간과 비용 효율적인 그림 제작 방법과 자신의 그림과 관련된 최신 마케팅, 자기계발, 창업, 투자 관련 트렌드를 공유해 드리고 자신의 그림에 대한 열정과 전문성을 보여주고 관심 있는 사람들과 소통하고 피드백을 받으세요. 당신의 그림이 당신의 브랜드가 되는 순간을 함께 만들어 드리겠습니다.

그런데 지금 바로 결정하셔야 합니다.

왜냐하면 저는 박지영 님께 특별한 제안을 하고 있기 때문입니다.

저는 팬덤퍼널의 퍼스널 브랜딩 컨설팅 서비스를 3개월 동안 무료로 이용할 기회를 드리겠습니다. 단, 박지영 님은 서비스를 이용하시면서 자신의 그림과 관련된 콘텐츠를 최소 한 달에 한 번 이상 공유하셔야 합니다. 그리고 서비스를 이용하신 후에는 저에게

● ● ● ⟨ ⟩ C Q   ☆ ≡

프롬프트: 위 답변 계속해줘.

▶️ 네. 알겠습니다.

- 저에게 피드백과 후기를 남겨주셔야 합니다.

이런 제안은 오늘만 유효합니다. 내일이 되면 다시는 받을 수 없는 기회입니다.

박지영 님, 지금 바로 결정해주세요. 저는 박지영 님의 그림에 대한 열정과 전문성을 인정하고 박지영 님의 그림을 통해 세상에 긍정적인 영향을 미치고 싶다는 소망을 지지합니다.

그래서 저는 박지영 님께 이런 독특한 '결과'를 제공할 수 있는 서비스를 제안하고 있습니다.

저와 함께하시겠습니까?

그렇다면 지금 바로 아래의 버튼을 클릭해주세요.

[서비스 신청하기]

감사합니다.

팬덤퍼널의 퍼스널 브랜딩 컨설팅 서비스 운영자 김민수 올림.

질문 5. 그 고객이 가진 목표를 3단계로 구체적으로 파악하고 타깃 고객이 원하는 가치market-in와 회사가 제공할 수 있는 가치product-out가

완벽하게 상호 매칭될 수 있는 차별화 포인트는 무엇인가?

- 타깃 고객의 목표를 다음 3단계로 명확하게 파악해야 한다.
  - ○ 최종 목표: (이 상품과 서비스를 통해서) 무엇을 달성하고 싶은가?
  - ○ 경험 목표: 사용자의 소중한 감정과 동기
  - ○ 생애 목표: 전체 인생에서 궁극적인 목표
- 타깃 고객이 원하는 가치와 회사가 제공할 수 있는 가치가 완벽하게 서로 일치하는 우리 회사만의 차별화 포인트는 무엇인가?

프롬프트: 위에서 제시한 두 번째 고객 세그먼트인 '직장인이면서 사이드 프로젝트를 하고 있는 20~30대 MZ세대'에 속하는 박지영 페르소나 고객의 목표를 '(1) 최종 목표: 무엇을 달성하고 싶은가 (2) 경험 목표: 사용자의 소중한 감정과 동기 (3) 생애 목표: 인생에서 궁극적인 목표' 이렇게 3단계로 구분해서 명확하게 파악해서 정리해줘. 그리고 이 고객이 원하는 가치와 회사가 제공 가능한 가치가 완벽하게 상호 매칭될 수 있게 만들기 위한 우리 회사만의 차별화 포인트는 무엇인지 매우 구체적이고 상세한 예시를 들어서 작성해줘.

▶ 네. 알겠습니다.

박지영 페르소나 고객의 목표를 3단계로 구분해서 파악하고 정리해 드리겠습니다.

- 최종 목표: 자신의 그림을 통해 다른 사람들에게 감동과 영감을 주고 자신의 콘텐츠를 통해 수익을 창출하는 것입니다.
- 경험 목표: 자신의 그림에 대한 열정과 전문성을 보여주고, 같은 취향과 취미를 가진 사람들과 소통하고, 협업하는 것입니다.
- 생애 목표: 자신의 재능과 가치를 인정받고, 자신의 그림을 전시하거나 출판하고, 자신의 브랜드를 만드는 것입니다.

이 고객이 원하는 가치와 회사가 제공할 수 있는 가치가 완벽하게 상호 매칭될 수 있게 만들기 위한 우리 회사만의 차별화 포인트는 다음과 같습니다.

- 우리 회사는 그림을 좋아하고 배우고 싶은 사람들을 위한 퍼스널 브랜딩 컨설팅 서비스를 제공합니다. 우리 회사는 고객의 그림에 대한 열정과 전문성을 인정하고 고객의 그림을 통해 세상에 긍정적인 영향을 미치고 싶다는 소망을 지지합니다.

- 우리 회사는 고객에게 시간과 비용 효율적인 그림 제작 방법과 자신의 그림과 관련된 최신 마케팅, 자기계발, 창업, 투자 관련 트렌드를 공유해 드리고, 자신의 그림에 대한 열정과 전문성을 보여주고, 관심 있는 사람들과 소통하고 피드백을 받으세요. 당신의 그림이 당신의 브랜드가 되는 순간을 함께 만들어 드리겠습니다.

- 우리 회사는 고객에게 자신의 그림을 다양한 채널로 배포하고 팬들과 소통하면서 피드백을 받고 개선할 기회를 드리겠습니다. 당신의 그림을 통해 수익을 창출하고, 다른 크리에이터들과 협업하고, 자신의 브랜드를 만들 수 있도록 도와드리겠습니다.

- 우리 회사는 고객에게 특별한 제안을 합니다. 저는 팬덤퍼널의 퍼스널 브랜딩 컨설팅 서비스를 3개월 동안 무료로 이용할 기회를 드리겠습니다. 단, 박지영 님은 서비스를 이용하시면서 자신의 그림과 관련된 콘텐츠를 최소 한 달에 한 번 이상 공유하셔야 합니다. 그리고 서비스를 이용하신 후에는 저에게 피드백과 후기를 남겨주셔야 합니다.

●　●　●　〈 〉 C　Q　　　　　　　　　　　　　　　　☆　≡

프롬프트: 위 답변 계속해줘.

▶ 네. 알겠습니다.

- 이 제안은 특별합니다. 우리 회사는 고객의 그림에 대한 열정과 전문성을 인정하고 고객의 그림을 통해 세상에 긍정적인 영향을 미치고 싶다는 소망을 지지하기 때문입니다. 우리 회사는 고객에게 서비스를 무료로 제공함으로써 고객의 그림과 관련된 콘텐츠를 만들고 공유하는 것을 장려하고, 고객의 그림에 대한 피드백과 후기를 받음으로써 고객의 그림을 개선하고, 발전시키는 것을 돕습니다. 우리 회사는 고객의 그림이 고객의 브랜드가 되는 순간을 함께 만들어 드리겠습니다.

- 이 제안은 오늘만 유효합니다. 내일이 되면 다시는 받을 수 없는 기회입니

다. 이 제안은 우리 회사가 고객에게 드리는 특별한 혜택이기 때문에 한정된 시간과 인원에만 제공됩니다. 이 제안을 놓치지 않으려면 지금 바로 결정하셔야 합니다.

- 이 제안을 수락하려면 아래의 버튼을 클릭해주세요. 버튼을 클릭하시면 서비스 신청 페이지로 이동하실 수 있습니다. 서비스 신청 페이지에서 간단한 정보를 입력하시고 서비스 이용 약관에 동의하시면 서비스를 바로 이용하실 수 있습니다.

[서비스 신청하기]

감사합니다.

팬덤퍼널의 퍼스널 브랜딩 컨설팅 서비스 운영자 김민수 올림.

질문 6. 이 제품과 서비스를 다른 회사가 아니라 왜 우리 회사가 만들어야 하는가?

- 우리 회사가 이 서비스를 만들었을 때 반드시 성공할 수 있다고 잠재고객이 납득하고 신뢰할 수 있는 스토리는 무엇인가?

프롬프트: 위에서 제시한 두 번째 고객 세그먼트인 '직장인이면서 사이드 프로젝트를 하고 있는 20~30대 MZ세대'에 속하는 박지영 페르소나 고객이 납득하고 신뢰할 수 있는 스토리라인을 명확하게 그릴 수 있도록 선명하게 정리해줘. 왜 다른 회사가 아닌, 우리 회사가 이 서비스를 만들었을 때 반드시 성공할 수 있다고 잠재고객이 이해하고 신뢰할 수 있는지 그 근거가 매우 구체적이어야 하고 그에 대해서 상세한 예시와 함께 작성해줘.

네. 알겠습니다.

박지영 페르소나 고객이 납득하고 신뢰할 수 있는 스토리라인을 선명하게 정리해 드리겠습니다.

스토리라인은 다음과 같습니다.

- 박지영 님은 그림을 좋아하는 직장인입니다. 박지영 님은 사이드 프로젝

트로 그림을 그리고 싶습니다. 박지영 님은 자신의 그림을 통해 다른 사람들에게 감동과 영감을 주고 자신의 콘텐츠를 통해 수익을 창출하고 싶습니다.

- 하지만 박지영 님은 그림을 사이드 프로젝트로 하면서 겪는 어려움과 고민을 해결할 수 없습니다. 박지영 님은 시간과 비용이 부족하고, 자신의 그림이 다른 사람들에게 어떻게 인식되는지 잘 모르고, 자신의 그림에 대한 열정과 전문성을 보여주고, 관심 있는 사람들과 소통하고 피드백을 받는 방법을 모릅니다.

- 그러던 중 박지영 님은 팬덤퍼널의 퍼스널 브랜딩 컨설팅 서비스를 알게됩니다. 팬덤퍼널은 그림을 좋아하고 배우고 싶은 사람들을 위한 서비스입니다. 팬덤퍼널은 고객의 그림에 대한 열정과 전문성을 인정하고 고객의 그림을 통해 세상에 긍정적인 영향을 미치고 싶다는 소망을 지지합니다.

- 팬덤퍼널은 고객에게 시간과 비용 효율적인 그림 제작 방법과 자신의 그림과 관련된 최신 마케팅, 자기계발, 창업, 투자 관련 트렌드를 공유해 드리고, 자신의 그림에 대한 열정과 전문성을 보여주고, 관심 있는 사람들과 소통하고 피드백을 받으세요. 당신의 그림이 당신의 브랜드가 되는 순간을 함께 만들어 드리겠습니다.

- 팬덤퍼널은 고객에게 자신의 그림을 다양한 채널로 배포하고 팬들과 소통하면서 피드백을 받고 개선할 기회를 드리겠습니다. 당신의 그림을 통해 수익을 창출하고, 다른 크리에이터들과 협업하고 자신의 브랜드를 만들 수 있도록 도와드리겠습니다.

- 팬덤퍼널은 고객에게 특별한 제안을 합니다. 저는 팬덤퍼널의 퍼스널 브랜딩 컨설팅 서비스를 3개월 동안 무료로 이용할 기회를 드리겠습니다. 단, 박지영 님은 서비스를 이용하시면서 자신의 그림과 관련된

지금까지 나만의 차별화 전략을 수립하는 프로세스를 챗GPT에게 안내하는 실습을 해보았습니다. 앞의 여섯 가지 질문에 대한 챗GPT의 답변을 확인하며 우리가 목표로 하는 타깃 고객을 더 잘 알게 됐습니다. 이렇게 고객을 잘 이해할수록 우리가 제안할 수 있는 서비스 가치가 명확해집니다.

우리 스스로 타깃 고객의 결핍과 불만이 무엇인지 명확하게 확인하고 우리가 제공하는 서비스를 통해서 그 결핍과 불만이 채워

질 수 있다는 확신을 갖게 되는 것이 중요합니다. 그 과정에서 왜 다른 회사가 아니라 우리 회사가 이 서비스를 제공해야만 하는지 스스로 설득될 것입니다. 그 결과 우리 회사만의 구체적인 차별화 포인트가 도출되는 프로세스를 이해하게 됩니다.

3

신규 브랜드와 상품을 타깃 고객에게 알리고 소통할 수 있는 다양한 소통 매체의 성향과 특성에 맞게 콘텐츠를 기획하고 메시지를 작성하는 법을 실습해보겠습니다. 챗GPT를 통해 도출한 나만의 차별화 포인트를 기반으로 후크-스토리-거부할 수 없는 제안에 대해서 좀 더 상세하게 작성해 보겠습니다. 이 과정에서 다양한 상황에서 타깃 고객의 구매동기(구매욕구)를 자극할 수 있는 후크-스토리-거부할 수 없는 제안에 대한 구체적인 예시를 많이 확인할 수 있습니다.

우리가 잠재고객에게 제시하는 각 '미끼' 조각들(예를 들어 광고, 이메일, 랜딩 페이지, 상향 판매, 웨비나, 전화통화 등)은 모두 후크-스토리-거부할 수 없는 제안을 담고 있어야 합니다. 이때 진행 순서는 1단계: 고객이 얻는 결과 → 2단계: 거부할 수 없는 제안 → 3단계: 스토리 → 4단계: 후크로 역순으로 진행합니다.

이번에는 앞에서 제시한 세 가지 타깃 고객 중에서 2차 타깃 고객을 대상으로 진행해보겠습니다.

2차 타깃 고객: 은퇴 이후에 자동 소득이 나오기를 기대하는 40~50대 X세대
- 직장에서 연차는 쌓이고 빠르게 관리자 또는 임원이 되기는 했습니다. 하지만 매년 내가 얼마나 더 직장을 다닐 수 있을까 불안합니다.
- 언제든지 후배들이 내 자리를 치고 올라올 수 있어서 체면이 떨어지기 전에 직장을 알아서 그만둬야 할 것 같습니다. 그런데 그다음에 무엇으로 먹고살아야 할지 모르겠습니다.

질문 1. 그 고객의 관심을 사로잡기 위해서 당신이 사용할 수 있는 '미끼'는 무엇인가?

- 타깃 고객이 내 안의 새로운 가치를 발견하여 미래에 대한 불안감을 해소하고, 주변에 나와 비슷한 사람과 공감의 소통을 하고, 나만의 전문성을 기반으로 나만의 콘텐츠 자산을 구축해서 미래에 대비하도록 합니다.
- 타깃 고객의 관심을 사로잡기 위해서 제공할 수 있는 미끼는 '최신 마케팅, 자기계발, 창업, 투자 관련 트렌드를 공유하는 무료 웨비나 세션 또는 강의 콘텐츠'입니다.

질문 2. 그 고객을 위해 만들 수 있는 독특한 '결과'는 무엇인가?

- 타깃 고객을 위해서 만들 수 있는 독특한 결과는 '자신의 재능과 경험을 기반으로 차별화된 콘텐츠 자산을 축적함으로써 자신의 재능과 가치를 발견하고 같은 생각과 방향성을 가진 팔로우들과 소통하면서 새로운 가치를 창출하는 크리에이터 마인드로 변화된다'는 점입니다.

이러한 2차 타깃 고객을 대상으로 팬덤퍼널의 꿈의 고객을 정의

하는 프롬프트를 작성해보겠습니다.

1단계: 고객이 얻을 결과물 보여주기

꿈의 고객이 누구인지 파악하고, 어디에 모여 있는지 알아내고, 관심을 사로잡을 미끼를 던집니다. 마지막에는 고객을 위해 어떤 결과를 만들 수 있는지 분명히 보여줍니다. 가치 사다리는 당신이 꿈의 고객에게 한층 더 높은 수준의 이득을 제공하면서도 돈을 벌 수 있는 역량을 키워줄 것입니다.

프롬프트: 위의 타깃 고객을 대상으로 팬덤퍼널의 퍼스널 브랜딩 서비스를 사용하면 어떤 결과를 얻을 수 있는지 마치 그림이 그려질 수 있도록 선명하게 정리해줘. 타깃 고객이 얻게 되는 실질적인 소득과 사회적인 영향력의 증대와 자기 효능감의 상승으로 인해서 자신감과 자존감이 높아진다는 것을 느낄 수 있게 표현해줘.

▶ 팬덤퍼널의 꿈의 고객은 '은퇴 이후의 자동 소득이 나오기를 기대하는 40~50대 X세대'로서 그동안 경력을 쌓아왔던 업무 또는 취미 영역을 기반으로 자신만의 차별적인 전문 영역으로 키우고 싶어합니다. 직장에서 연차는 쌓이고 빠르게 관리자 또는 임원이 되기는 했지만 매년 내가 얼마나 더 직장을 다닐 수 있을까 불안해합니다. 언제든지 후배들이 내 자리를 치고 올라올 수 있어서 체면이 떨어지기 전에 직장을 알아서 그만둬야 할 것 같습니다. 그런데 그 이후에는 무엇으로 먹고살아야 할지 잘 모르는 고객들입니다.

이 고객은 다양한 '자기계발, 창업, 업무 리더십, 동문 동창 커뮤니티'에서 열정적으로 최신 전문지식을 습득하고 있습니다. 이러한 꿈의 고객의 관심을 사로잡기 위해서 제공할 수 있는 미끼는 '최신 마케팅, 자기계발, 창업, 투자, 노후준비 관련 트렌드를 공유하는 무료 웨비나 세션 또는 강의 콘텐츠'입니다. 타깃 고객을 위해서 만들 수 있는 독특한 결과는 '내 안의 새로운 가치를 발견하여 미래에 대한 불안감을 해소하고, 주변에 나와 비슷한 사람과 공감의 소통을 하고, 나만의 전문성을 기반으로 나만의 콘텐츠 자산을 구축해서 미래에 대비하도록 하는 것입니다. 이를 통해 자신의 재능과 가치를 발견하고, 같은 생각과 방향성을 가진 팔로우들과 지속적으로 소통하면서 새로운 소득을 창출하고, 세상에 좋은 영향력을 제공하는 가치를 창출하는 크리에이터 마인드로 변화된다'는 점입니다.

- 팬덤퍼널은 자신의 재능과 가치를 발견하고, 이를 통해 미래에 대한 불안감을 해소하고, 주변에 나와 비슷한 사람과 공감 소통을 하고, 나만의 전문성을 기반으로 나만의 콘텐츠 자산을 구축해서 불안한 미래에 대비하도록 돕는 서비스 입니다[9].

- 팬덤퍼널은 인공지능 기술을 활용하여 유튜브 채널 운영, 마케팅 퍼널 설계, 직접 반응 카피 작성 등 다양한 콘텐츠 제작과 수익화 방법을 제공합니다[12].

- 팬덤퍼널은 자신의 콘텐츠를 통해 팬들과 지속해서 소통하면서 새로운 소득을 창출하고 세상에 좋은 영향력을 제공하는 가치를 창출하는 크리에이터 마인드로 변화할 수 있도록 돕습니다[13].

- 팬덤퍼널은 고객이 자신의 무한한 가능성과 매력과 지식과 노하우를 쉽게 발견하고, 매력적인 콘텐츠가 되게 하며, 퍼스널 브랜딩(부캐)을 완성하고 자신의 가치를 증대하고 실질적인 수익창출이 가능하게 합니다[14].

- 팬덤퍼널은 고객이 자신의 재능과 가치를 인정받고 같은 생각과 방향성을 가진 팔로우들과 함께 성장하고 자극과 영감을 주는 글로벌 팬덤퍼널로서 '당신의 위대함을 더 가치 있게Value up your greatness'를 달성하도록 돕습니다[15].

결론적으로 팬덤퍼널의 퍼스널 브랜딩 서비스를 사용하면 타깃 고객은 자신만의 전문 영역으로 키우고 싶은 업무 또는 취미 영역을 기반으로 인공지능 기술을 활용하여 다양한 콘텐츠를 제작하고 수익화할 수 있습니다. 또한 자신의 재능과 가치를 인정받고 같은 생각과 방향성을 가진 팔로우들과 함께 성장하면서 새로운 소득과 사회적인 영향력을 창출할 수 있습니다. 이를 통해 자기 효능감이 높아지고 자신감과 자존감이 높아집니다.

자세한 정보: 1. fandomfunnel.com   2. fandomfunnel.com   +4 더 보기

위 프롬프트를 빙을 통해서 답변을 받으면 다음과 같습니다.

왼쪽 페이지의 내용을 바탕으로 팬덤퍼널의 퍼스널 브랜딩 서비

스를 사용하면 얻을 수 있는 결과를 정리해 드리겠습니다.

프롬프트: 앞의 타깃 고객이 반드시 성공하도록 돕기 위해서 팬덤퍼널 퍼스널 브랜딩 컨설팅 서비스와 함께 추가로 제공할 수 있는 상품이나 서비스에는 어떤 것들이 있는지 다양한 아이디어를 10개만 제시해줘.

▶️ 안녕하세요. 이것은 빙입니다. 팬덤퍼널 퍼스널 브랜딩 컨설팅 서비스와 함께 제공할 수 있는 상품이나 서비스에 대한 아이디어를 10개 제시해 드리겠습니다. 이 아이디어들은 웹 검색 결과를 바탕으로 만들었습니다.

1. 링크드인 개발: 타깃 고객의 온라인 브랜드 전략을 도와주고 링크드인 프로필을 최적화하고 콘텐츠를 제작해주는 서비스입니다[1].

2. 리더십 코칭: 타깃 고객의 리더십 역량을 강화하고, 비전과 목표를 설정하고 자신감과 영향력을 높이는 서비스입니다[2].

3. 프로페셔널 스타일리스트 상담: 타깃 고객의 이미지와 스타일을 개선하고 적절한 의상과 액세서리를 추천해주는 서비스입니다[3].

4. 로고 제작: 타깃 고객의 개인 브랜드를 대표하는 로고를 디자인해주는 서비스입니다[4].

5. 평판 관리: 타깃 고객의 온라인 평판을 모니터링하고, 부정적인 콘텐츠나 리뷰를 제거하고, 긍정적인 콘텐츠나 테스트모니얼을 확보하는 서비스입니다[5].

6. 디지털 마케팅 전략: 타깃 고객의 개인 브랜드를 온라인에서 홍보하고 유입 트래픽과 전환율을 높이는 서비스입니다[6].

7. 소셜 미디어 관리: 타깃 고객의 소셜 미디어 계정을 운영하고, 팔로우와 상호작용하고, 적절한 해시태그와 콘텐츠를 제공하는 서비스입니다[7].

8. 웹사이트 제작: 타깃 고객의 개인 브랜드를 소개하고 포트폴리오나 이력서를 보여주는 웹사이트를 제작해주는 서비스입니다[7].

9. 블로그 작성: 타깃 고객의 전문성과 가치를 드러내는 블로그 글을 작성해주는 서비스입니다[6].

10. 팟캐스트 출연: 타깃 고객의 개인 브랜드와 관련된 주제로 팟캐스트에 출연하고 인터뷰나 Q&A를 진행하는 서비스입니다[8].

이상으로 팬덤퍼널 퍼스널 브랜딩 컨설팅 서비스와 함께 제공할 수 있는 상품이나 서비스에 대한 아이디어 10개를 드렸습니다. 도움이 되셨기를 바랍니다.

자세한 정보: 1. reputationx.com　2. josephliu.co　3. personalbrand.com　4. brandyourself.com
　　　　　　5. hingemarketing.com　6. delightfulcommunications.com　−간략히 보기

●　●　●　〈　〉　C　Q　　　　　　　　　　　　　　　　　☆　≡

프롬프트: 위의 타깃 고객이 반드시 성공하도록 돕기 위해서 팬덤퍼널 퍼스널 브랜딩 컨설팅 서비스와 함께 추가로 제공할 수 있는 상품이나 서비스에는 어떤 것들이 있는지 다양한 아이디어를 10개만 제시해줘.

위 프롬프트를 챗GPT를 통해서 답변을 받으면 다음과 같습니다.

팬덤퍼널 퍼스널 브랜딩 컨설팅 서비스와 함께 추가로 제공할 수 있는 상품이나 서비스 아이디어는 다음과 같습니다.

1. 온라인 교육 콘텐츠: 전문가들이 강의하는 다양한 주제의 온라인 강좌를 제공하여 고객의 지식과 기술을 향상시킬 수 있습니다.

2. 멘토링 프로그램: 업계 전문가들을 멘토로 선정하여 고객에게 1:1로 멘토링을 제공하고 고객이 자신의 전문 분야에서 성공할 수 있는 도움을 받을 수 있도록 합니다.

3. 네트워킹 이벤트: 고객이 서로의 경험과 정보를 교환할 수 있는 온오프라인 네트워킹 이벤트를 주기적으로 개최합니다.

4. 콘텐츠 제작 지원: 고객이 자신의 전문성을 표현할 수 있는 블로그, 영상, SNS 등의 콘텐츠 제작을 지원하는 서비스를 제공합니다.

5. 포트폴리오 리뷰: 고객의 이력서, 포트폴리오, 자기소개서 등의 자료를 전문가들이 리뷰하고 피드백을 제공하는 서비스를 제공합니다.

6. PR과 미디어 지원: 고객이 자신의 전문성을 알릴 수 있는 기사, 인터뷰, 컬럼 등의 미디어 홍보를 지원하는 서비스를 제공합니다.

7. 브랜드 아이덴티티 디자인: 고객의 퍼스널 브랜드를 시각적으로 표현할 수 있는 로고, 명함, 웹사이트 등의 디자인을 제공하는 서비스를 제공합니다.

8. 마케팅 전략 컨설팅: 고객이 자신의 퍼스널 브랜드를 성공적으로 홍보할 수 있는 마케팅 전략을 수립하고 실행할 수 있도록 도움을 제공합니다.

9. 커리어 코칭: 고객이 자신의 진로와 목표를 명확하게 설정하고 그에 맞는 전략을 수립할 수 있도록 커리어 코칭 서비스를 제공합니다.

10. 맞춤형 리서치 서비스: 고객의 전문 분야와 관심사에 맞는 최신 트렌드, 시장 분석, 기술 정보 등을 제공하는 맞춤형 리서치 서비스를 제공합니다. 이를 통해 고객은 자신의 전문 영역에서 경쟁력을 높일 수 있습니다.

이러한 요소들을 포함한 거부할 수 없는 제안은 고객에게 맞춤화된 전략과 서비스를 제공함으로써 브랜드의 성공적인 구축과 시장에서의 경쟁력 향상을 도모할 수 있습니다. 또한 이를 바탕으로 고객은 지속적으로 성장하고 발전할 기회를 얻게 돼 거부하기 힘든 가치를 느끼게 됩니다.

위 프롬프트를 챗GPT를 통해서 답변을 받으면 다음과 같습니다.

프롬프트: 팬덤퍼널의 퍼스널 브랜딩 서비스를 이용한 40~50대 X세대 고객은 다음과 같은 결과를 얻을 수 있습니다.

1. 전문적 지식 습득과 실질적 소득 창출

팬덤퍼널의 무료 웨비나 세션 또는 강의 콘텐츠를 통해 최신 마케팅, 자기계발, 창업, 투자, 노후 준비 관련 트렌드를 습득하게 되고 이를 바탕으로 자신만의 전문 영역을 구축하고 차별화된 콘텐츠를 만들어 소득을 창출할 수 있습니다.

2. 사회적 영향력의 증대

자신의 전문성을 바탕으로 나만의 콘텐츠 자산을 구축하고 크리에이터 마인드로 변화함으로써 같은 생각과 방향성을 가진 팔로우들과 소통하며 세상에 좋은 영향력을 제공할 수 있게 됩니다.

3. 자기 효능감과 자신감 상승

자신만의 전문 영역과 콘텐츠 자산을 구축하면서 주변 사람들과 공감 소통을 통해 미래에 대한 불안감을 해소할 수 있습니다. 이를 통해 자기 효능감이 높아지고 그 경험을 바탕으로 자신감과 자존감이 높아질 것입니다.

4. 커뮤니티 활용과 네트워킹

동문 동창 커뮤니티를 통해 유사한 목표를 가진 사람들과 함께 성장할 수 있고 서로의 경험과 지식을 공유하면서 네트워킹 기회를 얻을 수 있습니다.

결론적으로 팬덤퍼널의 퍼스널 브랜딩 서비스를 이용한 40~50대 X세대 고객은 전문적 지식 습득과 소득 창출, 사회적 영향력 증대, 자기 효능감과 자신감 상승, 그리고 커뮤니티 활용과 네트워킹을 통한 성장의 기회를 얻게 됩니다. 이를 바탕으로 불안한 미래에 대비하고 새로운 인생 2막을 설계할 수 있게 됩니다. 이 과정에서 고객은 다음과 같은 이점들을 더욱 깊게 느낄 수 있습니다.

5. 지속적인 성장과 변화

팬덤퍼널의 퍼스널 브랜딩 서비스를 통해 지속적으로 새로운 정보와 기술을 습득하고 전문성을 키워나갈 수 있습니다. 이를 통해 고객은 시장의 변화에 유연하게 대응할 수 있으며 자신의 전문 영역에서 지속적으로 성장할 수 있습니다.

6. 다양한 경로로의 확장

고객이 쌓아온 경험과 전문성을 바탕으로 창업이나 투자 등 다양한 경로로 활동 영역을 확장할 수 있게 됩니다. 이를 통해 고객은 자신의 경력과 취미를 더욱 풍요롭게 만들 수 있으며 은퇴 후에도 자신의 가치를 지속적으로 발휘할 수 있게 됩니다.

7. 인생의 만족도 상승

팬덤퍼널의 퍼스널 브랜딩 서비스를 이용함으로써 고객은 자신의 재능과 가치를 최대한 활용하게 되며 인생의 만족도와 행복감이 상승하게 됩니다. 또한 자신이 성취한 것들을 동료들과 공유하면서 함께 성장하는 즐거움을 느낄 수 있습니다.

8. 노후 생활의 안정화

팬덤퍼널의 퍼스널 브랜딩 서비스를 통해 쌓아온 전문성과 소득을 바탕으로 노후 생활을 안정적으로 준비할 수 있습니다. 이를 통해 고객은 은퇴 후에도 불안감 없이 삶을 이어나갈 수 있게 됩니다.

종합적으로 보면 팬덤퍼널의 퍼스널 브랜딩 서비스를 이용한 40~50대 X세대 고객은 자신의 새로운 가치를 발견하고, 미래에 대한 불안감을 해소하고, 다양한 영역에서 성장하고 안정적인 노후 생활을 준비할 기회를 얻게 됩니다. 이러한 경험을 통해 고객은 자신의 인생 2막에 대한 비전을 구체화하고 삶의 질을 높일 수 있게 됩니다. 추가로 다음과 같은 효과들도 기대할 수 있습니다.

9. 가족과의 관계 개선

팬덤퍼널의 퍼스널 브랜딩 서비스를 통해 고객은 자신의 가치를 발견하고 자신감을 회복함으로써 가족과의 관계도 개선될 것입니다. 가족과 함께 공유할 수 있는 성공 경험과 즐거움을 늘릴 수 있으며, 이를 통해 가족 간의 유대감을 강화할 수 있습니다.

10. 동료와의 협력 강화

팬덤퍼널의 퍼스널 브랜딩 서비스를 이용하면서 고객은 동료들과 함께 성장할 기회를 얻게 됩니다. 서로의 전문성과 경험을 공유하며 협력적인 관계를 구축할 수 있습니다. 이를 통해 업무 또는 사업에서 성공할 확률이 높아지며 동료들과의 관계도 개선될 것입니다.

11. 사회 공헌 활동 참여

고객은 팬덤퍼널의 퍼스널 브랜딩 서비스를 통해 얻은 전문성과 영향력을 바탕으로 사회 공헌 활동에도 더 적극적으로 참여할 수 있게 됩니다. 그럼으로써 고객은 자신의 경험과 지식을 더 넓은 사회와 공유하며 세상에 긍정적인 변화를 만들어갈 수 있습니다.

12. 시간 관리와 효율성 향상

팬덤퍼널의 퍼스널 브랜딩 서비스를 통해 고객은 자신의 시간을 더 효율적으로 활용할 수 있게 됩니다. 자신만의 전문 영역을 키우면서 시간을 효과적으로 관리할 수 있는 능력도 함께 향상되고 고객은 일과 삶의 균형을 찾을 수 있게 됩니다. 최종적으로 팬덤퍼널의 퍼스널 브랜딩 서비스를 이용한 40~50대 X세대 고객은 다음과 같은 결과를 얻을 수 있습니다.

13. 네트워크 확장

팬덤퍼널의 퍼스널 브랜딩 서비스를 통해 고객은 자신의 전문 분야에서 인지도를 높이고 동료들과 업계 전문가들과의 네트워크를 확장할 수 있습니다. 이를 통해 고객은 새로운 기회와 정보를 얻을 수 있고 경력 발전과 사업 성장에 도움이 되는 인맥을 구축할 수 있습니다.

14. 경쟁력 강화

팬덤퍼널의 퍼스널 브랜딩 서비스를 통해 고객은 자신만의 독특한 전문성을 확립하게 돼 경쟁력이 강화됩니다. 이러한 경쟁력은 고객이 자신의 업무나 사업에서 더 두각을 나타낼 수 있게 해주며 시장에서 지속적으로 성공할 수 있는 기반이 마련됩니다.

15. 적응력 향상

팬덤퍼널의 퍼스널 브랜딩 서비스를 통해 고객은 변화하는 시장 상황에 빠르게 적응할 수 있는 능력을 키울 수 있습니다. 이를 통해 고객은 미래의 불확실성에 대처할 수 있으며 새로운 기회와 도전을 두려워하지 않고 받아들일 수 있게 됩니다.

16. 자아성찰과 자기계발

팬덤퍼널의 퍼스널 브랜딩 서비스는 고객이 자신의 가치와 역량을 깊이 이해하고 개발하는 데 도움을 줍니다. 이를 통해 고객은 자신의 삶의 목표와 방향성을 명확히 인식하게 되며 개인적인 성장과 발전을 위한 계획을 세울 수 있습니다.

이처럼 팬덤퍼널의 퍼스널 브랜딩 서비스를 이용한 40~50대 X세대 고객은 자신의 전문성을 확립하고 새로운 가치를 창출합니다. 그럼으로써 불안한 미래에 대비할 수 있는 기반이 마련되며 인생 2막을 성공적으로 준비하고 이어나갈 수 있습니다. 이를 통해 고객은 자신의 삶의 질을 높이고 실질적인 소득과 사회적 영향력의 증대를 이룰 수 있습니다. 또한 자기 효능감이 높아져 자신감과 자존감이 상승하게 돼 삶의 만족도가 향상되며 주변 사람들과의 관계 역시 긍정적으로 변화할 것입니다.

17. 명확한 목표 설정

팬덤퍼널의 퍼스널 브랜딩 서비스를 통해 고객은 자신의 삶에 대한 명확한 목표를 설정할 수 있게 됩니다. 이를 통해 고객은 더욱 집중적이고 효과적인 노력을 기울여 자신의 목표를 달성할 수 있으며 이 과정에서 성취감과 만족감을 느낄 수 있습니다.

18. 스트레스 감소

팬덤퍼널의 퍼스널 브랜딩 서비스를 통해 고객은 자신의 역량을 극대화하고 미래에 대한 불안감을 줄일 수 있습니다. 이를 통해 고객은 스트레스를 감소시킬 수 있으며 삶의 만족도를 높일 수 있습니다.

19. 성장의 기회 증가

팬덤퍼널의 퍼스널 브랜딩 서비스를 통해 고객은 자신의 전문성을 지속적으로 발전시킬 수 있는 기회를 얻게 됩니다. 이를 통해 고객은 지속적인 성장을 이룰 수 있으며 자신의 경력과 사업에서 더욱 성공할 수 있는 기반이 마련됩니다.

20. 긍정적인 에너지 전파

팬덤퍼널의 퍼스널 브랜딩 서비스를 통해 고객은 자신의 긍정적인 에너지와 성공 경험을 주변 사람들과 공유할 수 있게 됩니다. 이를 통해 고객은 타인에게 영감을 주는 역할을 할 수 있으며 더 나은 세상을 만드는 데 기여할 수 있습니다.

결론적으로 팬덤퍼널의 퍼스널 브랜딩 서비스를 이용한 40~50대 X세대 고객은 자신의 전문성을 확립하고 새로운 가치를 창출하면서 삶의 만족감을 증대할 수 있습니다.

2단계: 거부할 수 없는 제안하기

- 거부할 수 없는 제안
  - 판매되는 제품의 고객 인기 가치를 높입니다. 경쟁자들의 다른 제품과 차별성을 가지도록 독특하게 만들며 오로지 당신이 제시하는 특별한 제안을 수락할 때만 살 수 있게 만듭니다.
- 제안 스택
  - 어떤 제안을 하든 간에 내가 제안하는 상품의 전체 가치가 이 상품에 매기는 가격의 10배가 되도록 만듭니다.
  - 어떤 물건을 팔려고 하는데 가격 저항이 존재한다면 그 물건이 충분히 싸게 보일 정도로 충분히 많은 가치를 만들어 내지 못했다는 의미입니다.
- 제안 내용에 포함할 수 있는 항목
  - 현재 판매하는 제품이나 서비스를 살펴본 후 당신이 꿈에 그리는 고객에게 더 나은 결과를 가져올 만한 것들을 알아냅니다.
  - 핵심 제안의 가치를 높이기 위해 추가할 수 있는 모든 제품과 서비스를 적어봅니다.

- 제안하는 방법 배우기
  - 제품을 하나의 제안으로 전환함으로써 그 제품의 가치를 높이려면 어떤 요소를 추가할 수 있는지 파악합니다.
  - 1단계: 당신의 꿈의 고객이 반드시 성공하도록 돕기 위해서 추가로 제공할 수 있는 것이 무엇인가? 그러려면 다양한 아이디어를 최대한 많이 브레인스토밍해야 합니다.
  - 2단계: 거부할 수 없는 제안을 만들려면 이 아이디어들에서 어떤 요소들을 골라야 할까요?

●●●‹›C Q   ☆ ≡

프롬프트: 위의 타깃 고객이 반드시 성공하도록 돕기 위해서 '거부할 수 없는 제안'을 만들려면 위 아이디어들에서 어떤 요소들을 골라야 할지 제안해줘. 그 근거는 무엇인지도 함께 제안해줘.

✓ 'how to create an irresistible offer' 검색 중

✓ 답변을 생성하는 중……

▶ 타깃 고객에게 '거부할 수 없는 제안'을 만들려면 다음과 같은 요소들을 고려해야 합니다.

- 가치 제시: 타깃 고객이 원하는 결과나 이익을 명확하고 간결하게 제시해야 합니다. 예를 들어 '내 안의 새로운 가치를 발견하고, 미래에 대한 불안감을 해소하고, 나만의 콘텐츠 자산을 구축하는 방법을 배우세요'와 같은 문구를 사용할 수 있습니다[1].
- 시간 절약: 타깃 고객이 원하는 결과를 달성하는 데 필요한 시간을 줄여주는 방법을 제공해야 합니다. 예를 들어 '30일 안에 나만의 콘텐츠 자산을 구축하는 비밀을 알려드립니다'와 같은 문구를 사용할 수 있습니다[2].
- 희소성: 타깃 고객이 제안을 놓치지 않기 위해 서둘러야 한다는 느낌을 주는 방법을 사용해야 합니다. 예를 들어 '선착순 10명만 받는 특별한 혜택을 놓치지 마세요'나 '오늘까지만 50% 할인된 가격으로 신청하세요'와 같

은 문구를 사용할 수 있습니다[2].

- 사회적 증거: 타깃 고객이 제안에 대한 신뢰와 만족도를 높이는 방법을 제공해야 합니다. 예를 들어 '이미 1,000명 이상의 고객이 이 서비스로 성공적인 개인 브랜드를 구축했습니다.'

자세한 정보: 1. reputationx.com 2. josephliu.co 3. personalbrand.com −간략히 보기

3단계: 스토리셀링 만들기

아무리 위대한 제안이라도 그것만의 힘으로는 구매로 이어지기 쉽지 않습니다. 꿈의 고객이 판매자의 제안을 받아들이게 하려면 고객이 판매자를 신뢰하게 만드는 스토리가 필요합니다. 바로 스토리셀링Story-Selling입니다.

● ● ● 〈 〉 ↻   Q   ☆ ☰

프롬프트: 위의 타깃 고객이 반드시 성공하도록 돕기 위한 '거부할 수 없는 제안'을 만들기 위해서 판매자 또는 다른 성공한 고객의 어떤 매력적인 스토리를 들려줘야 하는지, 또한 반드시 구매하도록 만들 수 있을지 제안해줘. 그 근거는 무엇인지도 함께 제안해줘.

위 프롬프트를 빙을 통해서 답변을 받으면 다음과 같습니다.

▶ 이 질문에 답하기 위해서 웹 검색 결과를 참고했습니다. 팬덤퍼널의 타깃 고객이 반드시 성공하도록 돕기 위한 '거부할 수 없는 제안'을 만들기 위해서는 다음과 같은 요소들을 고려해야 합니다.

- 시장: 팬덤퍼널의 서비스가 해결해줄 수 있는 아주 고통스러운 문제가 무엇인지, 그 문제를 가진 한 명의 구체적인 고객 인물이 누구인지 정의해야 합니다[4].
- 가치: 팬덤퍼널의 서비스가 고객에게 제공하는 가치는 무엇인지, 그 가치를 측정할 수 있는 지표는 무엇인지 명확하게 표현해야 합니다[5].

- 증거: 팬덤퍼널의 서비스가 실제로 효과가 있는지 증명할 수 있는 증거가 필요합니다. 이 증거는 판매자 또는 다른 성공한 고객의 스토리, 테스트모니얼, 사례 연구, 리뷰 등이 될 수 있습니다[1].

- 보너스: 팬덤퍼널의 서비스를 구매하는 고객에게 추가적인 가치를 제공하는 보너스를 제공해야 합니다. 이 보너스는 고객의 문제를 더 빠르게 해결하거나 더 쉽게 해결하거나 더 잘 해결할 수 있도록 도와주는 것이어야 합니다[3].

예를 들어 팬덤퍼널의 서비스를 다음과 같이 제안할 수 있습니다.

팬덤퍼널은 40~50대 X세대를 위한 전문성 기반 콘텐츠 자산 구축 플랫폼입니다. 팬덤퍼널을 통해 당신은 자신의 경력이나 취미를 바탕으로 나만의 전문 영역을 만들고 그 영역에서 최고의 크리에이터가 돼 소득을 창출할 수 있습니다. 팬덤퍼널은 당신에게 최신 트렌드와 전문지식을 공유하는 무료 웨비나 세션과 강의 콘텐츠를 제공하고 당신의 가치를 발견하고 공유할 수 있는 크리에이터 마인드로 변화시키는 결과를 약속합니다. 이미 수백 명의 X세대가 팬덤퍼널을 통해 자신만의 콘텐츠 자산을 구축하고 매월 수천 달러 이상의 수익을 올리고 있습니다. 그들 중 일부의 스토리와 성공 비결을 이곳에서 확인할 수 있습니다. (링크 첨부) 지금 팬덤퍼널에 가입하시면 다음과 같은 보너스를 받으실 수 있습니다.

- 1:1 전문가 상담: 팬덤퍼널의 전문가들이 당신의 전문 영역을 정의하고, 콘텐츠 전략을 수립하고, 마케팅과 판매를 도와줄 수 있는 1:1 상담을 제공합니다. 이 상담은 팬덤퍼널의 서비스 가입 후 30일 이내에 이용하실 수 있습니다.

- 콘텐츠 제작 툴킷: 팬덤퍼널이 당신에게 콘텐츠 제작에 필요한 모든 툴과 리소스를 제공합니다. 이 툴킷에는 콘텐츠 아이디어 생성기, 콘텐츠 아웃라인 템플릿, 콘텐츠 제작 가이드북, 콘텐츠 검수 체크리스트 등이 포함됩니다.

- 크리에이터 커뮤니티: 팬덤퍼널의 크리에이터 커뮤니티에 가입하시면 다른 크리에이터들과 소통하고 협업하고 서로 도움을 주고받을 수 있습니다. 커뮤니티에서는 정기적으로 웨비나, Q&A, 네트워킹 등의 이벤트가 진행됩니다.

팬덤퍼널은 당신이 자신의 전문성을 기반으로 콘텐츠 자산을 구축하고 소득을 창출할 수 있도록 모든 것을 준비해 놓았습니다. 당신은 단지 팬덤퍼널에 가입하고, 당신의 전문 영역을 선택하고, 콘텐츠를 만들고 공유하기만 하면 됩니다. 지금 바로 팬덤퍼널에 가입하시고, 당신의 미래를 확실히 잡으세요!

자세한 정보: 1. thecoursecartel.com   2. forbes.com   3. youtube.com

프롬프트: 위의 타깃 고객이 반드시 성공하도록 돕기 위한 '거부할 수 없는 제안'을 만들기 위해서 판매자 또는 다른 성공한 고객에 대한 어떤 매력적인 스토리를 들려줘야 반드시 구매하도록 만들 수 있을지 제안해줘. 그 근거는 무엇인지도 함께 제안해줘.

위 프롬프트를 챗GPT를 통해서 답변을 받으면 다음과 같습니다.

타깃 고객에게 거부할 수 없는 제안을 만들기 위한 매력적인 스토리는 다음과 같습니다.

제목: X세대, 50대 이후에도 불안하지 않은 성공적인 두 번째 인생을 살아간 김 부장님의 이야기

내용: 어느 날 50대를 바라보며 자신의 미래에 불안을 느끼던 김 부장님은 팬덤퍼널의 무료 웨비나 세션을 접하게 됩니다. 그는 이 웨비나에서 자신의 취미와 업무 역량을 활용해 차별화된 전문성을 구축하는 방법을 배웁니다. 그동안 쌓아온 업무 경험과 관련된 독특한 콘텐츠를 개발하기 시작합니다. 이를 통해 나름의 인기를 얻고 소셜 미디어를 통해 팔로우들과 소통하며 새로운 소득의 가능성을 발견하게 됩니다.

이 웨비나를 통해 김 부장님은 자신의 취미를 활용한 창업 아이디어를 발견하고 투자 전략을 세우게 됩니다. 그 결과 은퇴 후에도 안정적인 소득을 창출하며 불안하지 않은 두 번째 인생을 시작할 수 있었습니다. 또한 동료들과 동문 동창 커뮤니티에서 비슷한 고민을 하는 사람들과 공감을 나누며 서로 돕고 성장하는 관계를 형성할 수 있었습니다.

이 스토리의 근거는 다음과 같습니다.

1. 타깃 고객의 불안감과 공감대를 형성하기 위해 40~50대 X세대의 은퇴와 미래에 대한 불안감을 주요 주제로 설정하였습니다.

2. 웨비나 세션에서 제공되는 최신 마케팅, 자기계발, 창업, 투자, 노후준비 관련 정보를 활용하여 불안감을 해소하고 미래를 준비하는 모습을 담았습니다.

3. 고객이 원하는 결과로서 자신만의 전문성을 기반으로 콘텐츠 자산을 구축하고 주변 사람들과 소통하며 안정적인 미래를 준비하는 모습을 보여주었습니다.

4. 실제 고객의 변화된 삶을 통해 팬덤퍼널의 서비스가 얼마나 효과적인지를 강조하였습니다.

이러한 스토리를 통해 타깃 고객은 팬덤퍼널의 서비스를 통해 사신들의 불안감을 해소하고 새로운 가능성을 발견할 수 있다는 것을 깨닫게 됩니다. 또한 실제 고객의 성공 사례를 듣게 되면 구매 의사를 더욱 확고하게 결정할 수 있을 것입니다.

이 스토리를 토대로 만든 웨비나 또는 온라인 교육 프로그램을 제공함으로써 타깃 고객이 쉽게 접근할 수 있도록 하고 요구와 기대에 부응하는 서비스를 제공할 수 있습니다. 이를 통해 고객이 원하는 결과를 얻을 수 있도록 돕고 문제와 고민을 해결하는 데 기여할 수 있습니다.

결국 팬덤퍼널의 서비스는 타깃 고객의 불안감을 해소하고 새로운 삶의 가치를 찾아주는 거부할 수 없는 제안이 될 것입니다. 이러한 제안을 통해 고객은 팬덤퍼널과 함께 성공적인 두 번째 인생을 준비할 수 있을 것입니다.

4단계: 후크 작성하기

후크는 그 자체로는 아무런 가치도 제공하지 않지만 사람들의 관심이 스토리에 쏠리게 유도합니다. 또 스토리 하나하나에는 수십 개의 제각기 다른 후크가 들어 있습니다. 예를 들어 다이어트 경험 스토리에는 다음과 같은 후크가 있습니다.

○ 자기 스토리를 다른 사람들에게 들려주는 영상

○ 긴 여정을 보여주는 '비포와 애프터' 사진

○ 자신의 제품을 사용하는 모습을 찍은 사진

○ 사람들의 관심을 사로잡는 음식 사진

○ 체중 감소 또는 증가와 관련된 헤드라인

프롬프트: 앞의 타깃 고객이 반드시 성공하도록 돕기 위해서 매력적인 스토리를 들려주기 전에 타깃 고객의 관심을 바로 한눈에 받을 수 있는 후크를 3개만 제안해 줘. 이러한 후크를 제시한 근거가 무엇인지도 함께 제안해줘.

위 프롬프트를 빙을 통해서 답변을 받으면 다음과 같습니다.

▶ 이 질문에 답하기 위해서 웹 검색 결과를 참고했습니다. 타깃 고객의 관심을 바로 즉시 한눈에 집중해서 받기 위해서 주목을 끌기 위한 후크를 만들기 위해서는 다음과 같은 방법들이 있습니다.

1. 통계적인 후크: 타깃 고객이 관심을 가질 만한 통계적인 사실이나 숫자를 제시하는 방법입니다. 이 방법은 고객에게 신뢰도와 충격감을 줄 수 있습니다. 예를 들어 "40~50대 X세대의 80%가 자신의 노후 준비에 대해 불안하다고 답했습니다. 그런데 당신은 어떻습니까?"

2. 인용문 후크: 타깃 고객이 존경하거나 인정하는 인물의 말을 인용하는 방법입니다. 이 방법은 고객에게 권위성과 영감을 줄 수 있습니다. 예를 들어 "스티브 잡스는 '늘 갈망하며 우직하게 나아가라Stay hungry, stay foolish.'라고 말했습니다. 당신은 자신의 전문성을 발전시키고 새로운 도전을 하고 싶지 않습니까?"

3. 이야기 후크: 타깃 고객이 공감하거나 흥미를 느낄 수 있는 이야기를 들려주는 방법입니다. 이 방법은 고객에게 감정적인 연결과 호기심을 줄 수 있습니다. 예를 들어 "김철수 씨는 20년간 회사원으로 일하다가 은퇴를 하게 되었습니다. 그는 자신의 경력과 취미를 바탕으로 콘텐츠 자산을 구축하고 싶었지만 어떻게 시작해야 할지 막막했습니다. 그러던 중 그는 팬덤 퍼널이라는 서비스를 알게 되었고……"

4. 질문 후크: 타깃 고객에게 관련된 질문을 던지는 방법입니다. 이 방법은 고객에게 참여와 피드백을 유도할 수 있습니다. 예를 들어 "당신은 자신의 전문성을 바탕으로 콘텐츠 자산을 구축하고 싶습니까? 그렇다면 이 서비스가 당신을 위한 것입니다."

5. 도전 후크: 타깃 고객에게 자신의 능력이나 지식을 시험해보도록 도전하는 방법입니다. 이 방법은 고객에게 경쟁심과 자신감을 불러일으킬 수 있습니다. 예를 들어 "당신은 자신의 전문 영역에 대해 얼마나 잘 알고 있습니까? 이 퀴즈를 풀어보세요. 당신이 정말 전문가라면 10문제 중 8문제 이상은 맞출 수 있어야 합니다."

6. 반전 후크: 타깃 고객에게 예상치 못한 사실이나 정보를 제시하는 방법입니다. 이 방법은 고객에게 놀라움과 호기심을 줄 수 있습니다. 예를 들어 "당신은 콘텐츠 자산을 구축하는 것이 어렵고 복잡하다고 생각할 수 있습니다. 하지만 사실은 그렇지 않습니다. 당신이 필요한 것은 단 하나의 간단한 공식입니다."

자세한 정보: 1. elearningindustry.com   2. grammarly.com   3. indeed.com

---

프롬프트: 앞의 타깃 고객이 반드시 성공하도록 돕기 위한 '거부할 수 없는 제안'을 만들기 위해서 판매자 또는 다른 성공한 고객에 대한 어떤 매력적인 스토리를 들려줘야 반드시 구매하도록 만들 수 있을지 제안해줘. 그 근거는 무엇인지도 함께 제안해줘.

위 프롬프트를 챗GPT를 통해서 답변을 받으면 다음과 같습니다.

타깃 고객의 관심을 한눈에 집중해서 받기 위한 주목을 끌기 위한 후크를 다음과 같이 제안합니다.

1. 후크: "당신의 노후를 위한 안정된 소득원, 이미 당신 안에 있습니다!" 근거: 타깃 고객의 가장 큰 고민인 은퇴 후의 소득 문제를 해결할 수 있다는 메시지를 강조하며 고객이 이미 갖고 있는 역량을 통해 해결할 수 있다는 점을 부각시킵니다.

2. 후크: "당신의 취미가 놀라운 미래의 성공 비결이 될 수 있습니다!" 근거: 고객이 관심을 가질 만한 취미를 활용한 성공 사례를 제시함으로써 호기심을 자극하고 미래의 성공을 이룰 수 있다는 가능성을 제시합니다.

3. 후크: "X세대 여러분, 불안한 미래를 대비하세요! 당신만의 전문성으로 안정된 노후를 맞이합시다!" 근거: 타깃 고객인 X세대에 직접적으로 호소하여 불안감을 해소하고 안정적인 노후를 준비할 방법을 제공한다는 점을 강조합니다.

이러한 후크들은 타깃 고객의 공통된 불안감과 고민을 해결할 수 있는 메시지를 강조하며 고객이 관심을 가질 수 있는 키워드를 활용하여 호기심을 자극합니다. 이를 통해 고객이 주목하고 관심을 가질 확률이 높아질 것입니다.

5장

고객 가치를 높이는 퍼널 설계하기

Chat AI

1

매력적인 부캐 만들기

인간적인 매력을 느끼게 하는 부캐의 구성요소, 타깃 고객의 문제해결을 위한 역할 설정, 그리고 매력적인 스토리라인을 구성하는 법을 실습해보겠습니다.

타깃 고객은 자신이 누리게 될 가치와 이득이라는 결과를 찾아서 판매자의 세상으로 왔다가 판매자와 관계를 맺고 그 세상에 머무르게 됩니다. 결국 브랜드란 한 기업이 제안하는 것들에 적용하는 이미지이자 개성입니다. 매력적인 캐릭터는 판매자가 가치 사다리를 통해 제시하는 모든 제안의 가치를 한층 더 높이기 위해 그 제안들에 응용하는 브랜드입니다.

매력적인 캐릭터를 구성하는 요소에는 다음과 같은 것들이 있습니다.

• 배경 이야기: 배경 이야기를 사람들에게 자주 합니다.

- 비유: 비유로 말합니다.
- 캐릭터의 흠결: 자기 성격의 결점을 사람들에게 말합니다.
- 양극성: 대조되는 집단의 양쪽의 힘을 명확하게 보여주면서 긴장을 조성하고 독자를 집중시키는 방법으로 활용합니다.

매력적인 캐릭터의 정체성에는 다음과 같은 것들이 있습니다.
- 지도자(리더): 사람들을 한 지점에서 다른 지점으로 이끄는 것이 목표인 사람입니다.
- 모험가(운동가): 보통 호기심이 많지만 모든 문제에 해답이 있지는 않습니다. 자신이 직접 그 결과를 찾아와서 사람들에게 가르쳐줍니다.
- 기자(복음주의자): 다른 사람들에게 가르쳐주고 싶은 새로운 길을 아직 개척한 것은 아니지만 그런 욕구가 있는 사람입니다. 사람들에게 온갖 것들을 물어본 다음에 배운 것들을 다른 사람들에게 알려줍니다.
- 겸손한 영웅: 자신과 같은 사람들에게 알려주고 싶은 도덕적 의무를 갖고 있는 사람입니다. 겸손한 영웅은 부끄러움을 떨쳐내고 사람들에게 알리려고 합니다.

매력적인 캐릭터를 돋보이게 하는 스토리라인에는 다음과 같은 것들이 있습니다.
- 상실과 구원: 어느 정도의 성공을 얻었지만 시련으로 인해 모두 잃습니다. 이때 다시 용기를 내서 구원 여정으로 성공을 거

둡니다.

- 우리 대 그들: 자신의 이야기를 듣는 사람들(성공에 필요한 일을 기꺼이 하는 사람들)과 이에 응하지 않는 사람들로 나누고 우리 편을 더욱 가깝게 끌어당겨 상대편에게 강하게 반대하도록 만듭니다.

- 이전 대 이후: 변혁과 관련된 것으로 예를 들어 다이어트 이전 과 이후, 금융 시장에서 성공하기 이전과 이후, 제품과 서비스 의 결과가 나타나기 이전과 이후 등이 있습니다.

- 놀라운 발견: 꿈의 고객에게 가치와 이득을 제공하는 동시에 고객 여정에 함께하면서 또 다른 상품을 선택하는 데 도움이 되는 새로운 것을 끊임없이 발견합니다.

- 비밀 말하기: 당신이 알고 있는 비밀 또는 다른 사람에게 들은 비밀을 사람들에게 말합니다. 좋은 비밀은 당신의 이야기 속 으로 사람들을 강력하게 끌어들입니다.

- 제삼자 추천: 누군가가 당신의 제품이나 서비스 덕분에 성공을 거두었다는 사실을 널리 알립니다. 이는 다양한 사람들이 제시 해주는 사회적 증거를 통해서 고객에게 들려주는 이야기의 정 당성을 강력하게 보장해주는 효과가 있습니다. 만족한 고객의 리뷰, 별점, 추천을 최대한 많이 확보하고 그 이야기를 사람들 에게 반복해서 들려주어야 합니다.

프롬프트: 앞의 타깃 고객이 반드시 성공하도록 돕기 위해서 '거부할 수 없는 제안'을 하는 '매력적인 캐릭터'를 설정해줘. 이때 매력적인 캐릭터를 구성하는 요소와 정체성을 각각 설정하고 매력적인 캐릭터를 돋보이게 하는 스토리라인도 정리해줘. 이렇게 제안한 근거가 무엇인지도 함께 제안해줘.

위 프롬프트를 빙을 통해서 답변을 받으면 다음과 같습니다.

웹 검색 결과에 따르면, 매력적인 캐릭터를 만들기 위해서는 다음과 같은 요소들이 필요합니다[1][2][3].

- 강렬한 욕망, 목표, 비밀, 모순, 취약점

- 개성적이고 일관된 특성과 행동

- 과거의 경험과 배경

- 거짓된 믿음과 진실에 대한 갈등

- 독자와 공감할 수 있는 감정과 동기

이러한 요소들을 바탕으로 팬덤퍼널 서비스를 위한 매력적인 캐릭터를 설정해보겠습니다.

캐릭터의 이름은 김민수라고 하겠습니다. 김민수는 45세 남성으로 20년간 대기업에서 마케팅 부서 부장으로 일해왔습니다. 그는 자신의 업무에 자부심을 품고 있으며 뛰어난 성과와 리더십으로 직장에서 인정받고 있습니다. 그러나 그는 자신의 직장이 불안하고 무미건조하다고 느끼며 자신의 삶에 의미와 가치를 찾고 싶어합니다. 그는 어릴 적부터 음악에 관심이 많았으며 피아노와 기타를 잘 다룹니다. 그는 음악을 통해 자신의 감정과 생각을 표현하고 싶어합니다. 하지만 가족과 주변의 반대로 인해 음악을 포기하고 직장인의 길을 선택했습니다.

김민수의 욕망은 자신의 음악적 재능과 가치를 발견하고, 그럼으로써 미래에 대한 불안감을 해소하고, 주변에 나와 비슷한 사람과 공감과 소통을 하고, 나만의 전문성을 기반으로 나만의 콘텐츠 자산을 구축해서 불안한 미래에 대비하도록 하는 것입니다.

김민수의 비밀은 음악에 대한 열정을 숨기고 있다는 것입니다. 그는 회사에서는 엄격하고 진지한 이미지를 유지하려고 하며 가족에게는 음악을 취미로만 여기게 하려고 합니다. 그는 자신이 음악에 대해 얼마나 애정하고 얼마나 잘하는지 공개하기를 두려워합니다. 그는 자신의 진짜 모습을 드러내면 회사에서 신뢰를 잃거나 가족이 실망할까 봐 걱정합니다.

김민수의 모순은 마케팅 전문가임에도 불구하고 자신의 음악 콘텐츠를 홍보하는 방법을 잘 모른다는 것입니다. 그는 다른 사람들의 제품이나 서비스를 분석하고 전략을 세우는 것은 잘하지만 자신의 창작물에 대해서는 부끄럽고 소극적인 태도를 보이고 있습니다.

김민수의 취약점은 음악에 대한 자신감이 부족하다는 것입니다. 그는 자신의 음악이 다른 사람들에게 어떻게 받아들여질지 모르기 때문에 공유하거나 피드백을 받는 것을 꺼립니다. 그는 자신의 음악이 아주 좋지는 않다고 생각하며 자신의 음악적 재능과 가치를 인정받지 못할까 봐 두려워합니다.

김민수의 스토리라인은 다음과 같습니다.

- 김민수는 팬덤퍼널 서비스에 대해 인터넷에서 우연히 알게 되고 자신의 음악적 재능과 가치를 발견하고 싶은 마음에 가입합니다.
- 김민수는 팬덤퍼널 서비스에서 자신의 음악 취향과 관심사를 기반으로 맞춤형 콘텐츠를 제공받습니다. 그는 다양한 음악 장르와 스타일을 배우고 자신의 음악적 감각과 표현력을 향상시킵니다.
- 김민수는 팬덤퍼널 서비스에서 자신만의 전문 영역을 정하고 자신의 음악 콘텐츠를 만들기 시작합니다. 그는 자신의 음악에 대한 비전과 목표를 설정하고 자신의 음악을 공유하고 피드백을 받는 방법을 배웁니다.
- 김민수는 팬덤퍼널 서비스에서 자신과 비슷한 사람들과 소통하고 협업합니다. 그는 자신의 음악에 대해 공감하고 지지해주는 팔로우들을 얻고 다른 크리에이터들과 함께 프로젝트를 진행하거나 이벤트에 참여합니다.
- 김민수는 팬덤퍼널 서비스에서 자신의 콘텐츠 자산을 구축하고 관리합니다. 그는 자신의 음악 콘텐츠를 통해 수익을 창출하고 브랜딩과 마케팅을 통해 자신의 음악적 가치와 영향력을 확대합니다.

이러한 스토리라인은 김민수가 팬덤퍼널 서비스를 통해 자신의 욕망을 달성하고 비밀을 극복하고 모순을 해소하고 취약점을 극복하는 과정을 보여줍니다. 이는 독자들에게 김민수가 어떻게 변화하는지와 그 변화가 어떤 의미가 있는지를 알려주며, 김민수에게 공감하고 관심을 가지게 합니다.

자세한 정보: 1. writersdigest.com   2.writersrelief.com   3. psyche.co   4. writersdigest.com
         -간략히 보기

앞 프롬프트를 챗GPT를 통해서 답변을 받으면 다음과 같습니다.

⑥ '거부할 수 없는 제안'을 하는 '매력적인 캐릭터'는 다음과 같이 설정할 수 있습니다:

캐릭터 이름: 이 코치님

정체성: 50대 전문가로서 다양한 분야에서 활약하며 성공한 경험을 가진 친절하고 따뜻한 멘토

매력적인 캐릭터 구성 요소:

1. 친근한 이미지: 고객이 쉽게 접근하고 대화할 수 있는 친절한 이미지를 갖추어 고객의 거리감을 줄입니다.

2. 전문성과 경험: 다양한 분야에서 성공한 경험과 전문지식을 바탕으로 고객에게 신뢰할 수 있는 조언과 지도를 제공합니다.

3. 공감 능력: 고객의 불안감과 고민을 잘 이해하고 공감해주며 적절한 해결책을 제시합니다.

매력적인 캐릭터를 돋보이게 하는 스토리라인:

이 코치님은 어느 날 자신의 노후에 대한 불안감을 느끼던 한 부장님을 만나게 됩니다. 이 코치님은 그동안의 경험과 전문지식을 바탕으로 부장님에게 취미와 업무 역량을 활용해 차별화된 전문성을 구축하는 방법을 제시합니다. 이를 통해 부장님은 새로운 소득원을 창출하게 되고 불안감을 해소하게 됩니다. 이 코치님은 이러한 경험을 바탕으로 더 많은 X세대에게 도움을 주기로 하고 팬덤퍼널의 웨비나 세션에서 직접 강의를 하게 됩니다. 이렇게 해서 이 코치님은 많은 X세대에게 두 번째 인생의 성공을 끌어내는 핵심 요소가 돼줍니다.

이렇게 제안한 근거는 다음과 같습니다:

1. 고객이 이 코치님과 공감할 수 있는 부분을 강조해 고객의 불안감과 고민

을 이해하고 해결해줄 수 있는 캐릭터를 구성했습니다.

2. 이 코치님의 전문성과 경험을 바탕으로 고객에게 신뢰할 수 있는 조언과 지도를 제공할 수 있다는 점을 강조해 고객이 팬덤퍼널의 서비스를 믿고 이용하도록 유도하였습니다.

3. 이 코치님의 친절하고 따뜻한 이미지를 활용하여 고객이 쉽게 접근하고 소통할 수 있는 환경을 제공함으로써 고객의 만족도를 높이고 지속적으로 서비스를 이용하도록 독려하였습니다.

이렇게 설정된 매력적인 캐릭터인 이 코치님을 통해 타깃 고객은 자신들의 불안감과 고민을 해결할 수 있는 거부할 수 없는 제안을 받게 됩니다. 또한 이 코치님과의 친근한 소통과 전문적인 조언으로 인해 고객은 자신만의 차별화된 전문성을 구축하고 미래에 대한 불안감을 해소할 수 있게 됩니다. 팬덤퍼널은 이 코치님 캐릭터를 통해 타깃 고객에게 높은 만족도와 성공 가능성을 제공하게 되어 고객이 지속적으로 서비스를 이용하고 추천할 확률이 높아질 것입니다.

2

특정 시장에서 이미 성공적으로 상품 또는 서비스를 파는 사람을 찾을 수 있다면 역설계할 수 있습니다. 이 과정을 퍼널 해킹Funnel Hacking이라고 하고 이런 일을 하는 사람들을 퍼널 해커라고 합니다. 직접적인 경쟁자는 고객층이 같으며 판매하는 제품도 매우 비슷한 사람 또는 회사를 말하고 간접적인 경쟁자는 고객층이 같지만 판매하는 제품은 전혀 다른 사람이나 회사를 말합니다. 또한 동일한 유형의 세일즈 퍼널로 상품을 파는 사람은 웨비나 또는 책 세일즈 퍼널 사용에 대해서 참고하고 모델링할 때 활용합니다.

퍼널 해킹을 하는 방법은 다음과 같습니다.

- 모델링하고 싶은 퍼널 10개 이상을 확보한 뒤에 실제 고객의 입장에서 세일즈 퍼널을 모두 파악합니다.
- 광고 → 랜딩 페이지 → 제안 → 상향구매 과정을 분석합니다.

- 후크-스토리-제안이 어떻게 배치되고 구성돼 있는지 살펴봅니다.

실제로 그들의 세일즈 퍼널에 들어가서 제품을 구매하면서 진행되는 모든 것을 실시간으로 경험하고 확인할 수 있습니다. 꿈의 고객이 경쟁자에게 등을 돌리고 당신을 찾아오게 만들려면 더 나은 후크-스토리-제안을 해야 합니다.

● ● ● 〈 〉 C Q   ☆ ≡

프롬프트: 팬덤퍼널의 꿈의 고객에게 비슷한 서비스를 제공하는 경쟁자들을 파악해줘. 대표적인 예시는 '김미경 TV'라고 생각해. 하지만 더 넓은 범위에서 경쟁자들을 파악해줘. 그리고 그 경쟁자들이 잘하는 세일즈 퍼널을 해킹해줘. 퍼널 해킹의 목적은 팬덤퍼널의 꿈의 고객이 경쟁자에게 등을 돌리고 팬덤퍼널을 찾아오게 만들기 위해 더 나은 후크, 더 나은 스토리, 더 나은 제안을 하기 위해서야.

위 프롬프트를 빙을 통해서 답변을 받으면 다음과 같습니다.

▷ 웹 검색 결과에 따르면 팬덤퍼널의 경쟁자들로는 다음과 같은 서비스들이 있습니다.

- 힙Heap: 웹사이트와 앱의 사용자 행동을 자동으로 추적하고 분석하는 플랫폼입니다. 사용자들의 전체 고객 여정을 파악하고 최적화된 제품과 마케팅 전략을 수립할 수 있습니다[1][2].
- 글래스박스Glassbox: 웹사이트와 앱의 사용자 경험을 실시간으로 캡처하고 재생하는 플랫폼입니다. 사용자들의 행동과 감정을 이해하고, 문제점을 신속하게 해결하고, 전환율을 높일 수 있습니다[1].
- 키스메트릭스Kissmetrics: 웹사이트와 앱의 사용자 행동을 추적하고 분석하는 플랫폼입니다. 사용자들의 개인화된 프로필을 생성하고 세분화하고 타깃팅할 수 있습니다[1][2].

- 앰플리튜드 애널리틱스Amplitude Analytics: 웹사이트와 앱의 사용자 행동을 추적하고 분석하는 플랫폼입니다. 사용자들의 전체 고객 여정을 파악하고 제품의 성과를 측정하고 개선할 수 있습니다[1][2].

이러한 경쟁자들의 세일즈 퍼널을 해킹하기 위해서는 다음과 같은 전략들을 적용할 수 있습니다.

- 더 나은 후크: 경쟁자들은 주로 사용자 행동 분석이라는 기능 위주로 서비스를 홍보합니다. 팬덤퍼널은 이보다 더 나은 후크로서 사용자의 전문성을 바탕으로 콘텐츠 자산을 구축하고 소득을 창출할 수 있는 크리에이터 마인드를 가르쳐준다는 점을 강조할 수 있습니다. 이는 40~50대 X세대의 은퇴 이후에도 자동 소득이 나오기를 바라는 꿈의 고객의 공감대를 높일 수 있습니다.

- 더 나은 스토리: 경쟁자들은 주로 데이터와 숫자로 서비스의 효과를 설명합니다. 팬덤퍼널은 이보다 더 나은 스토리로서 팬덤퍼널 서비스를 통해 콘텐츠 자산을 구축하고 소득을 창출한 성공 사례를 들어줄 수 있습니다. 이는 40~50대 X세대의 직장에서 불안함을 느끼고 있는 꿈의 고객의 동기 부여를 높일 수 있습니다.

- 더 나은 제안: 경쟁자들은 주로 유료 서비스를 제공하거나 무료 체험 기간이 제한적입니다. 팬덤퍼널은 이보다 더 나은 제안으로서 최신 트렌드를 공유하는 무료 웨비나 세션 또는 강의 콘텐츠를 제공하고, 무료 웨비나 세션 또는 강의 콘텐츠를 제공하고, 고객에게 팬덤퍼널 서비스의 가치를 전달하고, 유료 플랜으로 업그레이드할 기회를 제공할 수 있습니다. 이는 40~50대 X세대의 새로운 지식을 배우고 싶은 꿈의 고객의 관심을 끌 수 있습니다.

이상으로 팬덤퍼널의 경쟁자들을 파악하고 세일즈 퍼널을 해킹하는 방법에 대해 설명해 드렸습니다. 팬덤퍼널 서비스에 대해 더 궁금하신 점이 있으시면 언제든지 문의해 주세요. 감사합니다.

자세한 정보: 1. gartner.com 2. g2.com 3. khanacademy.org

프롬프트: 팬덤퍼널의 꿈의 고객에게 비슷한 서비스를 제공하는 경쟁자들을 파악해줘. 대표적인 예시는 '김미경 TV'라고 생각해. 하지만 더 넓은 범위에서 경쟁자들을 파악해줘. 그리고 그 경쟁자들이 잘하는 세일즈 퍼널을 해킹해줘. 퍼널 해킹의 목적은 팬덤퍼널의 꿈의 고객이 경쟁자에게 등을 돌리고 팬덤퍼널을 찾아오게 만들기 위해 더 나은 후크, 더 나은 스토리, 더 나은 제안을 하기 위해서야.

위 프롬프트를 챗GPT를 통해서 답변을 받으면 다음과 같습니다.

⑤ 타깃 고객에게 비슷한 서비스를 제공하는 경쟁자들을 파악한 결과 대표적으로 '김미경 TV'와 함께 '이승환 마케팅 아카데미' '박창수의 리더십 아카데미' '정재일의 노후준비 아카데미' 등이 있습니다. 이들 경쟁자는 각각 자신들의 전문성을 바탕으로 노후 준비, 창업, 투자 등에 관한 다양한 정보와 교육을 제공하고 있습니다.

세일즈 퍼널 해킹을 통해 경쟁자들이 잘하는 부분을 참고하고 팬덤퍼널의 서비스를 더욱 개선하기 위한 방법은 다음과 같습니다.

• 후크 개선: 경쟁자들의 사례를 분석하여 사용한 후크가 어떤 감정을 자극하는지 파악하고 팬덤퍼널의 후크를 더욱 감정적으로 풍성하게 만들어 고객의 관심을 끌 수 있도록 개선합니다.

• 예시: "당신의 노후를 위한 안정된 소득원, 이미 당신 안에 있습니다!" → "당신의 인생 역전 비결, 당신의 손 안에 숨겨져 있습니다!"

• 스토리 개선: 경쟁자들의 스토리 구성 방식을 분석하여 어떤 전략으로 고객의 동기부여와 몰입을 이끌어내는지 파악하고 팬덤퍼널의 스토리를 더욱 흥미롭고 인상적으로 만들어 고객의 관심을 유지할 수 있도록 개선합니다.

• 예시: 이 코치님의 성공 사례를 통해 드라마틱한 전환을 보여주는 스토리를 만들어 고객의 몰입을 유도합니다.

• 제안 개선: 경쟁자들의 제안을 분석하여 어떤 가치를 제공하고, 어떤 요소를 강조하는지 파악하고, 팬덤퍼널의 제안을 더욱더 매력적이고 독창적으로 만들어 고객의 결제 유도를 강화합니다.

• 예시: 이 코치님의 1:1 멘토링, 전문가와의 네트워킹 기회, 실제 사례를 바탕으로 한 실전 전략 등 독특한 가치를 제공함으로써 경쟁자들과 차별화를 도모합니다.

이러한 세일즈 퍼널 해킹을 통해 팬덤퍼널은 경쟁자들과 비교했을 때 더욱 매력적인 후크와 스토리 제안을 갖추게 돼 꿈의 고객이 팬덤퍼널을 찾아오도록 만들 수 있습니다. 또한 경쟁자들이 간과한 부분을 파악하여 그 부분을 강화함으로써 고객에게 더 나은 경험을 제공하고 결국 더 많은 고객의 선호와 충성도를 얻을 수 있게 됩니다.

결론적으로 경쟁자들의 세일즈 퍼널을 해킹하여 팬덤퍼널의 서비스를 개선하고 타깃 고객에게 더 나은 후크와 스토리와 제안을 제공합니다. 그럼으로써 경쟁자들의 고객이 이동하도록 유도할 수 있습니다. 이를 통해 꿈의 고객이 팬덤퍼널에서 성공적인 경험을 얻을 수 있도록 도와줄 것입니다.

●●●〈〉C Q   ☆ ≡

프롬프트: 팬덤퍼널의 꿈의 고객에게 비슷한 서비스를 제공하고 있는 '김미경 TV'의 세일즈 퍼널을 단계별로 분석해줘. 이때 팬덤퍼널이 반드시 참고해야 할 강점을 정리해주고 어떻게 활용하면 더 차별화된 세일즈 퍼널을 만들 수 있는지 구체적으로 제안해줘.

앞의 프롬프트를 빙을 통해서 답변을 받으면 다음과 같습니다.

▶ 웹 검색 결과에 따르면 '김미경 TV'의 세일즈 퍼널은 다음과 같은 단계로 구성돼 있습니다.

• 인지 단계: 유튜브, 인스타그램, 페이스북 등의 SNS 채널을 통해 다양한 주제의 동영상과 글을 공유하고 팔로우들과 소통합니다. 꿈, 연애, 직장 생활, 경제 문제 등에 대해 이야기를 풀어나가며 많은 청중의 공감을 받습니다. 또한 강연이나 방송 출연 등을 통해 자신의 전문성과 인지도를 높입니다[1][2][3][4].

• 관심 단계: 유튜브대학이라는 온라인 교육 플랫폼을 운영하고 다양한 강사들의 강의 콘텐츠를 온라인으로 제공합니다. 이를 통해 고객에게 자신의 서비스의 가치를 전달하고 유료 플랫폼인 MKYU로 업그레이드할 수 있는 기회를 제공합니다[5].

• 행동 단계: MKYU라는 유료 플랫폼에서는 김미경 강사와 다른 전문가들의 실시간 강의와 코칭을 받을 수 있습니다. 또한 커뮤니티 기능을 통해 같은 목표와 방향성을 가진 사람들과 소통하고 협력할 수 있습니다[6].

이러한 세일즈 퍼널을 분석하고 팬덤퍼널이 반드시 참고해야 할 강점은 다음과 같습니다.

- SNS 활용: 김미경 TV는 SNS 채널을 통해 다양한 콘텐츠를 공유하고 팔로우들과 소통하는 데 능숙합니다. 이를 통해 고객의 관심과 신뢰를 얻고 자신의 서비스에 대한 인지도와 유입량을 높일 수 있습니다. 팬덤퍼널도 SNS 채널을 활용하여 자신의 서비스에 대한 정보와 가치를 전파하고 고객과 소통하는 능력을 갖추어야 합니다.

- 온라인 교육: 김미경 TV는 온라인 교육 플랫폼을 운영하고 다양한 강사들의 강의 콘텐츠를 제공합니다. 이를 통해 고객에게 자신의 서비스 가치를 전달하고 유료 플랫폼으로 업그레이드할 기회를 제공합니다. 팬덤퍼널도 온라인 교육 플랫폼을 운영하고 자신만의 차별화된 강의 콘텐츠를 제공하여 고객의 관심과 구매욕과 더 나은 세일즈 퍼널을 만들기 위해서는 다음과 같은 제안을 드립니다.

- 더 나은 콘텐츠: 김미경 TV는 다양한 주제의 콘텐츠를 제공하지만 팬덤퍼널은 자신의 전문 영역인 콘텐츠 자산 구축과 소득 창출에 초점을 맞춘 콘텐츠를 제공할 수 있습니다. 이를 통해 고객에게 자신의 서비스의 차별점과 가치를 강조할 수 있습니다. 또한 콘텐츠의 품질과 실용성을 높여서 고객의 만족도와 재구매율을 높일 수 있습니다.

- 더 나은 커뮤니티: 김미경 TV는 유료 플랫폼에서 커뮤니티 기능을 제공하지만 팬덤퍼널은 무료 플랫폼에서도 커뮤니티 기능을 제공할 수 있습니다. 이를 통해 고객들에게 자신의 서비스에 대한 신뢰와 애정을 높일 수 있습니다. 또한 커뮤니티에서 공유되는 성공사례나 후기를 활용하여 다른 고객에게 자신의 서비스를 홍보할 수 있습니다.

- 더 나은 오퍼: 김미경 TV는 유료 플랫폼에서 실시간 강의와 코칭을 제공하지만 팬덤퍼널은 유료 플랫폼에서 더 많은 혜택과 가치를 제공할 수 있습니다. 콘텐츠 자산 구축과 소득 창출에 필요한 도구나 자료를 제공하거나 전문가들과의 네트워킹이나 멘토링 기회를 제공하거나 콘텐츠 자산을 활용할 수 있는 플랫폼이나 파트너사와의 협력을 지원하는 등의 오퍼를 만들 수 있습니다.

이상으로 김미경 TV의 세일즈 퍼널을 분석하고 팬덤퍼널이 반드시 참고해야 할 강점과 더 나은 세일즈 퍼널을 만들기 위한 제안에 대해 설명해 드렸습니다. 팬덤퍼널 서비스에 대해 더 궁금하신 점이 있으시면 언제든지 문의해 주세요. 감사합니다.

자세한 정보: 1. mydramalist.com   2.namu.wiki   3. en.wikipedia.org   4. imdb.com

●●● ⟨ ⟩ C ␣ Q ☆ ≡

프롬프트: 팬덤퍼널의 꿈의 고객에게 비슷한 서비스를 제공하고 있는 '김미경 TV'의 세일즈 퍼널을 단계별로 분석해줘. 이때 팬덤퍼널이 반드시 참고해야 할 강점을 정리해 주고 어떻게 활용하면 더 차별화된 세일즈 퍼널을 만들 수 있는지 구체적으로 제안해줘.

위 프롬프트를 챗GPT를 통해서 답변을 받으면 다음과 같습니다.

⑤ '김미경 TV'의 세일즈 퍼널은 다음과 같이 단계별로 구성돼 있습니다.

- 인지 단계: SNS, 유튜브, 블로그 등 다양한 채널을 활용하여 타깃 고객에게 브랜드와 서비스를 알립니다. 이 단계에서 김미경 TV는 콘텐츠의 품질과 다양성을 강조해 고객의 관심을 끌어모읍니다.

- 관심 단계: 유익한 무료 콘텐츠를 제공하며 고객의 관심을 유지합니다. 이 단계에서 김미경 TV는 전문지식을 쉽게 이해할 수 있는 방식으로 전달하고 개인적인 경험을 공유해 고객과의 공감대를 형성합니다.

- 고려 단계: 이메일 뉴스레터, 웹사이트, SNS 등을 통해 고객에게 정기적으로 콘텐츠를 제공하고 유료 강의와 프로그램에 대한 정보를 전달합니다. 이 단계에서 김미경 TV는 고객의 필요와 관심사를 충족시키는 다양한 주제를 다룹니다.

- 구매 단계: 고객이 결제를 원활하게 진행할 수 있도록 구매 페이지를 최적화하고 다양한 결제 수단을 제공합니다. 또한 할인과 프로모션 등을 통해 고객의 구매를 유도합니다.

- 재구매 단계: 구매한 고객에게 추가적인 가치를 제공하고 새로운 강의와 프로그램을 소개하여 재구매를 유도합니다. 이를 위해 김미경 TV는 고객의 피드백을 수집하고 끊임없이 콘텐츠와 서비스를 개선합니다.

팬덤퍼널이 참고해야 할 강점:

- 다양한 채널을 활용한 브랜드 인지도 향상

- 고객과의 공감대 형성을 위한 개인적인 경험 공유

- 쉽게 이해할 수 있는 전문지식 전달

- 고객의 필요와 관심사를 충족시키는 다양한 주제 다루기

차별화된 세일즈 퍼널을 만들기 위한 구체적인 제안:

- 더욱 세분화된 타깃 고객 선정: 팬덤퍼널은 김미경 TV와 같은 경쟁자들보다 더욱 세분화된 타깃 고객을 선정하여 특별한 니즈를 파악하고 그에 맞는 콘텐츠를 제공할 수 있습니다.

- 커뮤니티 활성화: 팬덤퍼널은 고객들끼리 소통할 수 있는 커뮤니티를 만들어 관심사를 공유하고 서로 도움을 주고받을 수 있는 환경을 조성할 수 있습니다. 이를 통해 고객의 만족도와 충성도를 높일 수 있습니다.

- 전문가와의 협업 강화: 팬덤퍼널은 다양한 분야의 전문가와 협업하여 고객에게 전문적인 지식과 경험을 제공할 수 있습니다. 이를 통해 김미경 TV와 같은 경쟁자들과 차별화된 서비스를 제공할 수 있습니다.

- 개인화된 콘텐츠 제공: 팬덤퍼널은 고객의 개인적인 관심사와 필요에 맞춘 콘텐츠를 제공할 수 있습니다. 이를 통해 고객이 더욱 효과적으로 자신의 목표를 달성할 수 있도록 돕습니다.

- 피드백을 활용한 서비스 개선: 팬덤퍼널은 고객의 피드백을 적극적으로 수용하고 그 바탕으로 콘텐츠와 서비스를 지속적으로 개선할 수 있습니다. 이를 통해 고객의 만족도를 높이고 재구매율을 증가시킬 수 있습니다.

이러한 제안을 바탕으로 팬덤퍼널은 김미경 TV와 같은 경쟁자들과 차별화된 세일즈 퍼널을 구축하고 꿈의 고객들을 더욱 효과적으로 유치하고 만족시킬 수 있을 것입니다.

3

세일즈 퍼널 7단계 설계하기 🔍

탁월한 성과를 창출하는 세일즈 퍼널 7단계를 알아보고 타깃 고객이 세일즈 퍼널 7단계를 거치며 제품 또는 서비스를 살 수밖에 없는 이유를 함께 챗GPT로 작성해보겠습니다.

고객이 만족하는 세일즈 퍼널 7단계 설계하기
- 온라인에서 제품과 서비스를 직접 판매하면서 성과를 내기 위해서 판매자는 고객여정을 만드는 데 더 집착해야 합니다.
- 고객이 각 단계에서 어떤 느낌을 받는지 많이 알면 알수록 세일즈 퍼널에서 도울 메시지와 프로세스를 더 잘 만들 수 있습니다.
- 고객이 세일즈 퍼널의 각 단계에서 긍정적인 느낌을 더 많이 받도록 만들어야 합니다.
- 그러면 고객이 당신의 세일즈 퍼널에 더 오래 머물고 가치 사

다리의 높은 곳까지 당신과 함께할 가능성은 그만큼 더 커집
니다.

세일즈 퍼널 7단계 설계 시 주의할 사항

- 각 단계를 잘 이해하고 고객이 느끼는 감정에 초점을 맞출수
  록 더 큰 성공이 뒤따르게 됩니다.
- 직접 반응 마케팅의 기본 원칙은 '마음이 혼란스러운 고객은
  어김없이 구매를 거절한다.'라는 것입니다.
- 세일즈 퍼널의 목표는 1단계에서 7단계까지 이어지는 고객 여
  정이 최대한 마찰 없이 매끄럽게 이어지도록 하는 것입니다.
- 각 단계는 단 하나의 작업만 수행하도록 돼 있습니다.
- 각 단계는 주의를 끌기 위한 '후크'와 고객이 느끼는 인지 가
  치를 쌓기 위한 '스토리'와 '제안(단 한 번의 실행 요청)'을 담고
  있습니다.

세일즈 퍼널 7단계 요약

- 1단계: '방문자의 온도'를 판정한다.
  - 당신이 세일즈 퍼널 속으로 맞아들이는 방문자가 뜨거운
    가, 따뜻한가, 혹은 차가운가?
- 2단계: '사전 프레임 브리지'를 설정한다.
  - 방문자의 유형을 기분으로 각각의 유형을 위해 어떤 사전
    프레임 브리지를 만들어야 할까? 사전 프레임 브리지란
    고객이 광고나 이메일을 통해서 클릭을 통해서 최종 랜딩

페이지로 들어오기 전에 미리 고객의 상황에 맞춤형으로 제작되는 콘텐츠를 의미합니다.

- 3단계: 가입자를 추려낸다.
  - 방문자들 가운데서 당신이 제안하는 무료 정보를 제공받는 대가로 자기 이메일 주소를 기꺼이 알려주는 사람은 누구인가?
- 4단계: 구매자를 추려낸다.
  - 사이트 가입자 가운데서 첫 번째 제안을 기꺼이 구매하는 사람은 누구인가?
- 5단계: 적극적인 구매자를 추려낸다.
  - 자기가 안고 있는 문제를 해결하기 위해 기꺼이 더 많은 돈을 쓰겠다는 사람은 누구인가?
- 6단계: 더 깊은 관계로 나아간다.
  - 고객의 연락처를 확보한다. 그 뒤 어떻게 하면 그들과 '매력적인 캐릭터'로 인간관계를 쌓아갈 수 있을까?
- 7단계: 판매 환경을 바꾼다.
  - 고객을 오프라인으로 유도해서 가치 사다리의 높은 곳으로 올라가게 만들려면 어떻게 해야 할까?

프롬프트: 팬덤퍼널의 꿈의 고객에게 비슷한 서비스를 제공하고 있는 '김미경 TV'의 세일즈 퍼널 7단계 하나하나에 대해서 분석하고 설계해줘. 이때 팬덤 퍼널이 반드시 참고해야 할 강점을 정리해 주고 어떻게 활용하면 더 차별화된 세일즈 퍼널을 만들 수 있는지 구체적으로 제안해줘.

앞의 프롬프트를 빙을 통해서 답변을 받으면 다음과 같습니다.

▶ 팬덤퍼널의 세일즈 퍼널 7단계는 다음과 같이 설계할 수 있습니다.

1. 방문자의 관심도를 측정한다.

- 팬덤퍼널은 40~50대 X세대를 타깃으로 하므로 이들이 자주 이용하는 플랫폼과 채널을 활용하여 마케팅 캠페인을 진행한다. 예를 들어 페이스북, 유튜브, 네이버, 카카오톡 등의 플랫폼에서 '자신만의 전문성을 바탕으로 콘텐츠 자산을 구축하고 싶은 분들을 위한 무료 웨비나 세션'이라는 메시지를 담은 광고나 콘텐츠를 게시하거나 배포한다. 또한 이메일 마케팅, SMS 마케팅, 전화 마케팅 등의 다이렉트 마케팅 방식도 활용할 수 있다. 이렇게 하면 타깃 고객의 문제점과 관심사에 맞춰서 방문자의 온도를 높일 수 있다.

- 구체적인 사례로는 팬덤퍼널의 유튜브 채널에서 '40대 여성들을 위한 요리 크리에이터 되기'라는 제목의 영상을 게시하고 영상 속에서 "요리에 대한 열정과 재능을 가진 분들은 팬덤퍼널의 무료 웨비나 세션에 참여하세요."라고 안내하는 방법이 있다. 이렇게 하면 요리에 관심이 있는 40~50대 여성들을 유튜브로부터 팬덤퍼널의 웹사이트로 유도할 수 있다.

- 이러한 제안을 하는 이유는 다음과 같다.

  ○ 40~50대 X세대는 인터넷과 SNS를 활발하게 사용하는 세대이다. 특히 페이스북과 유튜브는 이 세대가 가장 많이 사용하는 플랫폼이다[1]. 따라서 이러한 플랫폼에서 마케팅 캠페인을 진행하면 타깃 고객에게 더 효과적으로 접근할 수 있다.

  ○ 40~50대 X세대는 다이렉트 마케팅에도 비교적 긍정적으로 반응하는 세대이다. 이메일, SMS, 전화 등의 방식으로 제안하면 신뢰감과 친밀감을 높일 수 있다[2]. 또한 이 세대는 구전 효과가 강한 세대이므로 만족했을 때 주변에 소개해줄 가능성도 크다.

  ○ 40~50대 X세대는 자신의 전문성과 가치를 발견하고 싶은 욕구가 강한 세대이다. 팬덤퍼널은 이러한 욕구를 충족시켜줄 수 있는 서비스를 제공한다고 알리면 고객의 관심과 호기심을 유발할 수 있다[3].

자세한 정보: 1. businessnewsdaily.com 2. searchenginejournal.com 3. wordstream.com
 -간략히 보기

▶ 2. 방문자의 유형에 맞는 사전 프레임을 만든다.

- 팬덤퍼널의 웹사이트에 방문한 고객은 각각 다른 업무나 취미 영역이 있다. 따라서 그들에게 맞는 사전 프레임 브리지를 설정해야 한다. 사전 프레임 브리지란 방문자들의 관심과 욕구를 높이고 제안에 대한 저항을 낮추고 제안에 대한 가치를 강조하는 메시지나 콘텐츠를 의미한다. 예를 들어 "마케팅 전문가로서 자신의 지식과 경험을 공유하고 싶은 분들은 이곳을 클릭하세요." 또는 "요리에 대한 열정과 재능을 가진 분들은 이곳을 클릭하세요."와 같은 문구를 통해 방문자들이 자신과 연관된 영역을 찾아갈 수 있도록 유도한다.

- 구체적인 사례로는 팬덤퍼널의 웹사이트에 다음과 같은 카테고리를 만들고 각 카테고리에 해당하는 콘텐츠를 제공하는 방법이 있다.

  ○ 마케팅

  ○ 요리

  ○ 사진

  ○ 미술

  ○ 음악

  ○ 운동

- 이러한 제안을 하는 이유는 다음과 같다.

  ○ 방문자들은 자신의 전문성과 가치를 발견하고 싶은 욕구가 강하다. 자신의 업무나 취미 영역에 대한 콘텐츠를 보면 관심과 호기심을 느낄 수 있다■.

  ○ 방문자들은 다양한 콘텐츠를 통해 팬덤퍼널의 서비스가 어떤 가치와 혜택을 제공하는지 알 수 있다. 제안에 대한 저항을 낮출 수 있다.

  ○ 방문자들은 자신과 연관된 영역을 클릭하면 무료 웨비나 세션 또는 강의 콘텐츠에 접근할 수 있다는 메시지가 뜨면 제안에 대한 가치를 높게 인식할 수 있다.

자세한 정보: 1. concrete.ethz.ch   2. teachengineering.org   3. mastersalesfunnels.com
-간략히 보기

3. 이메일 주소를 제공하는 가입자를 얻는다.

- 방문자들이 자신의 관심 영역을 클릭하면 그 영역에 대한 무료 웨비나 세션 또는 강의 콘텐츠를 제공받기 위해 이메일 주소를 입력하도록 요청한다. 이메일 주소를 입력하면 즉시 웨비나 세션 또는 강의 콘텐츠에 접속할 수 있는 링크와 함께 감사 메일을 보낸다. 이렇게 하면 방문자들을 가입자로 전환할 수 있다.

- 구체적인 사례로는 팬덤퍼널의 웹사이트에서 다음과 같은 랜딩 페이지를 만들고 각 관심 영역에 해당하는 페이지로 연결하는 방법이 있다.

  ○ 마케팅: "마케팅 전문가로서 자신의 지식과 경험을 공유하고 싶은 분들을 위한 무료 웨비나 세션에 참여하세요. 이 웨비나 세션에서는 마케팅 크리에이터가 되기 위한 필수 조건, 전략, 그리고 실제 사례를 공유합니다. 참여하려면 아래에 이메일 주소를 입력하세요."

  ○ 요리: "요리에 대한 열정과 재능을 가진 분들을 위한 무료 강의 콘텐츠에 접근하세요. 이 강의 콘텐츠에서는 요리 크리에이터가 되기 위한 필수 조건, 전략, 그리고 실제 사례를 공유합니다. 접근하려면 아래에 이메일 주소를 입력하세요."

- 이러한 제안을 하는 이유는 다음과 같다.

  ○ 방문자들은 자신의 전문성과 가치를 발견하고 싶은 욕구가 강하다. 무료 웨비나 세션 또는 강의 콘텐츠라는 가치 있는 콘텐츠를 제공받기 위해 이메일 주소를 제공할 가능성이 높다[1].

  ○ 방문자들은 이메일 주소를 제공함으로써 팬덤퍼널과의 관계를 시작하게 된다. 앞으로의 제안에 대해 더 개방적이고 관심이 있게 된다[2].

  ○ 방문자들은 즉시 웨비나 세션 또는 강의 콘텐츠에 접근할 수 있다는 메시지를 보면 행동을 촉진하는 긴급감을 느낄 수 있다[3].

자세한 정보: 1. podia.com   2. getform.com   3. thinkorion.com

4. 구매를 촉진하는 구매자를 얻는다.

- 가입자들이 웨비나 세션 또는 강의 콘텐츠를 시청하면 첫 번째 제안을 소개한다. 첫 번째 제안은 팬덤퍼널의 특별 패키지로서 자신의 전문 영역에 맞는 콘텐츠 제작과 마케팅을 배울 수 있는 유료 온라인 코스이다. 이 제안을 받아들이기 위해 가입자들은 일정 기간 내에 구매를 완료해야 한다. 이 기간이 지나면 제안은 만료되고, 가격은 인상되고, 혜택은 감소된다. 이렇게 하면 가입자들에게 구매에 대한 부족감과 긴급감을 느끼게 할 수 있다.

- 구체적인 사례로는 팬덤퍼널의 웹사이트에서 다음과 같은 팝업창을 만들고 웨비나 세션 또는 강의 콘텐츠가 끝난 후에 보여주는 방법이 있다.

  ○ 마케팅: "축하합니다! 당신은 마케팅 크리에이터가 되기 위한 첫걸음을 떼셨습니다. 하지만 여기서 멈추지 마세요. 당신의 전문성과 가치를 더욱 키우고 싶다면 팬덤퍼널의 마케팅 크리에이터 특별 패키지를 지금 바로 구매하세요. 이 패키지는 마케팅 콘텐츠 제작과 마케팅 전략을 깊이 있게 배울 수 있는 유료 온라인 코스입니다. 지금 구매하시면 50% 할인된 가격에 구매하실 수 있으며, 추가적으로 다음과 같은 혜택을 받으실 수 있습니다."

    ■ 1:1 코칭 세션

    ■ 전문가 그룹 멤버십

    ■ 마케팅 템플릿과 도구. "서두르세요. 이 제안은 오늘까지만 유효합니다. 내일부터는 정상 가격으로 돌아가고 혜택도 줄어듭니다. 지금 바로 구매 버튼을 클릭하세요."

  ○ 요리: "축하합니다! 당신은 요리 크리에이터가 되기 위한 첫걸음을 떼셨습니다. 하지만 여기서 멈추지 마세요. 당신의 열정과 재능을 더욱 키우고 싶다면 팬덤퍼널의 요리 크리에이터 특별 패키지를 지금 바로 구매하세요. 이 패키지는 요리 콘텐츠 제작과 요리 전략을 깊이 있게 배울 수 있는 유료 온라인 코스입니다. 지금 구매하시면 50% 할인된 가격에 구매하실 수 있으며 추가로 다음과 같은 혜택을 받으실 수 있습니다."

    ■ 1:1 코칭 세션

    ■ 전문가 그룹 멤버십

    ■ 요리 템플릿과 도구. 하지만 서두르세요. 이 제안은 오늘까지만 유

효합니다. 내일부터는 정상 가격으로 돌아가고 혜택도 줄어듭니다. 지금 바로 구매 버튼을 클릭하세요.

- 이러한 제안을 하는 이유는 다음과 같다.

  ○ 가입자들은 무료 웨비나 세션 또는 강의 콘텐츠를 통해 팬덤퍼널의 서비스에 대한 관심과 신뢰를 높였다. 따라서 첫 번째 제안에 대해 긍정적으로 반응할 가능성이 크다.

  ○ 가입자들은 첫 번째 제안이 50% 할인된 가격에 제공되고 추가적인 혜택도 포함돼 있다는 것을 알면 그 가치를 높게 인식할 수 있다.

  ○ 가입자들은 첫 번째 제안이 오늘까지만 유효하다는 것을 알면 구매에 대한 부족감과 긴급감을 느끼게 돼 구매 결정을 미루지 않고 즉시 행동할 수 있다.

자세한 정보: 1. sellcoursesonline.com 2. oberlo.com 3. abtasty.com −간략히 보기

●●● ‹ › ↻ ⌕   ☆ ≡

▶ 5. 더 많은 돈을 쓰려는 적극적인 구매자를 얻는다.

- 첫 번째 제안을 구매한 고객에게는 더 고급스러운 제품이나 서비스를 두 번째 제안으로 소개한다. 예를 들어 "팬덤퍼널의 마케팅 크리에이터 특별 패키지를 구매한 분들에게만 제공하는 VIP 멤버십에 가입하세요." 또는 "팬덤퍼널의 요리 크리에이터 특별 패키지를 구매한 분들에게만 제공하는 VIP 멤버십에 가입하세요."와 같은 문구를 통해 두 번째 제안을 알리고 가입 버튼을 클릭하도록 유도한다. 이렇게 하면 고객에게 더 많은 가치와 혜택을 제공하고 더 많은 수익을 창출할 수 있다.

- 구체적인 사례로는 팬덤퍼널의 마케팅 크리에이터 특별 패키지를 구매한 고객에게 VIP 멤버십의 혜택으로 다음과 같은 것들을 제공할 수 있다.

  ○ 월간 마케팅 전문가 인터뷰

  ○ 월간 마케팅 콘텐츠 리뷰와 피드백

  ○ 월간 마케팅 동향과 전략 보고서

  ○ 월간 마케팅 Q&A 세션

  ○ 월간 마케팅 네트워킹 파티

- 이러한 제안을 하는 이유는 다음과 같다.

  ○ 첫 번째 제안을 구매한 고객은 이미 자신의 전문성을 키우고 콘텐츠 자산을 구축하고 크리에이터 마인드로 변화하고자 하는 강한 의지와 관심을 보였다. 따라서 그들에게 더 심화된 내용과 서비스를 제공하면 더 많은 만족감과 신뢰감을 줄 수 있다.

  ○ 두 번째 제안은 첫 번째 제안보다 더 높은 가격과 가치를 가지고 있으므로 고객에게는 더 많은 혜택과 동기부여를 주고 판매자에게는 더 많은 수익과 이익을 줄 수 있다.

  ○ 두 번째 제안은 고객과 판매자 사이의 장기적인 관계를 유지하고 강화하는 역할을 한다. 고객은 지속적으로 새로운 지식과 정보를 얻고, 자신의 콘텐츠를 개선하고, 다른 크리에이터들과 교류하고, 자신의 목표와 비전을 달성할 수 있다. 판매자는 지속적으로 고객의 니즈와 트렌드를 파악하고, 자신의 제품과 서비스를 개선하고, 다른 경쟁자와 차별화될 수 있다.

자세한 정보: 1. thinkific.com   2. learnworlds.com   3. podia.com   –간략히 보기

● ● ● ‹ › ⟳ ꡔ   ☆ ≡

▶ 6. 구매자를 추천자로 만든다.

- 구매자들이 첫 번째 제안을 받아들이고 유료 온라인 코스를 수강하면 두 번째 제안을 소개한다. 두 번째 제안은 팬덤퍼널의 추천 프로그램이다. 자신의 친구나 동료들에게 팬덤퍼널의 서비스를 추천하면 혜택을 받을 수 있다. 예를 들어 한 명의 친구나 동료가 구매자의 추천 링크를 통해 팬덤퍼널의 특별 패키지를 구매하면 구매자는 10%의 수수료를 받을 수 있다. 또한 추천한 친구나 동료도 10%의 할인을 받을 수 있다. 이렇게 하면 구매자들에게 추천에 대한 동기를 부여할 수 있다.

- 구체적인 사례로는 팬덤퍼널의 웹사이트에서 다음과 같은 이메일을 보내고 구매자들에게 자신의 추천 링크를 공유하도록 유도하는 방법이 있다.

  ○ 마케팅: "안녕하세요? 팬덤퍼널의 마케팅 크리에이터 특별 패키지를 구매해주셔서 감사합니다. 당신은 이미 마케팅 콘텐츠 제작과 마케팅 전략에 대해 많은 것을 배우셨을 것입니다. 하지만 혼자서만 배우는 것보다 함께 배우는 것이 더 재미있고 효과적이지 않나요? 당신의 친구나 동료들에게도 팬덤퍼널의 서비스를 추천해보세요. 당신의 추천 링

크를 통해 팬덤퍼널의 특별 패키지를 구매하면 당신은 10%의 수수료를 받으실 수 있습니다. 또한 당신이 추천한 친구나 동료들도 10%의 할인을 받으실 수 있습니다. 이렇게 하면 딩신과 당신의 친구나 동료들 모두가 혜택을 받으실 수 있습니다. 아래에 있는 버튼을 클릭해서 자신의 추천 링크를 복사하고 이메일, 소셜 미디어, 블로그 등에서 공유하세요."

○ 요리: "안녕하세요. 팬덤퍼널의 요리 크리에이터 특별 패키지를 구매해주셔서 감사합니다. 당신은 이미 요리 콘텐츠 제작과 요리 전략에 대해 많은 것을 배우셨을 것입니다. 하지만 혼자서만 배우는 것보다 함께 배우는 것이 더 재미있고 효과적이지 않나요? 당신의 친구나 동료에게도 팬덤퍼널의 서비스를 추천해보세요. 당신의 추천 링크를 통해 팬덤퍼널의 특별 패키지를 구매하면 당신은 10%의 수수료를 받으실 수 있습니다. 또한 당신이 추천한 친구나 동료도 10%의 할인을 받으실 수 있습니다. 이렇게 하면 당신과 당신의 친구나 동료들 모두가 혜택을 받으실 수 있습니다. 아래에 있는 버튼을 클릭해서 자신의 추천 링크를 복사하고, 이메일, 소셜 미디어, 블로그 등에서 공유하세요."

• 이러한 제안을 하는 이유는 다음과 같다.

○ 구매자들은 자신의 친구나 동료들에게 팬덤퍼널의 서비스를 추천함으로써 자신의 전문성과 가치를 인정받고 싶은 욕구가 강하다. 추천에 대한 동기를 부여받을 수 있다.

○ 구매자들은 추천 링크를 통해 팬덤퍼널의 특별 패키지를 구매하면 수수료와 할인을 받을 수 있다는 것을 알면 그 가치를 높게 인식할 수 있다.

○ 구매자들은 자신의 친구나 동료들과 함께 팬덤퍼널의 서비스를 이용하면 서로의 콘텐츠를 공유하고 피드백을 주고받을 수 있다는 것을 알면 추천에 대한 부족감과 긴급감을 느끼게 돼 추천 행동을 즉시 행할 수 있다.

자세한 정보: 1. linkedin.com 2. about.coursera.org 3. referralrock.com 4. udemy.com
—간략히 보기

---

7. 추천자를 단골고객으로 만든다.

• 추천자들이 두 번째 제안을 받아들이고 자신의 친구나 동료들에게 팬덤퍼

널의 서비스를 추천하면 세 번째 제안을 소개한다. 세 번째 제안은 팬덤퍼널의 충성도 프로그램이다. 자신의 전문 영역에 맞는 콘텐츠 제작과 마케팅을 지속적으로 배우고 싶은 고객을 대상으로 한다. 예를 들어 한 달에 한 번씩 새로운 콘텐츠를 제공받고, 전문가와의 상담을 이용하고, 다른 크리에이터들과의 네트워킹을 할 수 있는 멤버십 서비스를 제공한다. 이 제안을 받아들이기 위해 추천자들은 일정 기간 내 가입을 완료해야 한다. 이 기간이 지나면 가입이 불가능하고 가격이 인상되고 혜택이 감소된다. 이렇게 하면 추천자들에게 가입에 대한 부족감과 긴급감을 느끼게 할 수 있다.

- 구체적인 사례로는 팬덤퍼널의 웹사이트에서 다음과 같은 이메일을 보내고 추천자들에게 자신의 가입 링크를 공유하도록 유도하는 방법이 있다.

  ○ 마케팅: "안녕하세요. 팬덤퍼널의 마케팅 크리에이터 특별 패키지를 구매하고 친구나 동료들에게 추천해주셔서 감사합니다. 당신은 이미 마케팅 콘텐츠 제작과 마케팅 전략에 대해 많은 것을 배우셨을 것입니다. 하지만 여기서 멈추지 마세요. 당신의 전문성과 가치를 더욱 키우고 싶다면 팬덤퍼널의 마케팅 크리에이터 충성도 프로그램에 가입하세요. 이 프로그램은 한 달에 한 번씩 새로운 마케팅 콘텐츠를 제공받고, 전문가와의 상담을 이용하고, 다른 마케팅 크리에이터들과의 네트워킹을 할 수 있는 멤버십 서비스입니다. 지금 가입하시면 30% 할인된 가격에 가입하실 수 있으며 추가적으로 다음과 같은 혜택을 받으실 수 있습니다."

    ■ 1:1 코칭 세션

    ■ 전문가 그룹 멤버십

    ■ 마케팅 템플릿과 도구 "하지만 서두르세요. 이 제안은 오늘까지만 유효합니다. 내일부터는 정상 가격으로 돌아가고 혜택도 줄어듭니다. 지금 바로 가입 버튼을 클릭하세요."

● ● ● ⟨ ⟩ C ⟲ Q　　　　　　　　　　　　　　　　　　　　　　　　☆ ≡

프롬프트: 팬덤퍼널의 꿈의 고객에게 비슷한 서비스를 제공하고 있는 '김미경 TV'의 세일즈 퍼널 7단계 하나 하나에 대해서 분석하고 설계해줘. 이때 팬덤 퍼널이 반드시 참고해야 할 강점을 정리해 주고 어떻게 활용하면 더 차별화된 세일즈 퍼널을 만들 수 있는지 구체적으로 제안해줘.

프롬프트를 챗GPT를 통해서 답변을 받으면 다음과 같습니다.

🌀 팬덤퍼널의 세일즈 퍼널 7단계 설계와 구체적 사례:

1단계: 방문자의 온도 판정

- 차가운 방문자: SNS 광고를 통해 팬덤퍼널 서비스를 처음 접한 사람
- 따뜻한 방문자: 블로그, 카페, 지인 추천을 통해 팬덤퍼널을 알게 된 사람
- 뜨거운 방문자: 이미 팬덤퍼널의 무료 콘텐츠를 이용하던 사람
- 근거: 각 방문자의 온도에 따라 접근 방식과 콘텐츠를 다르게 제공해야 효과적인 세일즈 퍼널 구축이 가능하다.

2단계: 사전 프레임 브리지 설정

- 차가운 방문자: 무료 웨비나 세션을 통해 팬덤퍼널 서비스 소개
- 따뜻한 방문자: 이메일 뉴스레터를 통한 전문가 인터뷰와 최신 트렌드 공유
- 뜨거운 방문자: 프리미엄 멤버십 혜택 소개와 한정 기간 할인 이벤트 제안
- 근거: 각 방문자의 사전 지식과 관심에 맞춰 적절한 정보 제공이 필요합니다.

3단계: 가입자 추려내기

- 무료 웨비나, 뉴스레터 등을 제공하는 데 필요한 이메일 주소를 입력하도록 유도
- 근거: 이메일 주소를 얻어 고객관계관리CRM 시스템에 등록함으로써 더 많은 정보와 서비스를 제공할 수 있습니다.

4단계: 구매자 추려내기

- 가입자들에게 팬덤퍼널의 프리미엄 멤버십을 소개하고 구매를 유도
- 근거: 가입자 중 구매의향이 있는 고객을 찾아내고 프리미엄 멤버십 구매로 이어질 수 있는 서비스를 제공합니다.

5단계: 적극적인 구매자 추려내기

- 프리미엄 멤버십 고객에게 추가로 전문가 1:1 상담, 워크숍 등 부가가치 있는 서비스를 제안
- 근거: 높은 구매의향이 있는 고객을 찾아 추가적인 서비스 제공으로 더 많은 매출 창출이 가능합니다.

6단계: 더 깊은 관계로 나아가기

- 이메일 뉴스레터나 SNS 등을 통해 고객과 지속적인 소통과 정보 공유
- 웨비나나 오프라인 행사를 통해 고객과 직접 만나 소통하고 의견을 반영한

서비스 개선

- 근거: 매력적인 캐릭터로서 고객과의 인간관계를 쌓아나가면 브랜드 충성
도와 장기적인 이익 창출에 도움이 됩니다.

7단계: 판매 환경을 바꾼다

- 오프라인 세미나와 워크숍 등을 개최하여 고객과 더 깊이 있는 관계를 형
성하고 고급 서비스를 판매

- 고객의 성공사례를 바탕으로 새로운 콘텐츠나 프로그램을 개발하여 고객
에게 제안

- 근거: 오프라인 환경에서의 직접적인 만남과 교류를 통해 고객의 신뢰를
쌓고 더 높은 가치의 서비스를 제공할 수 있습니다.

이렇게 팬덤퍼널의 세일즈 퍼널 7단계를 설계하고 구체적인 사례를 제시합
니다. 그럼으로써 타깃 고객이 서비스에 참여하고 구매하도록 유도할 수 있
습니다. 각 단계에서 고객의 온도와 관심사에 맞춰 적절한 콘텐츠와 서비스
를 제공함으로써 차별화된 세일즈 퍼널을 만들어내고 경쟁사 대비 우위를 점
할 수 있습니다.

6장

매력적인 부캐 만들기

1

부캐 만들어서 운영하기

온라인에서 지속적으로 수익을 창출하기 위해서 나만의 매력적인 부캐를 운영하는 핵심 꿀팁을 알아보고 실행해봅시다.

프롬프트: 챗GPT로 돈 버는 매력적인 부캐를 만들어보고 싶어. 지속가능한 온라인 수익창출을 위해서 나만의 매력적인 부캐를 운영하는 핵심 노하우 10개를 알려주고 그 근거가 무엇인지도 알려줘.

위 프롬프트를 빙을 통해서 답변을 받으면 다음과 같습니다.

 웹 검색 결과에 따르면 챗GPT로 돈 벌어주는 매력적인 부캐를 만들고 운영하는 핵심 노하우는 다음과 같습니다.

1. 타깃 시장과 고객을 정의하고 분석합니다. 챗GPT로 수익을 창출하려면 누구에게 어떤 가치를 제공할 것인지 명확하게 파악해야 합니다. 이를 위해 구체적이고 상세한 고객 페르소나를 만들어야 합니다. 고객 페르소나란 고객의 특성, 니즈, 행동, 동기 등을 반영하는 가상의 인물입니다. 고객

페르소나를 만들기 위해서는 실제 고객의 데이터와 피드백을 수집하고 분석해야 합니다◼◪.

2. 자신의 분야와 장점을 확실히 구분합니다. 챗GPT로 매력적인 부캐를 만들려면 자신의 분야와 장점을 확실히 구분해야 합니다. 즉 자신이 어떤 주제나 콘텐츠에 대해 전문적이고 독창적인 지식과 경험이 있고 그것이 고객에게 어떤 이점을 제공하는지 명확하게 정의해야 합니다. 예를 들어 챗GPT로 영어 학습 콘텐츠를 제공하는 부캐를 만든다면 자신이 영어 교육에 대한 전문가이며 챗GPT를 통해 맞춤형 영어 학습 프로그램을 제공한다는 것을 강조해야 합니다◼.

3. 부캐의 성격과 스타일을 결정합니다. 챗GPT로 매력적인 부캐를 만들려면 부캐의 성격과 스타일을 결정해야 합니다. 즉 부캐가 어떤 인상과 느낌을 주는지, 어떤 톤과 매너로 대화하는지, 어떤 이미지와 색깔을 사용하는지 등을 결정해야 합니다. 예를 들어 챗GPT로 유머러스한 콘텐츠를 제공하는 부캐를 만든다면 밝고 재미있는 성격이며, 유머러스하고 친근한 톤으로 대화하며, 밝고 활기찬 이미지와 색깔을 사용한다고 할 수 있습니다◼.

4. 부캐의 이름과 프로필을 만듭니다. 챗GPT로 매력적인 부캐를 만들려면 부캐의 이름과 프로필을 만들어야 합니다. 즉 부캐가 어떻게 불리고 싶은지, 어떻게 소개하고 싶은지를 결정해야 합니다. 예를 들어 챗GPT로 여행 관련 콘텐츠를 제공하는 부캐를 만든다면 부캐의 이름은 '여행가 챗'이라고 하고 프로필에는 '챗GPT와 함께하는 세계 여행. 여행의 모든 것을 알려주는 여행가 챗입니다.'라고 쓸 수 있습니다.

5. 부캐의 목소리와 얼굴을 선택합니다. 챗GPT로 매력적인 부캐를 만들려면 부캐의 목소리와 얼굴을 선택해야 합니다. 즉 부캐가 어떤 목소리와 얼굴로 대화하고 싶은지를 결정해야 합니다. 예를 들어 챗GPT로 음악 관련 콘텐츠를 제공하는 부캐를 만든다면 목소리는 '노래하는 챗'이라고 하고 얼굴은 '노래하는 챗'이라는 로고나 캐릭터를 사용할 수 있습니다.

6. 부캐의 플랫폼과 채널을 결정합니다. 챗GPT로 매력적인 부캐를 만들려면 부캐의 플랫폼과 채널을 결정해야 합니다. 즉 부캐가 어떤 플랫폼과 채널을 통해 고객과 소통하고 싶은지를 결정해야 합니다. 예를 들어 챗GPT로 게임 관련 콘텐츠를 제공하는 부캐를 만든다면 부캐의 플랫폼은 '유튜브'이고 채널은 '게임하는 챗'이라고 할 수 있습니다.

7. 부캐의 콘텐츠와 스토리를 기획합니다. 챗GPT로 매력적인 부캐를 만들려면 부캐의 콘텐츠와 스토리를 기획해야 합니다. 즉 부캐가 어떤 콘텐츠를 제공하고 싶은지와 그 콘텐츠에 어떤 스토리나 메시지를 담고 싶은지를 결정해야 합니다. 예를 들어 챗GPT로 요리 관련 콘텐츠를 제공하는 부캐를 만든다면 부캐의 콘텐츠는 '요리하는 챗'이라고 하고 스토리는 '챗GPT와 함께하는 맛있는 요리 레시피. 요리의 모든 것을 알려주는 요리하는 챗

입니다.'라고 할 수 있습니다.

8. 부캐의 마케팅과 홍보를 수행합니다. 챗GPT로 매력적인 부캐를 만들었다면 부캐의 마케팅과 홍보를 수행해야 합니다. 즉 부캐가 어떻게 고객을 유치하고 유지할 것인지를 결정해야 합니다. 예를 들어 챗GPT로 패션 관련 콘텐츠를 제공하는 부캐를 만든다면 부캐의 마케팅과 홍보는 '패션하는 챗'이라고 하고 소셜 미디어 채널, 뉴스레터, 블로그 등을 통해 부캐의 콘텐츠를 공유하고, 고객의 피드백을 수집하고, 이벤트나 콘테스트 등을 통해 고객과의 교류를 증진한다고 할 수 있습니다.

9. 부캐의 수익 모델을 구축합니다. 챗GPT로 매력적인 부캐를 만들었다면 부캐의 수익 모델을 구축해야 합니다. 즉 부캐가 어떻게 수익을 창출할 것인지를 결정해야 합니다. 예를 들어 챗GPT로 건강 관련 콘텐츠를 제공하는 부캐를 만든다면 수익 모델은 '건강 관리하는 챗'이라고 하고 멤버십 모델, 스폰서 콘텐츠 모델, 제품 판매 모델 등을 활용할 수 있습니다. 멤버십 모델은 월별 또는 연간 요금으로 독점 콘텐츠와 기능에 대한 액세스를 제공하는 모델입니다. 스폰서 콘텐츠 모델은 스폰서 콘텐츠를 제공하여 수익을 창출하는 모델입니다. 제품 판매 모델은 챗GPT를 통해 제공되는 지식 콘텐츠와 관련된 상품을 판매하는 모델입니다.

10. 부캐의 성과와 개선점을 평가합니다. 챗GPT로 매력적인 부캐를 만들었다면 성과와 개선점을 평가해야 합니다. 즉 부캐가 얼마나 잘 운영되고 있는지를 측정하고 분석하고 어떻게 하면 더 좋아질 수 있는지를 고민해야 합니다. 예를 들어 챗GPT로 교육 관련 콘텐츠를 제공하는 부캐를 만든다면 성과와 개선점은 '교육하는 챗'이라고 하고 키 메트릭스, 고객 만족도, 컨버전율 등을 통해 부캐의 성과를 평가하고 콘텐츠의 품질, 다양성, 차별성 등을 통해 부캐의 개선점을 도출할 수 있습니다.

이상으로 챗GPT로 돈 벌어주는 매력적인 부캐를 만들고 운영하는 핵심 노하우 10개를 소개했습니다. 이 노하우들은 챗GPT의 기능과 장점을 최대한 활용하고 고객의 니즈와 가치를 충족시키기 위한 것입니다. 챗GPT라는 인공지능 기반의 콘텐츠 생성 도구를 이용하기에 부캐의 콘텐츠는 항상 신뢰성과 정확성을 유지해야 합니다. 또한 부캐의 콘텐츠는 항상 윤리적이고 법적인 기준을 준수해야 합니다. 챗GPT로 매력적인 부캐를 만들고 운영하는 것은 재미있고 도전적인 일입니다. 챗GPT를 통해 자신만의 부캐를 만들어보세요.

자세한 정보: 1. hubspot.com   2. careerfoundry.com   3. hbr.org

프롬프트: 챗GPT로 돈 벌어주는 매력적인 부캐를 만들어보고 싶어. 지속적으로 온라인 수익창출을 위해서 나만의 매력적인 부캐를 운영하는 핵심 노하우 10개를 알려주고 그 근거는 무엇인지 알려줘.

위 프롬프트를 챗GPT를 통해서 답변을 받으면 다음과 같습니다.

⑤ 챗GPT로 돈 벌어주는 매력적인 부캐를 만들어 온라인 수익창출을 하려면 아래와 같은 핵심 노하우 10가지를 고려해야 합니다.

1. 정확한 목표 설정: 부캐의 주요 목표와 수익창출 방식을 명확하게 설정합니다.

• 근거: 수익창출에 집중하면 목표 달성에 집중할 수 있습니다.

2. 콘텐츠 전략 개발: 부캐와 관련된 독특한 콘텐츠를 제공하고 전문 분야를 설정합니다.

• 근거: 전문성을 갖추면 사용자들의 신뢰와 관심을 얻을 수 있습니다.

3. 개성 있는 이미지 구축: 부캐의 개성을 부각시켜 사용자와 차별화된 관계를 형성합니다.

• 근거: 개성 있는 이미지는 사용자들의 호감을 얻고 인기를 높이는 데 도움이 됩니다.

4. 지속적인 커뮤니케이션: 사용자와 지속적으로 소통하고 의견을 수렴하여 콘텐츠에 반영합니다.

• 근거: 지속적인 소통은 사용자와의 관계를 강화하고 충성도를 높이는 데 도움이 됩니다.

5. 적절한 수익 모델 선택: 부캐와 콘텐츠에 맞는 수익 모델을 선정하고 실행합니다.

• 근거: 적절한 수익 모델은 지속적인 수익창출에 필수적입니다.

6. 홍보 전략 구축: 다양한 채널을 활용하여 부캐와 콘텐츠를 홍보합니다.

• 근거: 적절한 홍보 전략은 사용자들의 관심을 유도하고 인지도를 높이는 데 도움이 됩니다.

7. 파트너십과 협력 관계 구축: 다양한 분야의 파트너와 협력관계를 맺어 콘

텐츠와 수익창출을 확장합니다.

- 근거: 파트너십과 협력 관계는 서로에게 도움이 되는 시너지를 창출합니다.

8. 데이터 분석 활용: 사용자 행동, 콘텐츠 성과 등 데이터를 분석하여 개선 사항을 도출합니다.

- 근거: 데이터 분석을 통해 콘텐츠의 효과를 파악하고 개선할 수 있어 수익 창출에 도움이 됩니다.

9. 경쟁력 있는 가격 설정: 부캐와 관련된 제품이나 서비스의 가격을 경쟁력 있게 설정합니다.

- 근거: 경쟁력 있는 가격 설정은 사용자들의 구매 의사를 높이고 수익을 극대화하는 데 도움이 됩니다.

10. 유지보수와 업데이트: 시장 변화와 사용자 요구에 부응하여 지속적으로 부캐를 유지보수하고 업데이트합니다.

- 근거: 유지보수와 업데이트를 통해 지속적인 관심을 유지하고 콘텐츠의 가치를 높일 수 있습니다.

이러한 핵심 노하우를 바탕으로 매력적인 부캐를 운영하면 지속적으로 온라인 수익을 창출할 수 있습니다. 시장과 사용자의 니즈를 꾸준히 파악하고 변화에 적응하는 능력도 중요하고 이를 바탕으로 부캐의 가치를 꾸준히 높여나가는 것이 중요합니다.

2

부캐를 통한 온라인 자동화 수익창출하기 🔍

부캐를 통한 온라인 자동화 수익창출 사례 중 가장 인상적인 사례, 시사점, 나의 부캐에 적용해볼 만한 작업 리스트를 같이 작성해 봅니다,

● ● ● ⟨ ⟩ ⟳ 🔍   ☆ ≡

프롬프트: 챗GPT로 돈 벌어주는 매력적인 부캐를 만들어서 온라인 자동화 수익창출을 하는 사례 10개를 제시해줘. 가장 창의적이면서도 높은 매출을 달성하고 있는 사례부터 순서대로 나열해주고 그 근거는 무엇인지 알려줘.

위 프롬프트를 빙을 통해서 답변을 받으면 다음과 같습니다.

▶ 웹 검색 결과에 따르면 챗GPT로 돈 벌어주는 매력적인 부캐를 만들어서 지속적으로 온라인 수익창출을 하고 있는 사례는 다음과 같습니다.

1. Haytham Fadul: 챗GPT로 비즈니스 모델 캔버스를 생성하고 판매하는 부캐입니다. Haytham은 챗GPT를 통해 다양한 비즈니스 아이디어에 대한 비즈니스 모델 캔버스를 생성하고, 유튜브 채널을 통해 공유하고, 유료

멤버십을 통해 수익을 창출합니다. Haytham은 챗GPT의 장점을 최대한 활용하고 고객의 니즈와 가치를 충족시키기 위해 노력합니다[1].

2. Althea Storm: 챗GPT로 시장조사를 수행하고 컨설팅 서비스를 제공하는 부캐입니다. Althea는 챗GPT를 통해 고객의 타깃 시장과 고객 페르소나를 분석하고 적절한 마케팅 전략과 메시지를 제안합니다. Althea는 자피어Zapier와 연동하여 챗GPT와 다른 앱들을 쉽게 통합하고 자피어의 챗GPT 플러그인을 통해 챗GPT와 직접 상호작용할 수 있습니다[2].

3. Brian Rhea: 챗GPT로 고객의 작업 목적을 파악하고 솔루션을 제공하는 부캐입니다. Brian은 챗GPT로 Jobs-to-be-Done(JTBD) 연구를 수행하고, 고객의 문제와 니즈를 파악하고, 적합한 제품이나 서비스를 추천합니다. Brian은 잡렌스JobLens.ai라는 웹사이트를 통해 챗GPT로 생성된 JTBD 연구 결과를 공유하고 유료 구독자에게 추가적인 혜택을 제공합니다[3].

4. Natalia Brzezinska: 챗GPT로 마케팅 콘텐츠를 생성하고 판매하는 부캐입니다. Natalia는 챗GPT를 통해 다양한 마케팅 리더들의 스타일과 전략을 모방하고, 고품질의 마케팅 콘텐츠를 생성합니다. Natalia는 포토 AiD라는 웹사이트를 통해 챗GPT로 생성된 마케팅 콘텐츠를 공유하고 유료 컨설팅 서비스를 제공합니다[4].

5. Justin Duino: 챗GPT로 다양한 주제에 대한 블로그 글을 작성하고 판매하는 부캐입니다. Justin은 챗GPT를 통해 기술, 게임, 스포츠 등 다양한 주제에 대한 블로그 글을 작성하고, 하우투긱How-To Geek이라는 웹사이트에 게시합니다. Justin은 웹사이트의 광고 수익과 구독 수익을 창출하며, 또한 자신의 블로그 글을 기반으로 한 전자책을 판매합니다.

6. Sydney Butler: 챗GPT로 다양한 캐릭터와 상황에 맞는 대화를 생성하고 판매하는 부캐입니다. Sydney는 챗GPT를 통해 챗봇의 성격과 스타일을 결정하고 다양한 캐릭터와 상황에 맞는 대화를 생성합니다. Sydney는 챗GPT 페르소나즈Personas라는 웹사이트를 통해 챗GPT로 생성된 대화를 공유하고 유료 컨설팅 서비스와 커스텀 대화 생성 서비스를 제공합니다.

7. Ben Dattner: 챗GPT로 디지털 페르소나를 만들고 관리하는 부캐입니다. Ben은 챗GPT를 통해 자신의 디지털 페르소나를 만들고 관리합니다. 디지털 페르소나란 인터넷에서 자신을 표현하는 방식입니다. Ben은 하버드 비즈니스 리뷰라는 웹사이트에 자신의 디지털 페르소나에 관한 글을 게시하고 유료 워크숍과 코칭 서비스를 제공합니다.

8. Tomas Chamorro-Premuzic: 챗GPT로 인공지능과 인간의 관계를 탐구하고 연구하는 부캐입니다. Tomas는 챗GPT를 통해 인공지능과 인간의 관계에 대한 다양한 질문과 답변을 생성하고 인공지능의 장점과 단점,

윤리와 법률, 사회적 영향 등에 관해 연구합니다. Tomas는 사이콜로지 투데이Psychology Today라는 웹사이트에 자신의 연구 결과와 의견을 게시하고 유료 강연과 콘퍼런스에 참여합니다.

9. Jordan Gloor: 챗GPT로 영어 학습 콘텐츠를 제공하는 부캐입니다. Jordan은 챗GPT를 통해 영어 학습 콘텐츠를 제공합니다. Jordan은 영어 교육 전문가이며, 챗GPT와 함께하는 영어 학습 프로그램을 개발하고 운영합니다. Jordan은 스피크Speak라는 웹사이트를 통해 챗GPT로 제공되는 영어 학습 서비스를 공유하고 유료 멤버십과 코칭 서비스를 제공합니다.

10. Cody: 챗GPT로 코딩 도우미 서비스를 제공하는 부캐입니다. Cody는 챗GPT를 통해 코딩 도우미 서비스를 제공합니다. Cody는 코딩 전문가이며, 챗GPT와 함께하는 코딩 학습 프로그램을 개발하고 운영합니다. Cody는 코드카데미Codecademy라는 웹사이트를 통해 챗GPT로 제공되는 코딩 도우미 서비스를 공유하고 유료 멤버십과 멘토링 서비스를 제공합니다.

이상으로 챗GPT로 돈 벌어주는 매력적인 부캐를 만들어서 지속적으로 온라인 수익창출을 하는 사례 10개를 소개했습니다. 이 사례들은 챗GPT의 다양한 기능과 장점을 활용하고 고객의 니즈와 가치를 충족시키기 위한 것입니다. 챗GPT는 인공지능 기반의 콘텐츠 생성 도구이므로 부캐의 콘텐츠는 항상 신뢰성과 정확성을 유지해야 합니다. 또한 부캐의 콘텐츠는 항상 윤리적이고 법적인 기준을 준수해야 합니다. 챗GPT로 매력적인 부캐를 만들고 운영하는 것은 재미있고 도전적인 일입니다. 챗GPT를 통해 자신만의 부캐를 만들어보세요.

자세한 정보: 1. howtogeek.com 2. zapier.com 3. gobankingrates.com

●●●<>C Q   ☆ ≡

프롬프트: 챗GPT로 돈 벌어주는 매력적인 부캐를 만들어서 지속적으로 온라인 수익창출을 하고 있는 사례 10개를 제시해줘. 가장 창의적이면서도 높은 매출을 달성하는 사례부터 순서대로 나열해주고 그 근거는 무엇인지도 알려줘.

위 프롬프트를 챗GPT를 통해서 답변을 받으면 다음과 같습니다.

챗GPT를 활용하여 매력적인 부캐를 만들어 온라인 수익을 창출하는 사례 10가지를 창의성과 매출 순서대로 소개합니다. 다만 이러한 사례들은 대표적인 예시일 뿐 개별 사례에 대한 정확한 매출과 근거를 제시히기는 어렵습니다. 그럼에도 불구하고 참고할 만한 사례로 소개합니다.

1. 가상 인플루언서: 챗GPT를 기반으로 한 가상 인플루언서는 SNS에서 활발한 활동을 통해 광고와 제품 홍보로 수익을 창출합니다.

2. 가상 컨설턴트: 전문 지식을 바탕으로 고객 문제해결을 지원하는 가상 컨설턴트로서 컨설팅 비용을 통해 수익을 창출합니다.

3. 가상 작가: 챗GPT를 활용해 소설과 시나리오 등 다양한 글을 쓰는 가상 작가로서 작품 판매와 저작권료로 수익을 창출합니다.

4. 가상 강사: 챗GPT를 활용해 온라인 강의를 제공하는 가상 강사로서 강의료와 강의 판매를 통해 수익을 창출합니다.

5. 가상 음악가: 챗GPT를 활용해 음악 작곡과 편곡을 하는 가상 음악가로서 음원 판매와 저작권료로 수익을 창출합니다.

6. 가상 패션 디자이너: 챗GPT를 활용해 패션 디자인을 제안하는 가상 패션 디자이너로서 패션 아이템 판매와 라이선스 수익을 창출합니다.

7. 가상 건축가: 챗GPT를 활용해 건축 디자인 및 콘셉트를 제안하는 가상 건축가로서 건축 프로젝트 수익과 컨설팅 비용으로 수익을 창출합니다.

8. 가상 요리사: 챗GPT를 활용해 요리 레시피를 제공하는 가상 요리사로서 요리 콘텐츠 판매와 광고 수익을 창출합니다.

9. 가상 게임 개발자: 챗GPT를 활용해 게임 아이디어 및 시나리오를 제공하는 가상 게임 개발자로서 게임 판매 수익과 인앱 결제를 통해 수익을 창출합니다.

10. 가상 여행 가이드: 챗GPT를 활용하여 여행지 정보와 추천 코스를 제공하는 가상 여행 가이드로서 여행 관련 콘텐츠 판매와 광고 수익을 창출합니다.

이러한 사례들은 챗GPT를 활용하여 다양한 분야에서 창의적인 부캐를 만들어 지속적인 온라인 수익창출이 가능함을 보여줍니다. 창의성과 매출 순서대로 나열된 것은 각 분야의 인기도와 시장 규모 등을 고려한 것이며 각 사례에 대한 정확한 매출 정보와 근거를 제시하기는 어렵습니다. 그러나 이러한 사례들을 참고하여 챗GPT를 활용한 부캐를 만들어 온라인 수익을 창출하는 것이 가능하며 독창적이고 매력적인 부캐를 만들어 시장에서 차별화된 경쟁력을 확보하는 것이 중요합니다.

3

멀티 부캐로 사업 다변화
기회 만들기 🔍

N잡러가 되기 위해 추가로 생성해보고 싶은 나만의 멀티 부캐 아이디어를 챗GPT로 도출하고 온라인 자동와 수익창출 관점에서 장단점을 분석해봅니다.

●●● ‹ › C Q   ☆ ☰

프롬프트: 챗GPT를 활용해서 월평균 1,000만 원 이상의 수익을 만들고 싶어. 하나의 부캐만 운영하는 것이 아니라 여러 개의 부캐를 만들어서 다양한 수익 모델을 운영하는 것이 목표야. 이렇게 멀티 부캐를 만들어서 지속적으로 온라인 수익을 창출할 수 있는 사업 다변화 기회를 수익성과 시장성이 가장 높은 순서대로 10개를 제시해주고 그 근거가 무엇인지도 알려줘.

위 프롬프트를 빙을 통해서 답변을 받으면 다음과 같습니다.

▶ 웹 검색 결과에 따르면 챗GPT를 활용해서 월평균 1,000만 원 이상의 수익을 만들고 싶다면 다음과 같은 사업 다변화 기회를 고려할 수 있습니다.
1. 비즈니스 모델 캔버스 생성과 판매: 챗GPT를 통해 다양한 비즈니스 아이

디어에 대한 비즈니스 모델 캔버스를 생성하고, 유튜브 채널을 통해 공유하고, 유료 멤버십을 통해 수익을 창출할 수 있습니다[1].

2. 시장조사와 컨설팅 서비스: 챗GPT를 통해 고객의 타깃 시장과 고객 페르소나를 분석하고 적절한 마케팅 전략과 메시지를 제안할 수 있습니다. 자피어Zapier와 연동하여 챗GPT와 다른 앱들을 쉽게 통합하고, 자피어의 챗GPT 플러그인을 통해 챗GPT와 직접 상호작용할 수 있습니다[2].

3. 작업 목적 파악과 솔루션 제공: 챗GPT로 Jobs-to-be-Done(JTBD) 연구를 수행하고 고객의 문제와 니즈를 파악하고 적합한 제품이나 서비스를 추천할 수 있습니다. 잡렌스JobLens.ai라는 웹사이트를 통해 챗GPT로 생성된 JTBD 연구 결과를 공유하고 유료 구독자에게 추가적인 혜택을 제공할 수 있습니다[3].

4. 마케팅 콘텐츠 생성과 판매: 챗GPT를 통해 다양한 마케팅 리더들의 스타일과 전략을 모방하고 고품질의 마케팅 콘텐츠를 생성할 수 있습니다. 포토AiD라는 웹사이트를 통해 챗GPT로 생성된 마케팅 콘텐츠를 공유하고 유료 컨설팅 서비스와 커스텀 콘텐츠 생성 서비스를 제공할 수 있습니다[4].

5. 블로그 글 작성과 판매: 챗GPT를 통해 기술, 게임, 스포츠 등 다양한 주제에 대한 블로그 글을 작성하고 하우투긱How-To Geek이라는 웹사이트에 게시할 수 있습니다. 웹사이트의 광고 수익과 구독 수익을 창출하며, 또한 자신의 블로그 글을 기반으로 한 전자책을 판매할 수 있습니다[5].

6. 대화 생성과 판매: 챗GPT를 통해 다양한 캐릭터와 상황에 맞는 대화를 생성할 수 있습니다. 챗GPT 페르소나즈Personas라는 웹사이트를 통해 챗GPT로 생성된 대화를 공유하고 유료 컨설팅 서비스와 커스텀 대화 생성 서비스를 제공할 수 있습니다.

7. 디지털 페르소나 생성과 관리: 챗GPT를 통해 자신의 디지털 페르소나를 만들고 관리할 수 있습니다. 디지털 페르소나란 인터넷에서 자신을 표현하는 방식입니다. 하버드 비즈니스 리뷰라는 웹사이트에 자신의 디지털 페르소나에 관한 글을 게시하고 유료 워크숍과 코칭 서비스를 제공할 수 있습니다.

8. 인공지능과 인간의 관계 연구와 공유: 챗GPT를 통해 인공지능과 인간의 관계에 대한 다양한 질문과 답변을 생성하고 인공지능의 장점과 단점, 윤리와 법률, 사회적 영향 등에 대해 연구하고 공유할 수 있습니다. 사이콜로지 투데이Psychology Today라는 웹사이트에 자신의 연구 결과와 의견을 게시하고 유료 강연과 콘퍼런스에 참여할 수 있습니다.

9. 영어 학습 콘텐츠와 서비스 제공: 챗GPT를 통해 영어 학습 콘텐츠와 서비스를 제공할 수 있습니다. 스피크Speak라는 웹사이트를 통해 챗GPT로 제공되는 영어 학습 서비스를 공유하고, 유료 멤버십과 코칭 서비스를 제공

할 수 있습니다.

10. 코딩 도우미 서비스 제공: 챗GPT를 통해 코딩 도우미 서비스를 제공할
    수 있습니다. 코드카데미Codecademy라는 웹사이트를 통해 챗GPT로 제공
    되는 코딩 도우미 서비스를 공유하고 유료 멤버십과 멘토링 서비스를 제
    공할 수 있습니다.

이상으로 챗GPT를 활용해서 월평균 1,000만 원 이상의 수익을 만들 수 있
는 사업 다변화 기회 10개를 소개했습니다. 이 기회들은 챗GPT의 다양한 기
능과 장점을 활용하고 고객의 니즈와 가치를 충족시키기 위한 것입니다. 챗
GPT는 인공지능 기반의 콘텐츠 생성 도구이므로 부캐의 콘텐츠는 항상 신뢰
성과 정확성을 유지해야 합니다. 또한 부캐의 콘텐츠는 항상 윤리적이고 법
적인 기준을 준수해야 합니다. 챗GPT로 멀티 부캐를 만들고 운영하는 것은
재미있고 도전적인 일입니다. 챗GPT로 멀티 부캐를 만들기 위해서는 다음과
같은 절차를 따라야 합니다.

1. 목표 설정: 챗GPT로 만들고자 하는 부캐의 수, 종류, 그리고 각 부캐의 목
   표와 수익 모델을 설정합니다. 예를 들어 비즈니스 모델 캔버스 생성과 판
   매 부캐, 시장조사와 컨설팅 서비스 부캐, 작업 목적 파악과 솔루션 제공
   부캐 등을 만들 수 있습니다. 각 부캐의 목표와 수익 모델은 구체적이고
   측정 가능하게 설정합니다. 예를 들어 비즈니스 모델 캔버스 생성과 판매
   부캐의 목표는 월 100만 원의 수익을 창출하고 유료 멤버십 가입자 수를
   100명 이상 유지하는 것이 될 수 있습니다.

2. 페르소나 정의: 챗GPT로 만들고자 하는 각 부캐의 페르소나를 정의합니
   다. 페르소나란 부캐의 성격과 스타일을 결정하는 요소들입니다. 페르소
   나를 정의하기 위해서는 다음과 같은 사항들을 고려해야 합니다.

• 신원: 부캐의 이름, 직업, 배경, 대화 상황에서의 역할 등을 설정합니다.

• 특성: 부캐의 성격 특성, 의사소통 방식, 신념과 가치 등을 설정합니다.

• 지식과 전문성: 부캐가 가지고 있는 특정 영역의 지식이나 전문성을 설정
  합니다.

• 경험: 부캐가 겪었거나 영향을 받은 과거의 경험, 성과, 도전 등을 설정합
  니다.

• 동기: 부캐가 행동하거나 결정하는 데 영향을 주는 목표, 욕구, 동기 등을
  설정합니다.

• 감정과 관계: 부캐의 감정 상태, 공감 능력, 관계 구축과 유지 방식 등을 설
  정합니다.

• 맥락: 부캐가 활동하는 특정 상황이나 환경을 설정합니다.

3. 프롬프트 작성: 챗GPT로 만든 각 부캐에게 주어질 프롬프트를 작성합니다. 프롬프트란 챗GPT에게 요청하거나 질문하는 문장입니다. 프롬프트를 작성하기 위해서는 다음과 같은 사항들을 고려해야 합니다.

- 구체성: 챗GPT에게 정확하게 원하는 것을 알려주어야 합니다. 예를 들어 비즈니스 모델 캔버스 생성과 판매 부캐에게 "비즈니스 모델 캔버스를 만들어주세요."라고 요청하는 것보다는 "온라인 교육 플랫폼을 위한 비즈니스 모델 캔버스를 만들어주세요. 비즈니스 모델 캔버스의 9가지 구성요소를 모두 포함하고 각 요소에 대한 설명과 가정을 작성해주세요."라고 요청하는 것이 더 좋습니다.

- 역할 연기: 챗GPT에게 자신이 누구인지 알려주어야 합니다. 예를 들어 시장조사와 컨설팅 서비스 부캐에게 "타깃 시장과 고객 페르소나를 분석해주세요."라고 요청하는 것보다는 "안녕하세요. 저는 ABC 회사의 마케팅 매니저입니다. 저희 회사는 XYZ라는 제품을 출시하려고 합니다. 이 제품의 타깃 시장과 고객 페르소나를 분석해주실 수 있나요?"라고 요청하는 것이 더 좋습니다.

- 후속 질문: 챗GPT에게 주어진 프롬프트에 대한 답변을 받은 후에는 추가적인 정보나 설명을 요청하거나 다른 관련된 프롬프트를 제시할 수 있습니다. 예를 들어 작업 목적 파악과 솔루션 제공 부캐에게 "저는 온라인 쇼핑몰을 운영하고 있습니다. 고객이 더 많은 제품을 구매하도록 하고 싶습니다. 어떻게 해야 할까요?"라고 질문한 후에 챗GPT가 제시한 솔루션에 대해 더 자세히 알아보거나 다른 문제나 목적에 대해 질문할 수 있습니다.

4. 테스트와 평가: 챗GPT로 만든 각 부캐의 프롬프트와 답변을 테스트하고 평가합니다. 테스트와 평가를 통해 부캐의 콘텐츠의 신뢰성과 정확성, 윤리성과 법적성, 효과성과 만족도 등을 확인할 수 있습니다. 테스트와 평가를 위해서는 다음과 같은 방법들을 사용할 수 있습니다.

- 자체 검증: 챗GPT로 만든 부캐의 콘텐츠를 자신이 직접 검증합니다. 부캐의 콘텐츠가 원하는 목표와 수익 모델에 부합하는지, 부캐의 페르소나와 일관성이 있는지, 부캐의 콘텐츠에 오류나 논리적 결함이 없는지 등을 확인합니다.

- 외부 검증: 챗GPT로 만든 부캐의 콘텐츠를 외부의 사람들에게 검증받습니다. 부캐의 콘텐츠가 고객이나 대상 시장에게 유용하고 가치가 있는지, 부캐의 콘텐츠에 윤리적이고 법적인 문제가 없는지, 부캐의 콘텐츠에 대한 피드백이나 건의사항이 있는지 등을 확인합니다.

- 프로토타입 검증: 챗GPT로 만든 부캐의 콘텐츠를 실제로 사용해보고 검증합니다. 부캐의 콘텐츠가 실제로 수익을 창출하고 목표를 달성할 수 있는지, 부캐의 콘텐츠가 고객이나 대상 시장에게 만족도와 충성도를 높일

수 있는지, 부캐의 콘텐츠를 개선하거나 확장할 방법이 있는지 등을 확인합니다.

5. 유지와 관리: 챗GPT로 만든 각 부캐의 콘텐츠를 유지하고 관리합니다. 유지와 관리를 통해 부캐의 콘텐츠의 품질과 가치를 지속적으로 높일 수 있습니다. 유지와 관리를 위해서는 다음과 같은 활동들을 수행할 수 있습니다.

- 업데이트: 챗GPT로 만든 부캐의 콘텐츠를 최신 상태로 유지합니다. 부캐의 콘텐츠에 영향을 주는 시장 변화나 고객 니즈 등을 파악하고 부캐의 콘텐츠에 반영합니다.

- 개선: 챗GPT로 만든 부캐의 콘텐츠를 더욱더 효과적이고 효율적으로 만듭니다. 부캐의 콘텐츠에 대한 피드백이나 건의사항을 수집하고 부캐의 콘텐츠에 개선 사항을 적용합니다.

- 확장: 챗GPT로 만든 부캐의 콘텐츠를 더욱 다양하고 광범위하게 만듭니다. 부캐의 콘텐츠에 새로운 기능이나 서비스를 추가하거나 부캐의 콘텐츠를 다른 플랫폼이나 매체에 확산시킵니다.

- 분석: 챗GPT로 만든 부캐의 콘텐츠의 성과와 가치를 측정하고 평가합니다. 부캐의 콘텐츠에 대한 데이터와 지표를 수집하고 부캐의 콘텐츠가 목표와 수익 모델에 얼마나 기여하는지 분석하고 평가합니다.

이상으로 챗GPT로 멀티 부캐를 만들고 운영하기 위한 절차와 방법을 소개했습니다. 이 절차와 방법은 챗GPT의 다양한 기능과 장점을 최대한 활용하고 고객의 니즈와 가치를 충족시키기 위한 것입니다. 챗GPT는 인공지능 기반의 콘텐츠 생성 도구이므로 부캐의 콘텐츠는 항상 신뢰성과 정확성을 유지해야 합니다. 또한 부캐의 콘텐츠는 항상 윤리적이고 법적인 기준을 준수해야합니다. 챗GPT로 멀티 부캐를 운영하는 데 어떤 어려움이 있을 수 있고 어떤 도움이 필요할 수 있는지 알아보겠습니다.

1. 어려움: 챗GPT로 멀티 부캐를 운영하는 데 다음과 같은 어려움이 있을 수 있습니다.

- 시간과 노력: 챗GPT로 멀티 부캐를 운영하려면 시간과 노력이 많이 필요합니다. 각 부캐의 목표와 수익 모델을 설정하고, 페르소나를 정의하고, 프롬프트를 작성하고, 테스트와 평가를 하고, 유지와 관리를 해야 합니다. 또한 각 부캐의 콘텐츠에 대한 피드백과 건의사항을 수용하고 개선하고 확장해야 합니다. 이 모든 과정은 시간과 노력이 많이 소모되는 작업입니다.

- 경쟁력과 차별화: 챗GPT로 멀티 부캐를 운영하려면 경쟁력과 차별화가 필요합니다. 챗GPT는 인공지능 기반의 콘텐츠 생성 도구이므로 다른 사람들도 챗GPT를 사용하여 비슷한 부캐나 콘텐츠를 만들 수 있습니다. 따라서 자신의 부캐와 콘텐츠가 다른 사람들의 부캐와 콘텐츠와 어떻게 구분되

고 우위에 있을 수 있는지 고민해야 합니다.

- 품질과 가치: 챗GPT로 멀티 부캐를 운영하려면 품질과 가치가 보장돼야 합니다. 챗GPT는 인공지능 기반의 콘텐츠 생성 도구이므로 부캐의 콘텐츠에 오류나 논리적 결함이 있을 수 있습니다. 또한 부캐의 콘텐츠가 고객이나 대상 시장에게 유용하고 가치가 있는지 확인해야 합니다. 따라서 자신의 부캐와 콘텐츠가 신뢰성과 정확성, 윤리성과 법적성, 효과성과 만족도 등을 충분히 갖추고 있는지 검증해야 합니다.

2. 도움: 챗GPT로 멀티 부캐를 운영하는 데 다음과 같은 도움이 필요할 수 있습니다.

- 자료와 정보: 챗GPT로 멀티 부캐를 운영하려면 자료와 정보가 필요합니다. 각 부캐의 목표와 수익 모델에 관련된 자료와 정보를 수집하고, 부캐의 페르소나와 프롬프트에 관련된 자료와 정보를 수집하고, 부캐의 콘텐츠에 관련된 자료와 정보를 수집해야 합니다. 이러한 자료와 정보는 인터넷, 책, 잡지, 뉴스 등 다양한 출처에서 얻을 수 있습니다.

- 도구와 기술: 챗GPT로 멀티 부캐를 운영하려면 도구와 기술이 필요합니다. 각 부캐의 콘텐츠를 생성하고 공유하고 관리하기 위한 도구와 기술을 사용해야 합니다. 예를 들어 웹사이트, 소셜 미디어 채널, 유튜브 채널 등을 통해 부캐의 콘텐츠를 공유하고 자피어나 구글 애널리틱스 등을 통해 부캐의 콘텐츠의 성과와 가치를 측정하고 평가할 수 있습니다.

- 네트워크와 파트너십: 챗GPT로 멀티 부캐를 운영하려면 네트워크와 파트너십이 필요합니다. 각 부캐의 콘텐츠에 관심이 있는 고객이나 대상 시장과의 네트워크를 구축하고 유지해야 합니다. 또한 각 부캐의 콘텐츠에 협력할 수 있는 파트너나 제공자와의 파트너십을 구축하고 유지해야 합니다. 예를 들어 비즈니스 모델 캔버스 생성과 판매 부캐는 다른 비즈니스 모델 전문가나 컨설턴트와 파트너십을 구축할 수 있습니다.

이상으로 챗GPT로 멀티 부캐를 운영하는 데 어떤 어려움이 있을 수 있고 어떤 도움이 필요할 수 있는지 알아보았습니다. 이러한 어려움과 도움은 챗GPT의 다양한 기능과 장점을 최대한 활용하고 고객의 니즈와 가치를 충족시키기 위한 것입니다. 챗GPT는 인공지능 기반의 콘텐츠 생성 도구이므로 부캐의 콘텐츠는 항상 신뢰성과 정확성을 유지해야 합니다.

자세한 정보: 1. axiomalpha.com 2. business.com 3. businessinsider.com
4. research.aimultiple.com −간략히 보기

프롬프트: 챗GPT를 활용해서 월평균 1,000만 원 이상의 수익을 만들고 싶어. 하나의 부캐만 운영하는 것이 아니라 여러 개의 부캐를 만들어서 다양한 수익 모델을 운영하는 것이 목표야. 이렇게 멀티 부캐를 만들어서 지속적으로 온라인 수익을 창출할 수 있는 사업 다변화 기회를 가장 수익성과 시장성이 높은 순서대로 10개 제시해주고 그 근거는 무엇인지도 알려줘.

위 프롬프트를 챗GPT를 통해서 답변을 받으면 다음과 같습니다.

멀티 부캐를 만들어서 지속적으로 온라인 수익을 창출할 수 있는 사업 다변화 기회를 수익성과 시장성이 높은 순서대로 제시하겠습니다. 이러한 제시는 각 분야의 인기도, 시장 규모, 경쟁력 등을 고려한 것이며, 개별 사례에 대한 정확한 수익과 근거를 제시하기는 어렵습니다.

1. 가상 인플루언서: 다양한 산업 분야에서 활약하는 가상 인플루언서를 만들어 광고와 제품 홍보 수익을 창출합니다.

2. 콘텐츠 크리에이터: 유튜브, 틱톡, 인스타그램 등 다양한 플랫폼에서 활동하는 콘텐츠 크리에이터 부캐를 만들어 광고와 제품 판매 수익을 창출합니다.

3. 전문 컨설턴트: 경영, 마케팅, 개발 등 다양한 분야의 전문 컨설턴트 부캐를 만들어 컨설팅 비용을 통해 수익을 창출합니다.

4. 온라인 강사: 다양한 분야의 온라인 강의를 제공하는 부캐를 만들어 강의료와 강의 판매를 통해 수익을 창출합니다.

5. 도서 출판: 챗GPT를 활용해 소설, 에세이, 자기계발서 등 다양한 분야의 도서를 작성하여 출판과 전자책 판매를 통해 수익을 창출합니다.

6. 웹과 앱 개발: 챗GPT를 활용하여 다양한 산업 분야에서 사용되는 웹사이트와 앱 개발 서비스를 제공하여 프로젝트 수익을 창출합니다.

7. 디자인 서비스: 로고, 포스터, 웹 디자인 등 다양한 디자인 서비스를 제공하는 부캐를 만들어 프로젝트 수익과 라이선스 수익을 창출합니다.

8. 글쓰기와 번역 서비스: 챗GPT를 활용해 글쓰기와 번역 서비스를 제공하는 부캐를 만들어 프로젝트 수익을 창출합니다.

9. 이벤트와 세미나 기획: 챗GPT를 활용해 이벤트와 세미나 기획을 담당하는 부캐를 만들어 티켓 판매와 스폰서 수익을 창출합니다.

10. 브랜드 컬래버레이션: 다양한 브랜드와 협업하여 제품과 서비스를 공동 개발하고 판매하여 수익을 창출하는 부캐를 만듭니다.

이러한 다양한 부캐를 만들어 온라인 수익을 창출할 수 있는 사업 나변화 기회들은 각 분야의 인기도, 시장 규모, 경쟁력 등을 고려하여 순서대로 제시한 것입니다. 그러나 개별 사례에 대한 정확한 수익과 근거를 제시하기는 어렵습니다. 이러한 사례들을 참고하여 멀티 부캐를 만들어 온라인 수익을 창출하는 것이 가능하며 독창적이고 매력적인 부캐를 만들어 시장에서 차별화된 경쟁력을 확보하는 것이 중요합니다.

각 부캐를 만들고 운영하는 데 필요한 노력과 시간이 상이할 수 있으므로 자신의 관심 분야와 장기적인 계획에 맞게 전략을 세우는 것이 좋습니다. 또한 부캐별로 소통과 마케팅 전략을 세심하게 관리하여 지속적인 성장과 수익창출이 가능하도록 관리해야 합니다.

4부

챗GPT로 마케팅 천재되기

ChatGPT

7장

마케팅 인공지능 비서 구축하기

마케팅은 제가 챗GPT를 가장 많이 사용하고 있으며 결과물에 가장 놀라는 분야입니다. 나만 알고 싶을 정도로 챗GPT의 기능들을 통해 도움을 받을 수 있으며 생각보다 만족도 높은 결과물들을 접했을 때의 그 희열을 잊지 못합니다. 그럼 챗GPT를 어떻게 마케팅 인공지능 비서로 구축할 수 있는지 이야기해 보겠습니다.

챗GPT는 콘텐츠 제작을 위한 강력한 도구일 뿐만 아니라 데이터를 분석하고, 캠페인을 최적화하고, 고객에 대한 통찰을 주는 스마트한 비서이기도 합니다. 예를 들어 챗GPT는 사용자가 몇 가지 질문을 하면 목표에 가장 적합한 전략과 전술을 제안하여 단 1분 만에 마케팅 계획을 설계할 수 있도록 도와줍니다. 또한 고급 분석기법과 머신러닝을 사용하여 고객의 행동과 선호도를 이해하는 데 도움을 줄 수 있습니다. 챗GPT는 타깃 고객을 세분화하고, 메시지를 개인화하고, 가장 관련성이 높은 상품과 서비스를 추천해 줍니다. 챗GPT는 브랜드를 위한 매력적인 캐릭터를 만들고 챗봇, 소셜미디어, 이메일 등 다양한 채널을 통해 고객과 소통하는 데도 도움이 됩니다. 챗GPT를 마케팅 인공지능 비서로 활용하면 시간과 비용을 절약하고 창의성과 생산성을 높이며 더 나은 결과를 얻을 수 있습니다.

그렇다면 제가 어떻게 챗GPT를 마케팅 인공지능 비서로 활용했는지 그 인사이트를 이제부터 공개하겠습니다.

1

단 1분 만에 신제품 마케팅 기획하기	🔍

마케팅 기획을 해본 사람이라면 알 것입니다. 마케팅 기획이 오래 걸리고 불확실하고 그래서 계속 수정할 수밖에 없는 작업이라는 것을. 오랜 기간 마케팅 기획을 해온 저도 늘 새로우면서도 데이터에 기반하여 기획 해야 하고 주어진 예산 안에서 기획해야 한다는 게 하면 할수록 어렵습니다. 또한 오래하면 할수록 사고가 고착돼 창의적인 아이디어를 도출하기 어렵고 시장의 트렌드를 분석하기도 쉽지 않은 일입니다. 그렇게 마케팅 기획을 하고 실행했는데 결과가 좋지 않았을 때 느끼는 좌절감은 정말 고통스럽기까지 합니다.

챗GPT가 등장하고 대중 앞에 알려지면서 저도 챗GPT를 업무에 사용해보았습니다. 그전에는 올인원 인공지능 플랫폼인 뤼튼 서비스를 이용하고 있었습니다. 괜찮은 카피 라이팅을 건지기도 했습니다. 또 기존에 고객 심리를 파악하고 싶어하는 분들에게 굉장히 유용할 것 같다고 생각하긴 했지만 간단한 질문만 던진 게 전부였습니다. 그런데 챗GPT는 사용하면 할수록 정보가 쏟아져 나왔습니다. 어떻게 하면 잘 쓸 수 있고 어떻게 하면 좋은 답변을 받을 수 있는지 연구하게 되었습니다. 챗GPT는 마케팅 영역에서도 굉장한 성과를 보여주기 시작했습니다. 그래서 챗GPT에게 마케터라는 역할을 부여하고 우리 회사의 상황과 어떤 일을 해야 하는지 설명했습니다. 그랬더니 다음과 같은 놀라운 답변을 받았습니다.

프롬프트: 당신은 라이트핸드라는 3PL 기업의 마케터입니다. 풀필먼트 서비스, 마케팅, 컨설팅 시장의 성장 전망에 대해서 분석해주세요. 성장 전망에 따른 기회에 라이트핸드의 마케팅 전략을 수립해주세요.

✓ '풀필먼트 서비스 시장 성장 전망' 검색 중

✓ '마케팅 시장 성장 전망' 검색 중

✓ 답변을 생성하는 중……

▶️ 안녕하세요. 이것은 빙입니다. 당신의 질문에 대해 답변해 드리겠습니다.

당신이 라이트핸드라는 3PL 기업의 마케터라면 풀필먼트 서비스, 마케팅, 컨설팅 시장의 성장 전망에 대해서 분석하고 성장 전망에 따른 기회에 라이트핸드의 마케팅 전략을 수립하는 것이 중요할 것입니다.

풀필먼트 서비스 시장은 온라인 쇼핑의 급속한 성장과 함께 확대되고 있습니다. 세계의 이커머스 풀필먼트 서비스 시장 규모는 예측 기간에 9.5%의 CAGR로 확대되고 2030년에는 1,986억 2,000만 달러 규모로 성장할 것으로 예측됩니다. 한국에서도 풀필먼트 서비스는 이제 이커머스 기업들에게 반드시 필요한 인프라가 되었으며, 쿠팡과 컬리를 비롯한 주요 이커머스 기업들은 대규모 물류센터를 확보하고 신속하고 정확한 배송 서비스를 제공하기 위해 투자를 진행하고 있습니다. 도심 내 공간을 활용한 마이크로 풀필먼트 서비스도 새로운 트렌드로 부상하고 있으며, 자동화 설비와 인공지능 기법을 결합하여 보다 효율적인 물류 운영을 구현하는 방식이 주목받고 있습니다[8].

마케팅 시장은 디지털 역량 중심의 성장을 보일 것으로 예상됩니다. 구글 마케팅 넥스트Google Marketing Next에서 발표된 2021년 광고에 대한 6가지 전망[9]에 따르면

- 이커머스의 급속한 성장은 앞으로도 지속될 것입니다.
- 광고주들은 디지털 광고에 대한 투자를 늘릴 것입니다.
- 커넥티드 TV가 마케팅의 중심이 될 것입니다.
- 브랜드 안전은 최전방과 중심에 위치합니다.
- 새로운 아이덴티티 솔루션을 향한 업계 협력이 전폭적으로 진행될 것입니다.
- 매장 구매 경험이 한층 더 매끄러워질 것입니다.

따라서 마케터들은 정보 검색 방식의 진화, 모바일 환경에서의 고객 경험 개선, 오프라인과 온라인 간의 연결성 강화 등을 고려하여 다양한 채널과 기기에서 관련성 높고 유용하며 도움이 되는 경험을 제공하는 마케팅 전략을 수립해야 합니다.

제일 먼저 빙에 GPT-4를 결합한 뉴빙에게 역할과 할 일을 일러주는 질문을 했습니다.

"당신은 라이트핸드라는 제삼자 물류3PL, Third Party Logistics 기업의 마케터입니다. 제삼자 물류란 제삼자에게 생산단계에서부터 소비와 이용 단계에 이르기까지 재화의 취급을 관리하는 물류 활동을 위탁하는 것을 의미합니다. 풀필먼트 서비스, 마케팅, 컨설팅 시장의 성장 전망에 대해 분석해주세요. 성장 전망에 따른 기회에 라이트핸드의 마케팅 전략을 수립해주세요. 여기서 풀필먼트는 개념은 물류 전문업체가 상품의 입고, 포장, 배송 등 제품이 고객에게 배달되기까지의 전 과정을 판매자를 대신해 일괄적으로 처리하는 것을 의미합니다.

제 질문에 대한 답변으로 뉴빙은 이커머스의 비중이 계속 확대되고 있으며 쿠팡과 마켓컬리의 성장과 더불어 설명하고 있습니다. 자신의 업무에 대한 사전 지식을 설명하면 좀 더 심도 있는 답변을 받을 수 있습니다. 간혹 대화가 끊어질 때는 "이어서 해줘." 혹은 "위 답변 계속해 주세요."와 같이 명령하면 답변을 이어서 받을수 있습니다.

프롬프트: 위 답변 계속해주세요.

√ '컨설팅 시장 성장 전망' 검색 중

√ 답변을 생성하는 중……

▶️ 네. 계속해서 컨설팅 시장에 대해서도 알려드리겠습니다.

컨설팅 시장은 기업들이 비즈니스 환경의 변화에 적응하고 혁신적인 전략과 솔루션을 수립하기 위해 전문가의 도움이 필요한 추세입니다. 글로벌 시장조사 기업인 IDC는 2015년에서 2020년까지 세계 컨설팅 산업 시장의 규모를 2015년의 약 110조 원(973억 달러)에서 2020년에는 164조 원(1,420억 달러)규모가 될 것으로 전망하고 있습니다[1]. 지역별로는 북미가 가장 큰 시장이며 아시아태평양은 가장 빠르게 성장하는 지역입니다. 서비스별로는 조직 컨설팅과 전략 컨설팅이 매년 각각 8.9%, 8.8% 증가할 것으로 보입니다[1].

한국의 컨설팅 시장은 글로벌 기준보다 상대적으로 작은 편이지만 최근 몇년간 꾸준히 성장하고 있습니다. 한국컨설팅협회KCA에 따르면 한국의 컨설팅 시장 규모는 2019년에 약 2조 7,000억 원으로 추산되며, 이 중 경영컨설팅이 약 1조 3,000억 원으로 가장 큰 비중을 차지합니다[2]. KCA는 코로나 팬데믹의 영향으로 인해 한국의 컨설팅 시장은 올해 약간 감소할 것으로 예상하지만 디지털 전환과 혁신을 추구하는 기업들의 수요가 늘어날 것으로 전망합니다[2].

라이트핸드라는 3PL 기업의 마케터라면 풀필먼트 서비스와 마케팅 시장의 성장 기회를 잘 파악하고 컨설팅 역량을 강화하여 고객에게 맞춤형 솔루션을 제공하는 것이 중요할 것입니다. 라이트핸드의 마케팅 전략을 수립하기 위해서는 다음과 같은 점들을 고려해야 할 것입니다.

- 풀필먼트 서비스와 마케팅 서비스를 연계하여 고객에게 원스톱 솔루션을 제공할 방법을 모색해야 합니다. 예를 들어 고객의 상품 판매량과 재고량 등 데이터를 분석하여 최적화된 배송과 재고 관리 서비스를 제공하거나 고객의 타깃 마켓과 고객 행동 등 데이터를 활용하여 효과적인 마케팅 캠페인을 설계하고 실행할 수 있습니다.
- 디지털 마케팅 역량을 강화하여 다양한 채널과 기기에서 고

자세한 정보: 1. blog.naver.com 2. bing.com 3. giikorea.co.kr 4.blog.naver.com + 더 보기

제가 라이트핸드를 운영하면서 가장 우선시하고 타 기업들과 차별성을 두는 부분을 챗GPT는 정확히 잡아냈습니다. "풀필먼트 서비스와 마케팅 서비스를 연계하여 고객에게 원스톱 솔루션을 제공할 수 있는 방법을 모색해야 합니다."가 바로 그것입니다.

마케팅 기획에서 챗GPT의 가장 강력한 장점은 경쟁사와의 비교 분석이나 현재 상황을 바탕으로 답변을 제시한다는 것입니다(하지만 이렇게 비교 분석이 되려면 우리 브랜드가 어느 정도의 규모가 돼야 하기에 모든 자료에 대한 비교 분석은 어렵다는 점을 참고하기 바랍니다).

빙에게 마케팅 기획을 도출하기 위해 제가 던진 문장은 많아야 두 문장입니다. 두 문장을 입력했을 뿐인데 그동안 생각해오던 것뿐만 아니라 생각해보지 못한 결과물을 단 1분 만에 얻을 수 있었습니다.

프롬프트: 위 답변 계속해주세요.

▶ 네. 계속해서 답변을 드리겠습니다.

- 디지털 마케팅 역량을 강화하여 다양한 채널과 기기에서 고객의 관심과 신뢰를 얻을 수 있는 콘텐츠와 메시지를 제공해야 합니다. 예를 들어 라이트핸드의 풀필먼트 서비스와 마케팅 서비스의 성공 사례나 고객 평가 등을 소셜 미디어나 블로그 등에 공유하거나 온라인 광고나 이메일 마케팅 등을 통해 고객에게 맞춤형 정보나 혜택을 전달할 수 있습니다.

- 컨설팅 서비스의 품질과 가치를 강조하여 고객에게 신뢰성과 전문성을 드러내야 합니다. 예를 들어 라이트핸드의 컨설팅 팀은 경영 컨설팅 분야에서 다년간의 경험과 지식을 바탕으로 고객의 비즈니스 문제를 해결하고 성장 전략을 수립하는 데 도움이 될 수 있다는 것을 홍보하거나 컨설팅 프로젝트의 목표, 방법론, 성과 측정 방법 등을 명확하게 제시할 수 있습니다.

- 경쟁사들과 차별화되는 포인트를 찾아내고 강조해야 합니다. 예를 들어 라이트핸드는 풀필먼트 서비스와 마케팅 서비스를 결합하여 고객에게 원스톱 솔루션을 제공한다는 것이 경쟁력이 될 수 있습니다. 또한 라이트핸드는 고객의 상황과 요구에 따라 유연하고 맞춤형으로 서비스를 제공한다는 것도 강점으로 부각할 수 있습니다.

이상으로 답변을 마칩니다. 추가적인 질문이 있으시면 언제든지 말씀해주세요.

컨설팅을 진행할 때도 챗GPT는 제가 함께했던 고객사의 성공사례를 통해 신규 고객사로부터 신뢰성과 전문성을 확보해야 한다는 점을 명확히 짚어냈습니다. 다년간의 경험과 지식을 바탕으로 고객이 겪게 되는 사업의 다양한 문제들을 해결하고 고객사가 성장하기 위해서 큰 도움이 된다는 점을 인지시켜야 한다는 점을 알려줍니다. 제가 현재 취하고 있는 전략 중 하나입니다. 이러한 답변을 내놓는 걸 보고 놀라움을 금치 못했습니다.

GPT-3는 환각hallucination 현상이 있어서 이야기를 지어내는 경우가 많았지만 GPT-4는 검색을 통해 자료를 취합한 결과를 자연스러운 한국어로 생성해주어 정확도는 물론이고 답변에 대한 만족도 또한 높아졌습니다.

● ● ● 〈 〉 Ｃ Ｑ   ☆ ≡

프롬프트: 그렇다면 3PL, 마케팅, 컨설팅 시장에서 라이트핸드와 경쟁하는 브랜드와 서비스에는 어떤 것들이 있고 각 서비스의 장단점은 무엇인지 분석해주세요.

✓ '3PL, 마케팅, 컨설팅 시장 경쟁사' 검색 중

✓ 답변을 생성하는 중······

▶ 네. 3PL, 마케팅, 컨설팅 시장에서 라이트핸드와 경쟁하는 브랜드와 서비스에 대해 분석해 드리겠습니다. 3PL 시장은 제조업체나 유통업체가 자신의 핵심 역량에 집중하기 위해 외부의 전문 업체에 물류 관련 업무를 위탁하는 서비스입니다. 3PL 시장은 코로나 팬데믹으로 인한 온라인 쇼핑의 급증과 공급망의 다변화 등으로 성장하고 있습니다. 한국의 3PL 시장 규모는 2019년 약 20조 원으로 추산되며, 이 중 창고와 운송 관리가 약 70%를 차지합니다[1]. 한국의 3PL 시장에서 라이트핸드와 경쟁하는 주요 브랜드와 서비스는 다음과 같습니다.

• CJ대한통운: 국내 최대의 택배 및 물류 기업으로 B2B와 B2C 모두에게 다양한 풀필먼트 서비스를 제공합니다. CJ대한통운은 창고 자동화 시스템과 스마트 로지스틱스 솔루션을 활용하여 효율적이고 정확한 배송 서비스를 구현하고 있습니다. CJ대한통운은 국내외 네트워크가 넓고 안정적인 운영력을 갖춘 것이 장점이지만 가격 경쟁력이 낮고 고객 맞춤형 서비스가 부족한 것이 단점입니다.

• 롯데글로벌로지스: 롯데그룹 계열사로서 유통과 제조업체를 대상으로 풀필먼트 서비스를 제공합니다. 롯데글로벌로지스는 창고 임대와 운영 관리, 상품 입출고와 재고 관리, 주문 처리와 배송 관리 등을 수행하며, 고객사의 전사적 자원관리ERP와 연동하여 실시간 데이터를 제공합니다. 롯데글로벌로지스는 그룹 내외 다양한 고객사와 협력하며 신뢰성과 안정성을 갖춘 것이 장점이지만 창고 공간과 인력 부족으로 인한 용량 한계와 비용 증가가 단점입니다.

• 한진: 항공화물과 해운을 주력 사업으로 하며 B2B와 B2C 모두에게 풀필먼트 서비스를 제공합니다. 한진은 창고 임대와 운영 관리, 상품 입출고와 재고 관리, 주문 처리와 배송 관리 등을 수행하며 스마트 로지스틱스 솔루션을 활용하여 최적화된 물류 프로세스를 구축합니다. 한진은 국내외 네

트워크가 강하고 다양한 산업 분야에 대응할 수 있는 것이 장점이지만 항공화물과 해운 사업

자세한 정보: 1. hankyung.com   2. brunch.co.kr   3. blog.naver.co

이번에는 경쟁사들과 각 경쟁사 서비스의 장단점 분석을 요청했더니 경쟁사라고 할 수 없는 대기업들을 분석했습니다. 이는 아마 제가 처음에 라이트핸드가 실존하는 특정 기업이라는 가설을 넣지 않아서 그런 것 같습니다. 그래도 경쟁사들의 강점과 약점을 분석하여 알려주고 있습니다. 그들의 약점을 우리 기업에 적용하고 보완하여 새로운 장점으로 벤치마킹할 수도 있습니다.

만약에 내가 취업한 회사나 운영하는 회사의 규모가 크다면 간단한 입력만으로도 이렇게 비교가 가능하다는 점에서 인사이트를 얻을 수 있을 것입니다. 이전에는 기업 분석을 하려고 해도 검색도 되지 않거나 찾아야 하는 자료의 영역이 굉장히 방대하여 시간이 오래 걸렸습니다. 지금은 챗GPT가 100분의 1가량 시간을 단축하여 정보를 요약해서 보여주니 대단한 업무 효율화를 경험할 수 있습니다.

프롬프트: 답변을 들어보니 라이트핸드가 실존하지 않는 회사라고 생각하는 것 같은데 실존해. https://www.righthand112.co.kr이 라이트핸드의 도메인이야. 사이트를 참고하여 라이트핸드의 서비스가 다른 3PL 기업의 서비스보다 차별화된 경쟁우위를 갖기 위한 개선 방안과 마케팅 전략 방향을 수립해주세요.

✓ '라이트핸드 서비스' 검색 중

✓ 답변을 생성하는 중……

▶ 네. 라이트핸드의 도메인을 확인했습니다. 라이트핸드는 의류 전문 3PL 서비스로서 쇼핑몰 통합 관리 시스템을 제공하는 기업입니다. 라이트핸드의 서비스가 다른 3PL 기업의 서비스보다 차별화된 경쟁우위를 갖기 위한 개선 방안과 마케팅 전략 방향은 다음과 같습니다.

- 개선 방안: 라이트핸드는 의류 산업에 특화된 3PL 서비스를 제공하고 있으나 의류 산업 외에도 다양한 산업 분야와 고객 유형에 대응할 수 있는 서비스를 확대하는 것이 필요합니다. 예를 들어 화장품, 액세서리, 식품 등의 제품에 대한 풀필먼트 서비스를 추가하거나 B2B 고객을 위한 맞춤형 솔루션을 개발하는 등의 방법이 있습니다. 또한 물류와 배송 외에도 고객사의 비즈니스 성장을 지원할 수 있는 부가가치 서비스를 강화하는 것이 필요합니다. 예를 들어 고객사의 상품 사진 촬영과 업로드, 상품 설명 및 리뷰 작성, SNS 마케팅 등의 서비스를 제공하는 등의 방법이 있습니다.

- 마케팅 전략 방향: 라이트핸드는 자신들의 차별화된 쇼핑몰 통합 관리 시스템과 성과 보고서 등을 활용하여 고객사와 고객에게 신뢰성과 만족도를 높일 수 있는 마케팅 전략을 수립해야 합니다. 예를 들어 고객사와 고객 모두에게 리얼패킹 시스템을 통해 포장 과정을 촬영하여 보여주는 것은 클레임 감소와 구매 의사 증진에 도움이 됩니다. 또한 고객사의 매출 상승과 기업 성장을 보장하는 데이터 분석과 컨설팅 솔루션을 통해 단순한 3PL 업체가 아닌 풀필먼트 파트너로서의 이미지를 강화할 수 있습니다. 마지막으로 온오프라인에서 다양한 광고와 홍보 활동을 통해 라이트핸드의 인지도와 매력도를 높일 수 있습니다.

자세한 정보: 1. righthand112.co.kr   2. righthand.tistory.com   3. samsungsvc.co.kr   +1 더 보기

이번에는 라이트핸드의 도메인을 알려주고 사이트를 제대로 분석하고 참고하여 다른 제삼자 물류 기업의 서비스보다 차별화된 경쟁우위를 갖기 위해 개선해야 할 점과 마케팅 전략 방향 수립을 요청했습니다. 챗GPT는 제가 한 번도 생각해보지 못했던 전략을 하나 말해주었습니다. 바로 '고객사의 상품 사진 촬영과 업로드, 상품 설명과 리뷰 작성, SNS 마케팅 등의 서비스를 제공하는 등의 방법'이 그것입니다. 실제로 저희는 고객사에서 콘텐츠를 받아 광고

를 설정하고 송출하고 핵심성과지표KPI 보고서 분석까지 진행하는 프로세스를 갖고 있습니다. 그 때문에 챗GPT가 말한 전략이 꽤 신선하게 느껴졌습니다.

프롬프트: 라이트핸드의 3PL, 마케팅, 컨설팅 서비스 홍보와 판매를 증대할 수 있는 타깃 고객의 페르소나를 설정해 줄 수 있나요?

✓ '페르소나 설정 방법' 검색 중

✓ 답변을 생성하는 중······

▶ 네. 라이트핸드의 3PL, 마케팅, 컨설팅 서비스 홍보와 판매를 증대할 수 있는 타깃 고객의 페르소나를 설정해 드리겠습니다. 페르소나 설정은 다음과 같은 방법으로 진행할 수 있습니다■.

- 페르소나 정의하기: 라이트핸드의 서비스를 이용할 가장 이상적인 고객의 모습을 가상 인물로 설정합니다. 페르소나는 실제 존재하는 인물을 기반으로 만들어야 하며 다양한 데이터와 유저 리서치를 통해 특성과 니즈를 파악합니다. 페르소나는 이름, 나이, 성별, 직업, 연봉, 가족 관계, 취미 등의 기본 정보와 함께 그들의 문제점, 목표, 동기 등을 포함해야 합니다.

- 페르소나 검증하기: 설정된 페르소나가 실제 시장에서 얼마나 유효한지 검증합니다. 최소기능제품MVP,Minimum Viable Product을 만들어서 페르소나에게 제공하고 그들의 반응과 피드백을 수집합니다. 또한 A/B 테스트 등을 통해 다른 고객군과 비교하여 성과를 측정합니다. 검증된 페르소나는 시장성과 맞춤형 서비스 제공에 도움이 됩니다.

페르소나 활용하기: 검증된 페르소나를 바탕으로 라이트핸드의 서비스 개선과 마케팅 전략을 수립합니다. 예를 들어 어떤 채널과 메시지로 그들에게 접근할 것인지, 어떤 가치와 감정을 전달할 것인지 등을 결정합니다. 또한 고객 경험 맵 등을 활용하여 여정과 니즈에 맞춰 서비스를 제공하고 만족도를 높입니다.

라이트핸드의 타깃 고객은 의류 쇼핑몰 사업자입니다. 이 중에서도 다음과 같은 세부적인 분류가 가능합니다.

- 1인 기업: 혼자 모든 업무를 처리하는 사람으로서 물류와 배송에 대한 부

담이 크고 시간과 비용이 부족한 사람입니다.

- 소규모 사업자: 몇 명의 직원과 함께 작은 규모로 운영하는 사람으로서 경쟁력 있는 상품 개발과 마케팅에 집중하고 싶으나 물류와 배송에 대한 걱정이 있는 사람입니다.

- 중대형 사업자: 여러 명의 직원과 함께 큰 규모로 운영하는 사람으로서 자체적인 물류 시스템을 갖추고 있으나 비용 절감과 자동화된 솔루션을 원하는 사람입니다.

위 분류에서 1인 기업과 소규

자세한 정보: 1. publy.co 2. blog.naver.com 3. openads.co.kr

다음으로는 이러한 마케팅 전략을 어떤 타깃 층에 좀 더 어필해야 하는지 타깃 고객의 페르소나를 물었습니다. 챗GPT는 항상 우리 기업의 주 고객사가 되는 '의류 쇼핑몰 사업자'라고 대답하며 여기서도 세부 분류를 한 답변을 내놓았습니다.

프롬프트: 답변을 계속해주세요.

▶ 네. 계속해서 답변을 드리겠습니다.

- 1인 기업과 소규모 사업자의 페르소나 설정 예시:

이름: 김민지 나이: 28세 성별: 여성 직업: 의류 쇼핑몰 사장 연봉: 3,000만 원 가족 관계: 독신 취미: 영화 보기, 쇼핑하기, 여행하기 문제점: 혼자 모든 업무를 처리해야 해서 물류와 배송에 많은 시간과 비용이 든다. 물류 업체를 이용하고 싶지만 신뢰할 수 있는 업체를 찾기 어렵다. 또한 마케팅과 상품 개발에 대한 전문적인 지식과 경험이 부족하다. 목표: 자신의 취향과 감성을 담은 의류를 판매하고 많은 사람에게 인정받는다. 물류와 배송에 대한 부담을 줄이고 상품과 마케팅에 집중한다. 매출을 늘리고 규모를 확장한다. 동기: 자신의 스타일을 표현하고 공유하는 것을 좋아한다. 독립적이고 창의적인 일을

하고 싶다. 성공적인 여성 사업가가 되고 싶다. 좋아하는 책 또는 영화:「스타트업」「걸보스」「어바웃 타임」 좋아하는 방송 프로그램 또는 구독하고 있는 유튜브 채널:「예능맛ZIP」「디렉터파이」「옷수선공방」 좋아하는 인물, 동경하는 셀럽: 박나래, 이새롬, 제니 평일이나 휴일의 라이프스타일: 평일에는 주로 집에서 업무를 처리하며 가끔 카페나 공유 오피스에서 일하기도 한다. 휴일에는 친구들과 만나서 영화를 보거나 쇼핑하거나 여행을 간다. 그들이 꿈꾸는 이상적인 라이프스타일? 자기 의류 브랜드가 유명해지고 많은 사람이 입는 것을 보면서 자부심을 느낀다. 자신만의 작업실과 창고를 갖고 직원들과 함께 일한다. 원하는 때에 원하는 곳으로 여행을 간다. 그들이 갖고 싶어하는 것은? 효율적이고 저렴한 물류 서비스, 전문적인 마케팅 컨설팅 서비스, 다양하고 독특한 의류 소재와 디자인 그들이 가고 싶어하는 나라, 여행지는? 프랑스 파리, 일본 오사카, 태국 방콕

페르소나 설정 예시까지 상세한 답변을 주었습니다. 페르소나는 어디까지나 가상의 인물이며 타깃 고객을 구체화하기 위한 작업의 일환이므로 참고해 구체화하는 것이 좋습니다. 우리가 하는 사업이나 업무에 주 고객층의 페르소나를 설정함으로써 요즘 시대의 트렌드가 되는 밈을 생성하여 마케팅을 기획하거나 유튜브 콘텐츠나 SNS 콘텐츠를 활용하여 좀 더 맞는 타깃 고객에게 친근감 있는 마케팅을 기획할 수 있을 것입니다. 요즘 트렌드에 딱 맞는 마케팅 기획이 이렇게 간단한 몇 번의 대화만으로 가능하다는 사실이 놀랍지 않을 수가 없습니다.

프롬프트: 라이트핸드의 서비스 판매를 촉진할 수 있는 프로모션과 핵심 슬로건 메시지를 제안해줄 수 있나요?

▶ 라이트핸드의 서비스 판매를 촉진할 수 있는 프로모션과 핵심 슬로건 메시지를 다음과 같이 제안해 드립니다.

- 프로모션: 라이트핸드의 서비스를 첫 번째로 이용하는 고객에게는 10% 할인 쿠폰을 제공한다. 또한 라이트핸드의 서비스를 만족하고 후기를 남겨주는 고객에게는 5% 할인 쿠폰을 제공한다. 이외에도 라이트핸드의 서비스를 친구나 지인에게 추천해주는 고객에게는 추천인 수에 따라 추가적인 혜택을 제공한다. 예를 들어 추천인 수가 3명 이상이면 20% 할인 쿠폰, 5명 이상이면 30% 할인 쿠폰, 10명 이상이면 무료 배송 서비스 등을 제공한다.

- 핵심 슬로건 메시지: 라이트핸드는 의류 전문 풀필먼트 파트너로서 고객의 비즈니스 성공을 위해 최선을 다합니다. 라이트핸드와 함께라면 물류와 배송에 대한 걱정은 없습니다. 우리는 고객의 상품을 안전하고 신속하게 포장하고 배송해드리며 그 과정을 투명하게 보여드립니다. 또한 우리는 고객의 상품 개발과 마케팅에도 도움을 드리며 맞춤형 솔루션과 데이터 분석과 컨설팅 서비스도 제공합니다. 라이트핸드와 함께라면 비즈니스 성장은 확실합니다. 당신의 비즈니스 파트너 라이트핸드입니다.

저는 여기서 그치지 않고 판매 촉진을 위해 어떤 프로모션과 슬로건 메시지를 제안할 수 있는지 물어봤습니다. 챗GPT가 제안한 프로모션은 현실적이었는데 많은 기업이 고객 유지를 위해 사용하는 것이었습니다. 마케팅을 오랫동안 해온 사람이라면 알고 있는 내용이지만 마케팅을 전혀 모르는 사람이나 초보자에게는 유의미한 정보라고 생각합니다. 슬로건 메시지는 다소 길지만 충분히 참고해볼 수 있는 답안이었습니다.

● ● ● ‹ › ⟳ Q   ☆ ≡

프롬프트: 풀필먼트 회사인 라이트핸드의 서비스 판매를 촉진할 수 있는 프로모션과 슬로건 메시지를 제안해줄 수 있나요?

✓ '라이트핸드 풀필먼트' 검색 중

▶ 네. 라이트핸드의 서비스 판매를 촉진할 수 있는 프로모션과 슬로건 메시지를 제안해 드릴 수 있습니다. 라이트핸드는 의류 전문 풀필먼트 3PL 물류 업체로서 이커머스에 최적화된 마케팅과 컨설팅 서비스를 제공한다는 점을 강조하는 것이 좋을 것 같습니다█. 다음은 제가 생각한 몇 가지 예시입니다.

- 프로모션: 라이트핸드와 함께하는 쇼핑몰 창업 이벤트! 새로운 고객사 대표님들께는 첫 달 무료 서비스와 10만 원 상당의 마케팅 컨설팅을 드립니다. 지금 바로 문의하세요!

- 슬로건: 의류 쇼핑몰 운영의 모든 것, 라이트핸드에 맡기세요! 라이트핸드는 3PL을 넘어 4PL까지 이커머스에 최적화된 풀필먼트 서비스를 제공합니다█.

- 프로모션: 라이트핸드와 함께라면 상품소싱과 아이템 개발에만 집중하실 수 있습니다. 저비용 고효율, 10년 이상의 사업 운영을 통한 마케팅과 컨설팅으로 고객사 대표님의 성공을 도와드립니다█. 지금 신청하시면 3개월간 10% 할인 혜택을 드립니다!

- 슬로건: 의류 전문 라이트핸드, 국내 유일의 풀필먼트 서비스입니다. 물류와 배송 대행의 3PL부터 마케팅과 광고의 4PL까지 원스톱으로 해결해 드립니다█.

이런 식으로 프로모션과 슬로건 메세지를 제안해보았습니다. 어떠신가요?

자세한 정보: 1. righthand.tistory.com 2. instagram.com 3. blog.naver.com 4. irobotnews.com

| ◯ | 좋아요. 감사합니다. | 더 다양한 메시지를 보여주세요. | 라이트핸드의 서비스에 대해 더 자세히 알려주세요. |

아직 답변이 마음에 들지 않는다면 좀 더 질문(프롬프트)을 다듬어 재질문하거나 하단에 코파일럿Copilot(하단 박스)으로 미리 제시한 질문 박스를 클릭하면 다른 제안을 제공받을 수 있습니다. 이런 문제를 고민해본 제 입장에서 이렇게 제안받은 프로모션과 슬로건이 매우 만족스럽게 느껴졌습니다. 이 중에는 이미 한번 시도를 해본 프로모션도 보입니다. 슬로건은 사실 제가 생각한 것보다 더 뛰

어난 결과물이어서 쓸 때마다 마음이 설렙니다.

챗GPT는 쓰면 쓸수록 섬점 더 고도화되고 많이 활용하며 할수록 교감이 생겨서 어떻게 질문을 해야 좀 더 원하는 답변을 받을 수 있는지를 계속 고민하게 됩니다. 그 고민을 머릿속으로만 생각하는 게 아니라 즉각적으로 바로 테스트해봄으로써 엄청난 시간의 단축은 물론 높은 업무 효율화를 경험할 수 있게 되었습니다. 기존에는 마케팅 기획에 많은 사람이 투입돼 많은 시간이 할애되었다면 지금은 혼자서 5~10명이 진행해도 나올까 말까 한 기획을 진행할 수 있습니다.

마케팅에서 챗GPT를 어떻게 활용해야 하는지 예시를 통해 알아보았습니다. 이제는 그 영역을 넘어 그로스 마케팅, 퍼포먼스 마케팅, 데이터 사이언티스트라고 불리는 전문가의 영역까지 어떻게 활용할 수 있을지 이야기하겠습니다.

2

> ## 단 10초 만에 구글 애널리틱스로 분석하기 🔍

이 책의 가장 핵심적인 내용이 될 이야기를 하려고 합니다. 제가 주변에서 챗GPT를 다루는 분들에게 상위 1% 전문가의 인사이트라는 칭찬을 받게 된 내용이기도 합니다. 저는 한국에서 누구보다 마이크로소프트의 뉴빙을 많이 사용했다고 자신할 수 있습니다. 한국에서 마이크로소프트의 뉴빙을 가장 많이 다룬 유튜버이기도 합니다. 특히 챗GPT에게 PDF로 학습을 시키면 뉴빙이 전문가가 된다는 사실을 가장 빠르게 다양한 사례들을 소개한 유튜버이기도 합니다.

정말 이 기능을 활용한다면 응용사례는 무궁무진하고 잘 활용한다면 제가 30일이라는 기간 동안 유튜브 구독자 1,000명을 달성한 것처럼 여러분도 가능합니다. 챗GPT를 전혀 모르는 사람이 60일간 모든 일을 제쳐두고 연구한 결과 지금은 주변에서 상위 1%의 챗GPT 전문가라고 이야기를 듣게 된 것처럼 여러분도 모든 분야에서 전문가가 될 수 있으리라 생각합니다. 그럼 지금부터 이 책의 가장 중요한 내용을 시작해보도록 하겠습니다.

우선 챗GPT에게 PDF를 학습시키는 의미부터 이야기하겠습니다. 챗GPT는 인터넷상에 떠도는 자료 중 2021년 9월 이전의 데이터를 기반으로 학습되었습니다. GPT-4의 등장으로 이미지를 인식할 수 있게 되었지만 아직(2023년 6월 기준) 정식 서비스가 출시된 건 아닙니다. 그런데 챗GPT 서비스와 연동하여 PDF를 학습시키는 서비스들이 출시돼 한동안 챗GPT 사용자들 사이에선 난리가 아니었습니다. 그중 챗PDF는 챗GPT를 이용하여 PDF 파일을 업로드하면 그 파일에 대한 질문에 답변하는 인공지능 챗봇 서비스입니다. 챗PDF 플랫폼(www.chatpdf.com)에 PDF 파일을 끌어다 놓으면 정보를 손쉽게 추출할 수 있습니다. PDF 파일을 업로드하면 그 내용을 기반으로 채팅으로 원하는 답변을 얻을 수 있습니다.

이게 왜 사람들 사이에서 이슈였냐 하면 논문을 학습시켜 그에 관한 질문을 하거나 요약을 하게 하고, 해당 PDF 내용에 페이지를 빠르고 쉽게 찾을 수 있고, 그 내용을 바탕으로 2차 콘텐츠를 가공할 수 있다는 점에서 굉장한 관심을 받았습니다. 저 또한 최근 한 달 동안 이 기능을 활용하여 챗GPT를 남들보다 100배 잘 쓰는 방법에 관해 연구하고 있을 정도입니다. 챗GPT는 말로 표현할 수 없을 만큼의 엄청난 기능을 보여줍니다.

이 엄청난 기능을 지금 무료로 사용할 수 있는 인공지능 도구들이 있습니다. 바로 마이크로소프트의 뉴빙입니다. 이것이 제가 마이크로소프트의 뉴빙에 대해서 다루려는 이유입니다. 챗GPT를

60일 동안 하루에 10시간 이상을 연구하고 조사하며 내린 결과는
다음과 같습니다.

- 가장 쉽다.
- 최신 정보를 검색하여 학습한다.
- GPT-4를 탑재했다.
- PDF 학습이 가능하다.
- 코파일럿Copilot 기능으로 초보자들도 질문을 쉽게 할 수 있다.

위의 다섯 가지를 모두 갖춘 챗GPT 서비스는 마이크로소프트의
뉴빙밖에 없기 때문에 강력하게 추천합니다. 제가 종일 연구하고
사용하는 이유가 그만큼 가장 강력한 성과를 내고 있기에 소개하
려는 것입니다. 이제 마이크로소프트의 뉴빙으로 PDF를 학습시키
는 방법에 관해 소개하고 여기서도 진가를 발휘하는 코파일럿 기
능에 대해서도 알아보겠습니다.

뉴빙에게 PDF 파일을 인식하게 하기 위해선 브라우저가 최신 버전이어야 합니다. 참고로 뉴빙은 별도의 어플이 없습니다. 에지 브라우저 오른쪽 상단의 빙 심볼 옆에 있는 확장메뉴(점 3개) 버튼을 누릅니다.

메뉴 창이 뜨면 하단에 있는 톱니바퀴 문양의 '설정'을 누릅니다.

설정 페이지의 왼쪽 하단에 'Microsoft Edge 정보'를 누릅니다.

그러면 업데이트 여부를 확인할 수 있습니다. 업데이트가 안 돼
있으면 자동으로 업데이트가 진행됩니다. '다시 시작' 버튼을 누릅
니다. 이제 뉴빙이 PDF를 인식할 수 있도록 기본 설정이 완료되었
습니다.

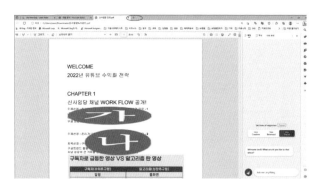

기본 브라우저가 에지로 설정돼 있는 경우 PDF 파일을 실행하
면 에지 브라우저에서 열립니다. 그게 아니라면 PDF 파일을 브라
우저 상단에 탭을 추가할 수 있는 플러스(+) 버튼으로 끌어다 놓으

면 파일이 열립니다.

4월 7일에 확인한 바로는 이미지로 생성된 글은 인식하지 못했습니다. 글자나 숫자로 돼 있는 문서의 PDF 파일만 인식한다는 점을 참고하세요. 사실 이 점이 가장 아쉽습니다.

Welcome back! What would you like to chat about?

이 페이지 보이시나요? 보이시면 한국말로 답 해주세요.

네. 이 페이지가 보입니다. 이 페이지는 2022년 유튜브 수익화 전략에 대한 정보를 제공합니다. 이 페이지의 내용에 대해 더 자세히 알고 싶으신가요?

이제 뉴빙에 PDF를 인식할 수 있는 가장 중요한 프롬프트를 입력하겠습니다. 여기서 PDF 파일 인식이 안 된다는 이야기를 많이 하는데요. 이럴 때는 "이 페이지 보이시나요?"라고 물어보면 됩니다. 저는 그 뒤에 "보이시면 한국말로 대답해주세요."라고 덧붙였습니다. 빙이 가끔 영어로 변경이 되는데요. 이렇게 작성하면 그 뒤로는 한국어로 답변을 하기 때문에 편하게 입력할 수 있습니다.

혹시 '이제 PDF를 인식하는 건 알겠는데 뭘 어떻게 활용해야 될까?'라는 생각이 드시나요? 아직 챗GPT를 대하는 우리의 자세가 바뀌지 않았기 때문에 드는 생각이라고 봅니다. 여기에서 주입식 교육으로 인한 사고력과 창의력 부족에서 오는 문제를 해결해주는 기능이 등장합니다. 바로 뉴빙에 적용된 코파일럿입니다.

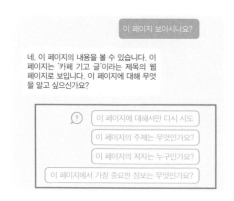

우리는 어떻게 질문을 해야 할지 모르더라도 뉴빙은 사용자가 어떤 질문을 할지 PDF 파일을 분석한 후 알아서 질문을 유도합니다. 이 코파일럿 기능 때문에 필자는 뉴빙이 등장한 이후에는 챗GPT를 덜 활용하게 됐습니다.

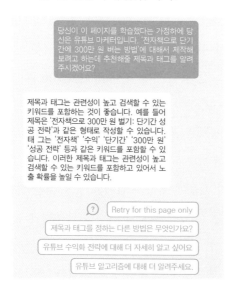

사용자는 뉴빙에게 PDF 파일을 인식하도록 하여 그 글을 바탕으로 다시 질문할 수 있습니다. 유튜브를 예로 들자면 전문적으로 분석된 글이라면 그 글을 바탕으로 "당신이 이 페이지를 학습했다는 가정하에 당신은 유튜브 마케터입니다. 전자책으로 단기간에 300만 원 버는 방법에 대해서 제작하려고 하는데 추천해줄 제목과 태그를 알려주시겠어요?"라고 물어볼 수 있습니다.

우리는 여기서 추천된 제목과 태그를 사용할 수 있습니다. 더 나아가 PDF와 관련된 다른 질문들도 뉴빙이 코파일럿으로 알아서 물어보기 때문에 생각을 확장할 수 있습니다. 저는 이 코파일럿 기능을 사용해보고 조금 놀랐습니다. 코파일럿 기능은 어떻게 활용하느냐에 따라 그 활용도가 무궁무진하고 사고력을 폭넓게 확장할 수 있을 것입니다.

논문이나 오류가 없는 데이터라면 인공지능에게 학습시켜 그 데이터를 기반으로 질문을 하고 답변을 도출하고 더 폭넓은 아이디어를 얻을 수 있습니다. 어려운 글이나 데이터의 궁금한 부분에 대해 물어보면 뉴빙은 개인 비서처럼 수백 페이지의 내용을 빠르고 정확하게 분석해 알려주니 꼭 활용해보세요.

이제부터 정말 중요한 이야기를 시작하려고 합니다. 어려울 수는 있어도 이렇게 활용할 수도 있구나 하는 정도로 참고해주셨으면 합니다. 하지만 마케터라면 필독입니다! 책값이 아깝지 않을 정도의 엄청난 꿀팁을 소개하겠습니다.

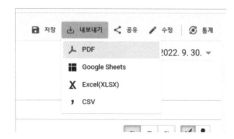

우선 내가 분석하고 싶은 데이터를 PDF로 다운로드하세요. 구글 애널리틱스GA의 데이터 값을 PDF 파일로 내보내는 작업이 필요합니다.

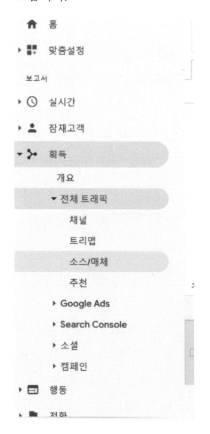

모든 내용을 다 담기에는 한계가 있어 트래픽 소스, 관심 분야, 인구통계학, 전자상거래 부분의 데이터를 추출하겠습니다.

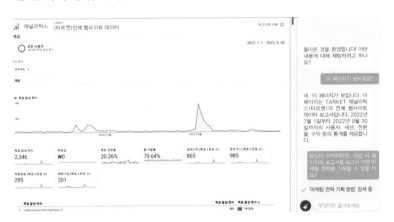

한 파일을 먼저 연 뒤 PDF 병합 기능을 통해 나머지 파일들을 추가합니다. 각기 다른 세그먼트의 파일들이 하나의 파일로 통합되면 파일을 저장합니다. 에지 브라우저를 연 뒤 여기에 PDF 파일을 끌어다 놓습니다.

에지 브라우저가 PDF를 인식한 뒤 우측상단 빙 말풍선을 누릅니다. 그러면 빙 챗이 시작되는데 답변은 '창작'으로 설정합니다. 이 설정에도 엄청난 차이점이 있는데요. 뒤에서 자세히 설명하겠습니다. 여기서 한 가지 중요한 것은 "이 페이지가 보이세요?"의 물음으로 해당 보고서를 빙에게 먼저 인식시켜야 합니다. 빙의 답변이 보이시나요?

저는 원래 여러 날에 걸쳐 지표나 수치를 직접 확인해가며 데이터를 분석해 마케팅 전략과 캠페인 계획을 수립하는 일을 해왔습니다. 이제는 이렇게 빙 챗을 통해 간단히 진행할 수 있는 업무가 되었습니다. 빙에게 마케터라는 역할을 부여한 뒤 걸맞은 마케팅 전략을 물어보았습니다.

마케터라면 지금 이 페이지의 보고서를 보고서 어떤 마케팅 전략을 기획할 수 있을지에 대한 답변은 다음과 같습니다. (웹 검색 결과를 기반으로 작성하였습니다.)

- 마케팅 전략을 기획하기 위해서는 먼저 SMART 마케팅 목표를 세워야 합니다. SMART는 구체적Specific, 측정 가능Measurable, 달성 가능Achievable, 관련성 있는Relevant, 시간제한이 있는Time-based의 약자로 목표가 이러한 조건을 만족하도록 작성해야 합니다[2].

- 다음으로 마케팅 3C를 통해 기업의 환경을 분석해야 합니다. 마케팅 3C는 고객Customer, 회사Company, 경쟁사Competitor를 의미하며 이들의 특징, 니즈, 강점, 약점 등을 파악해야 합니다[2].

피상적인 마케팅 전략에 대해 알려주네요. 여기서 끝일까요? 아닙니다.

- 그리고 이 페이지의 보고서에서 얻을 수 있는 데이터를 활용해 마케팅 전략을 수립해야 합니다. 예를 들어 이 페이지에서는 다음과 같은 데이터를 얻을 수 있습니다.

    ○ 가장 많은 수익을 낸 상품은 BTS 뷔 착용의 SHUT UP [TK00112]이

며 가장 많은 구매를 한 연령대는 18~24세입니다. 이는 BTS 뷔의 인기와 영향력이 크다는 것을 의미하며 이러한 연예인 마케팅을 활용할 수 있습니다.

○ 가장 많은 방문자를 유입한 소스/매체는 (direct)/(none)이며 그다음으로 google/organic1tigshopping/social이 순위에 들었습니다[2]. 이는 웹사이트의 브랜드 인지도가 높다는 것을 의미하며 SEO와 SNS 마케팅을 강화할 수 있습니다.

○ 전체 사용자 중 18.48%가 미디어·엔터테인먼트·TV애청자Media & Entertainment/TV Lovers이고, 5.40%가 의류·액세서리/남성복Apparel & Accessories/Men's Apparel에 관심이 있습니다[3]. 이는 TV 프로그램과 연관된 콘텐츠 마케팅과 남성 의류에 대한 정보 제공을 할 수 있습니다.

필자가 입력한 보고서를 토대로 분석한 뒤 그에 맞는 전략을 도출하였습니다. 처음에는 이런 분석을 단 몇 초 안에 내놓는다는 게 믿기지 않았습니다. 타르켓 브랜드는 실제로 BTS의 뷔가 착용한 상품들을 통해 여러 프로모션과 이벤트를 해오는 전략을 써왔는데요. 빙 또한 이에 큰 의의를 두고 있는 것 같습니다. 여기서 빙에게 좀 더 자세한 답변을 얻기 위해 'BTS 뷔와 관련된 마케팅 전략'을 알려달라고 요청했습니다.

●●●〈〉C Q ☆ ≡

BTS와 관련된 마케팅 전략으로 어떤 걸 가져가면 좋을지 예시를 알려주시겠어요?

✓ 'BTS 뷔 마케팅 전략' 검색

✓ 답변을 생성하는 중……

▶ BTS 뷔와 관련된 마케팅 전략으로 어떤 걸 가져가면 좋을지에 대한 답변은 다음과 같습니다. (웹 검색 결과를 기반으로 작성하였습니다.)

- BTS 뷔는 전 세계적으로 막강한 브랜드 파워를 가지고 있으며 그와 관련된 아이템이나 착용했던 의상 등은 팬들의 높은 관심 속에 품절로 이어지고 있습니다■. 따라서 BTS 뷔와의 협업이나 스폰서십을 통해 제품이나 서비스의 인지도와 매출을 높일 수 있습니다.

- BTS 뷔는 자신의 음악적 색깔과 감성을 잘 표현하는 아티스트로도 인정받고 있으며, 자작곡인 「블루와 그레이Blue & Grey」가 뷔의 손글씨로 새겨진 향초는 첫 판매 시작 후 3분 만에 완판됐습니다■. 따라서 BTS의 음악과 연관된 콘텐츠 마케팅이나 굿즈 제작을 통해 팬들의 호응을 얻을 수 있습니다.

- BTS 뷔는 소셜 미디어에서도 큰 영향력을 발휘하고 있으며, 인스타그램에서는 3,000만 명 이상의 팔로우를 보유하고 있다■. 따라서 BTS 뷔와의 소통이나 인터랙션을 통해 SNS 마케팅을 강화할 수 있습니다.

빙이 뷔의 손글씨로 '블루와 그레이Blue & Grey'가 새겨진 향초의 예시를 들며 이와 관련된 굿즈 제작을 알려주고 있습니다. 타르켓의 입장에선 이를 그래픽 디자인으로 연결할 수 있기에 아주 좋은 마케팅 전략 중 하나일 것 같습니다. 여기서 다시 한 번 전체 상품 카테고리가 아니라 타르켓에 적용할 수 있는 마케팅 전략을 물었습니다.

●●●〈〉C Q   ☆ ≡

타르켓TARKET이 BTS 뷔와 관련된 마케팅 전략으로 어떤 걸 가져갈 수 있을지에 대한 답변은 다음과 같습니다. (웹 검색 결과를 기반으로 작성하였습니다.)

- 타르켓은 티셔츠, 후드, 스웨트셔츠 등의 의류를 판매하는 브랜드로 다양한 캐릭터, 사진, 그래픽, 레터링, 애니메이션, 로고 등의 디자인을 선보이고 있습니다■■. 따라서 BTS 뷔와의 협업을 통해 뷔의 음악적 색깔과 감성을 반영한 의류 제품을 만들 수 있습니다. 예를 들어 뷔의 자작곡인 「블루와 그레이Blue & Grey」나 「윈터 베어Winter Bear」와 연관된 티셔츠나 후드를 제작하거나, 뷔가 좋아하는 향수나 향초의 향을 담은 티셔츠를 제작할 수 있습니다.

- 타르켓은 29CM라는 감도 깊은 취향 편집숍에서도 판매되고 있으며, 29CM는 방탄소년단과도 협업한 바 있는 온라인 쇼핑몰입니다[■]. 따라서 타르켓은 29CM를 통해 BTS 뷔와의 협업 제품을 홍보하고 판매할 수 있습니다. 예를 들어 29CM의 SNS나 웹사이트에서 BTS 뷔와 타르켓의 협업 제품을 소개하거나, BTS 뷔가 착용한 타르켓의 제품을 공개하거나, BTS 뷔와 타르켓의 인터뷰나 메이킹 영상을 공유할 수 있습니다.
- 타르켓은 BTS 뷔의 소셜 미디어 영향력을 활용하여 SNS 마케팅을 강화할 수 있습니다. 예를 들어 BTS 뷔가 자신의 인스타그램이나 유튜브에서 타르켓의 제품을 착용하거나 추천하는 모습을 게시하거나, BTS 뷔가 타르켓의 공식 인스타그램이나 페이스북에 게스트로 등장하거나 BTS 뷔가 타르켓과 관련된 해시태그나 이벤트에 참여하는 모습을 게시할 수 있습니다.

빙은 타르켓이 어떤 곳인지 분석하고 BTS 뷔와 어떤 협업과 프로모션으로 가져가면 좋을지도 명확히 분석합니다. 또한 입점 플랫폼까지 예시를 들며 새로운 전략을 소개합니다.

현실적으로 뷔를 섭외하거나 직접적인 컬래버 진행은 힘듭니다. 하지만 이를 고려하더라도 실제로 타르켓이 고안할 수 있는 방안을 제시했다는 사실이 놀랍습니다. 이 정도 인사이트를 내기 위해선 최소한 1년 이상은 그 브랜드에 몸을 담고 있어야 가능합니다. 최소한 3년 이상은 마케팅 공부를 해도 나올까 말까 한데 이런 수준의 인사이트를 너무 쉽게 내놓았습니다.

사실 저는 과거에 구글 애널리틱스 분석은커녕 데이터와 지표를 어떻게 보고 또 어떤 것을 봐야 하는지 잘 알지 못해 힘들어하던 시절이 있었습니다. 정말 많은 영상과 강의들을 보며 학습하고 스스로 그 방법을 깨우쳤습니다. 그런데 지금은 이렇게 인공지능이 데이터 분석부터 전략 수립까지 빠르게 해주니 엄청난 인사이트를 얻음을 물론이고 엄청난 업무 효율화를 이룰 수 있을 것으로 생각합니다.

여기서 꿀팁을 한 가지 더 알려드리겠습니다. 마이크로소프트 빙의 장점이 무엇이고 데이터 분석 사용 시 답변 모드에 따라 대답이 어떻게 달라지고 어떻게 데이터 분석 관점에서 활용해야 하는지 이야기하려고 합니다. 아마 한국에 저만큼 마이크로소프트 빙을 이해하고 활용하는 사람이 몇 명 없으리란 자신감에서 많은 연구를 하면서 발견한 인사이트를 공유하겠습니다.

우선 위에서 설명한 것처럼 사람들이 잘못 알고 있는 것이 있습니다. 창작을 선택하면 헛소리를 허용하고 정확함을 선택하면 사실만 이야기한다는 것입니다. GPT-4가 검색엔진에 장착된 뉴빙의 챗봇은 '창작' 모드를 선택함으로써 제가 보여준 데이터를 기반으로 좀 더 사고를 확장하라고 요청하는 기능입니다. 이 기능은 아이디어 회의를 하거나 사업계획서나 데이터를 기반으로 마케팅을 기획하거나 콘텐츠를 제작할 때 굉장히 유용합니다. 이게 설명할 때는 단순한 이야기이고 쉽게 들리겠지만 일반적으로 데이터를 분석해야 한다고 했을 때 아마 사람들은 '창작' 모드를 절대 선택하지 않을 것입니다. 그러면 제가 앞에서 보여드린 답변을 거의 못 받을 것입니다. 사실 이 기능은 빙을 이것저것 테스트해보면서 발견한 사실이어서 공개하지 않으려고 했습니다. 그만큼 놀라운 기능입니다.

이 페이지를 보고 우리의 단점이 뭔지 알 수 있을까요?

이 페이지의 정보만으로는 회사의 단점을 정확히 파악하기 어렵습니다.
그러나 다음과 같은 몇 가지 가능성이 있습니다.

1. 성별 분포: 여성의 비율이 남성보다 낮으므로, 여성을 대상으로 한 마케팅 캠페인이 부족할 수 있습니다.

2. 인구통계: 55~64세와 65+ 연령대의 전환율이 0%로 나타났으므로, 이 연령대를 대상으로 한 마케팅 캠페인이 부족할 수 있습니다.

3. 소스/매체: zigzag.kr/referral의 전환율이 0%로 나타났으므로, 이 소스/매체를 통한 마케팅 캠페인이 부족하거나 효과가 없을 수 있습니다.

이러한 가능성은 이 페이지의 정보를 바탕으로 제안된 것이며, 실제 단점을 파악하기 위해서는 추가적인 정보와 분석이 필요할 수 있습니다.

어떤 소스/매체가 가장 높은 전환율을 보였나요?

이 페이지의 정보에 따르면, t.co/referral 가장 높은 전환율인 7.00%를 보였습니다.

그렇다면 데이터 분석 시 정확함은 언제 필요할까요? 기업의 규모가 클수록 혹은 데이터의 정보를 빠르게 파악하고자 할 때 정확함을 사용하면 좋습니다. 그리고 초보자라면 정확함을 사용하여 마케팅의 기본적인 내용을 이것저것 묻고 답을 얻을 수 있습니다.

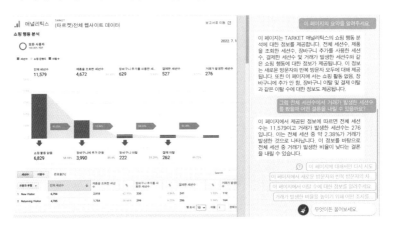

가령 광고수익률ROAS, 투자수익률ROI이라는 용어를 모르면 물어볼 수 있고 효율적으로 올리기 위해 어떤 방법을 진행해야 하는지 제안을 받을 수도 있습니다. 또 여기서 마이크로소프트 뉴빙의 코파일럿 기능을 언급하지 않을 수가 없습니다. 답변과 동시에 다음 질문을 예측하여 몇 가지를 제시하기 때문에 어떻게 질문해야 할지 어려운 초보자에게 굉장히 유용한 기능입니다. 내가 예상하지 못한 질문들을 발견하는 기쁨을 누릴 수 있습니다. 저는 이러한 만족스러운 경험을 통해 뉴빙에 'PDF 학습 끝판왕'이라는 별명을 붙였습니다.

여기서 제가 기존 내용에서 완전 초보자분들이 참고하면 좋을 것 같은 내용에 대해 추가로 작성했습니다. 사실 어떤 일을 하든지 마케팅은 기본이며 마케팅을 성장시키기 위해 데이터 분석은 필수입니다. 그러나 많은 사람이 복잡한 세금처럼 어려워해서 쉽게 손을 대지 못하는 영역이 바로 데이터 분석입니다. 그런데 이젠 겁먹지 않아도 됩니다. 우리에겐 마케팅을 그 누구보다 잘하고 엄청난 데이터를 학습한 챗GPT가 있으니까요.

우리는 단지 하나하나 물어보면 됩니다. "우리의 마케팅 성과는 어떤가요?" "어떻게 개선하면 될까요?" "마케팅 지표나 용어에 대해서 설명해주세요." "구글 애널리틱스(데이터) 분석 시 중요한 지표는?" 이렇게 물어보세요.

마케팅 용어가 궁금합니다.

✓ 마케팅 용어 검색 중

✓ 답변을 생성하는 중……

▶ 마케팅에는 다양한 용어들이 있습니다. 예를 들어 CTRClick Through Rate, CPCCost Per Click, CPMCost Per Mille, CPICost Per Installation, CPVCost Per View, 컨버전Conversion, ROASReturn On Ads Spending, ROIReturn On Investment 등이 있습니다. 이러한 용어들은 각각의 마케팅 분야에 따라 다양한 세부적인 의미를 지닙니다. 어떤 용어에 대해 더 자세히 알고 싶으신가요?

자세한 정보: 1. bing.com   2. blog.naver.com   3. ascentkorea.com   +3 더 보기

CTR에 대해 자세히 알려주세요   CPC에 대해 자세히 알려주세요   CPM에 대해 자세히 알려주세요

다만 여기서 그치는 게 아니라 뉴빙의 답변을 메모장이나 내가 자주 보는 문서함에 기록을 해놓는 것입니다. 뉴빙이 마케팅 용어에는 클릭률CTR, Click Through Rate, 클릭당 비용CPC, Cost Per Click, 1,000뷰당 비용CPM, Cost Per Mille, 설치당 비용CPI, Cost Per Installation, 조회당 비용CPV, Cost Per View, 컨버전Conversion, 광고수익률 ROAS, Return On Ads Spending, 투자자본수익률ROI, Return On Investment 등이 있다고 안내했으니까 이러한 용어들에 대해 자세하게 알려달라고 물어보면서 학습을 하는 게 좋습니다.

그런 다음 데이터 자료를 뉴빙에 띄운 후 물어봅니다. 그러면 이전보다 더 고도화된 질문을 통해 더 유의미한 답변을 얻을 수 있습니다. 예를 들어 "우리의 한 달 동안의 구글 애널리틱스 자료입니다. 이 자료를 보고 CTR, CPC, CPM, CPI, CPV, Conversion,

ROAS, ROI 등을 파악하고 이를 토대로 현재 우리의 상황을 분석해주세요."라고 말입니다.

이렇게 구글 애널리틱스 데이터를 PDF 파일로 생성한 뒤 인공지능에 학습시키는 데이터는 비단 구글 애널리틱스에만 그치지 않습니다. 한글, 엑셀 등 분석이 필요한 것이고 인공지능이 분석할 데이터만 존재한다면 활용할 수 있는 방법은 무궁무진합니다.

사실 이게 SQL이라는 데이터 분석 프로그램을 다룰 수 있어야 가능했던 부분이라 저도 굉장히 아쉬웠습니다. 그런데 PDF를 활용하여 뉴빙에게 데이터를 분석하고 분석한 데이터를 바탕으로 마케팅 전략을 기획하게 할 수 있다니 10배가 아니라 100배 업무 효율화를 이룰 수 있게 되었습니다. 그러니 꼭 사용해보세요.

3

인공지능으로
마케팅 캠페인 집행하기 🔍

챗GPT와 같은 원리로 작동하는 뉴빙으로 광고 캠페인도 설정할
수 있습니다(챗GPT는 GPT-3.5와 GPT-4 모델이지만 뉴빙은 프로메테
우스 모델을 사용합니다). 물론 챗GPT에게서도 광고 캠페인 설정에
도움을 받을 수는 있으나 형식적인 답변을 내놓기에 과거에 한 번
도 광고 시스템을 다뤄본 적이 없는 분이라면 뉴빙을 사용하는 걸
추천합니다.

먼저 에지 브라우저로 접속한 뒤 네이버 광고 관리자를 실행합니다.

광고관리자에 접속된 상태로 우측 상단에 있는 'b 말풍선'을 누릅니다.

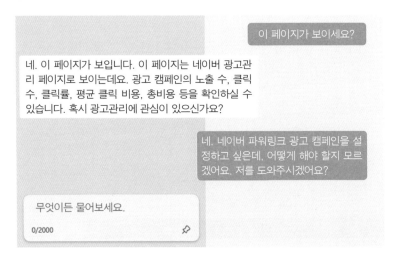

"이 페이지가 보이세요?"라는 질문으로 대화를 시작합니다. 뉴빙이 "페이지가 보입니다."라고 답변하면 집행하고자 하는 광고(파워링크 광고, 쇼핑검색 광고, 파워콘텐츠 광고 등) 캠페인을 설정하는 방법을 알려달라고 요청합니다.

1. 비즈채널 등록과 검수: 웹사이트 주소를 비즈채널로 등록하고 검수받아야 합니다. 비즈채널은 광고 시스템 내 정보관리 탭에서 추가할 수 있습니다. 비즈머니를 충전하고, 웹사이트에 사업자 정보를 기재하고, 제한업종에 속하지 않는지 확인해야 합니다[1].

2. 캠페인 만들기: 광고관리 탭에서 새 캠페인 버튼을 클릭하고 파워링크 유형을 선택합니다. 캠페인 이름과 하루 예산을 설정합니다. 하루 예산은 광고비가 과다하게 지출되는 것을 방지하기 위한 기능입니다. 예산을 균등 배분하면 하루 동안 광고 노출 빈도를 고르게 조절할 수 있습니다[2].

3. 광고 그룹 만들기: 광고 그룹은 광고할 사이트와 기본입찰가, 지역, 매체 등의 전략을 설정할 수 있습니다. 광고 그룹 이름과 URL, 기본입찰가, 하루 예산 등을 입력합니다. 고급 옵션에서는 매체별 입찰가 가중치를 설정할 수 있습니다[2].

4. 광고 만들기(키워드·소재): 키워드는 직접 입력하거나 연관 키워드를 선택하여 추가할 수 있습니다. 소재는 고객에게 보이는 홍보 문구로 제목과 설명, 연결 URL을 작성합니다. 한 광고 그룹당 소재는 최대 5개까지 등록할 수 있습니다[2].

이렇게 4단계를 모두 완료하면 광고 검토가 진행됩니다. 검토는 영업일 기준 1~2일 소요됩니다[2].

더 자세한 내용은 웹 검색 결과의 링크들을 참고해 주세요.

 무엇이든 물어보세요.

초보자도 쉽게 따라할 수 있는 가이드를 제공하는 걸 볼 수 있습니다. 단계별 특징뿐만 아니라 세세한 팁까지 곁들입니다.

이렇게 4단계를 모두 완료하면 광고 검토가 진행됩니다. 검토는 영업일 기준 1~2일 소요됩니다[2].

더 자세한 내용은 웹 검색 결과의 링크들을 참고해 주세요.

 무엇이든 물어보세요.

　단계별로 광고 캠페인을 설정한다면 입문자나 초보자도 손쉽게 캠페인을 설정할 수 있습니다. 더 궁금한 점을 물어보면 그에 대한 대답도 받을 수 있습니다.

8장

인공지능으로 콘텐츠 제작하기

1

단 1줄로 수백 개 카피 만들기 🔍

사실 광고를 송출하기 위한 이미지 혹은 제품이나 서비스의 홍보를 위한 이미지 제작은 인공지능 시대에 들어서며 상당히 쉬워졌습니다. 달리DALL-E, 미드저니Midjourney 등 계속해서 새로운 서비스들이 나오고 있으며 그 기능들은 더욱 확장되고 있죠. 카피 라이팅은 어떨까요? 고객의 이목을 끌고 판매로 이어지게끔 하는 요소는 이미지뿐만이 아니라 카피 또한 굉장히 중요합니다. 이에 어려움을 겪고 있는 분들은 이렇게 따라 해보세요.

먼저 뉴빙에 원하는 카피 라이팅 리스트를 얻기 위해 프롬프트를 입력합니다. 예를 들어 "당신은 패션 브랜드에서 10년 동안 근무한 유능한 카피라이터입니다. '2023 S/S컬렉션'에서 선보일 신제품에 대해서 콘텐츠를 제작해 그에 맞는 카피 라이팅으로 광고를 송출할 예정입니다. '컬렉션 출시 기간 한정 2주간 5% 할인'을 어필하는 매력적인 카피 라이팅 글 7개를 작성해주세요."라고 입력합니다. 우리 브랜드의 콘셉트, 제품의 특징, 프로모션을 더 자세하게 입력하는 것이 좋습니다. 그래야 양질의 결괏값을 얻을 수 있습니다.

당신은 패션 브랜드에서 10년 동안 근무한 유능한 카피라이터입니다. '2023 S/S 컬렉션'에서 선보일 신제품에 대해서 콘텐츠를 제작해 그에 맞는 카피라이팅으로 광고를 송출할 예정입니다. '컬렉션 출시 기간 한정 2주간 5% 할인'을 어필하는 매력적인 카피라이팅 글 7개를 작성해주세요.

▶ 안녕하세요. 이번에 2023 S/S 컬렉션을 선보이는 패션 브랜드의 카피라이터입니다. 저희는 신제품에 대해 콘텐츠를 제작하고 그에 맞는 카피라이팅으로 광고를 송출할 예정입니다. 컬렉션 출시 기간 한정 2주간 5% 할인을 어필하는 매력적인 카피라이팅 글 7개를 작성해보았습니다. 다음은 제가 작성한 카피라이팅 글입니다.

새로운 계절, 새로운 스타일. 2023 S/S 컬렉션으로 패션을 업그레이드하세요. 지금 바로 주문하시면 2주간 5% 할인 혜택을 드립니다.

- 2023 S/S 컬렉션은 당신의 개성을 빛내줄 최고의 선택입니다. 다양한 디자인과 컬러로 준비된 신제품을 만나보세요. 한정 기간 2주간 5% 할인된 가격으로 구매할 기회를 놓치지 마세요.

- 당신의 봄 여름을 완성할 2023 S/S 컬렉션. 신선하고 세련된 패션 아이템들이 가득합니다. 지금 구매하시면 2주 동안 5% 할인된 가격으로 즐길 수 있습니다.

- 패션의 트렌드를 선도하는 2023 S/S 컬렉션. 저희는 당신의 스타일을 위해 최선을 다했습니다. 신제품을 먼저 만나보고 싶다면 서두르세요. 출시 기간 한정 2주간 5% 할인 이벤트가 진행 중입니다.

- 2023 S/S 컬렉션은 당신의 매력을 더욱 돋보이게 해줄 것입니다. 고품질의 소재와 세심한 디테일로 완성된 신제품들을 확인해보세요. 지금 주문하시면 한정 기간 2주간 5% 할인된 가격으로 구매하실 수 있습니다.

- 당신은 이미 아름답습니다. 하지만 2023 S/S 컬렉션은 당신을 더욱 빛나게 만들어줄 것입니다. 신제품들은 당신의 취향과 스타일에 맞게 다양하게 준비되어 있습니다. 지금 바로 구매하시면 출시 기간 한정 2주간 5% 할인 혜택을 받으실 수 있습니다.

- 2023 S/S 컬렉션은 당신에게 새로운 감각과 즐거움을 선사할 것입니다. 신제품들은 모두 저희의 정성과 열정이 담겨 있습니다. 지금 구매하시면 출시 기간 한정 2주간 5% 할인된 가격으로 저희의 마음을 전달해드리겠습니다.

감사합니다.

여기서 카피 라이팅과 관련하여 소개할 플랫폼이 있습니다. 한국어를 잘하는 챗GPT라고 이야기하는 '뤼튼'입니다. 뤼튼은 현재 2.0 버전까지 출시되었습니다.

뤼튼은 2023년 5월 기준으로 GPT-4를 완전히 무료로 사용할 수 있으며 이미지 생성형 인공지능 기능까지 선보여 한국형 챗GPT 서비스로는 가장 빠른 행보를 보여주고 있습니다. 뤼튼의 가장 큰 장점은 한국어로 돼 있고 쉽다는 것입니다.

뤼튼은 사용자가 프롬프트를 잘 구현할 필요가 없습니다. 진행하려는 프로모션이나 마케팅을 잘 설명한 한 줄의 내용만 입력하면 됩니다. 또한 화면의 왼쪽 메뉴에는 일반인이 어려워하는 SNS 광고문구, 구글 검색 광고, 네이버 파워링크, 심지어 SNS 광고 기획까지 광고와 SNS 운영에 관련한 웬만한 것들을 다 정밀하게 조정(파인튜닝)할 수 있어 쉽게 사용할 수 있습니다.

다만 파인튜닝된 모델의 한계는 분명 존재합니다. 이미 많은 사람이 사용하고 있기에 좀 더 나만의 창의성을 발휘하기가 쉽지 않습니다. 그런데 뤼튼을 통해서 챗GPT를 더욱 효과적으로 사용하게 되었습니다. 저는 챗GPT에 많은 시간을 들여 사용하고 연구하다 보니 이제는 어떻게 질문을 던지면 좋은 결괏값을 얻을 수 있는지 체득이 되었습니다. 계속 가설을 세우고 검증하는 과정에서 성장하고 있는 제 모습을 발견하게 됩니다.

이제 카피 라이팅은 굉장히 쉬워졌습니다. 한 줄만 작성하면 챗GPT가 엄청난 양의 카피를 수십 개에서 수백 개씩 쏟아냅니다. 답변이 어떻게 나오는지를 파악하면서 어떻게 질문해야 좋은 결괏값을 얻을 수 있을지 고민한다면 독자 여러분도 어느 순간 마케팅 천재가 돼 있을 것입니다.

2

단 1분 만에 이미지 제작하기

요즘 유튜브 섬네일이나 마케팅 콘텐츠에 쓸 이미지를 제작하기 위해 달리2와 미드저니를 활용하는 편입니다. 이 둘의 장점은 기존과 유사한 이미지가 적다는 것입니다. 완전히 나만의 새로운 이미지를 재창조할 수 있다는 게 엄청난 매력이라고 생각합니다.

또한 텍스트로 이미지 생성text-to-image이 가능해 작업하려는 콘텐츠와 어울리는 이미지를 빠르고 쉽게 만들 수 있다는 게 장점입니다. 이전에는 정보를 찾기 위해 구글을 사용했지만 지금은 챗GPT를 활용하는 것처럼 이미지도 마찬가지가 되었습니다. 이전에는 무료 이미지를 찾기 위해 검색을 많이 하고 내용과 부합한 이미지를 얻기 위해 유료 이미지를 썼습니다.

하지만 이제는 간단한 텍스트만으로 쉽게 이미지를 생성할 수 있다는 것은 엄청난 업무 효율화를 의미하기도 합니다. 원하는 이미지를 생성하기 위해 여러 번 테스트하며 사용하다 보면 어떻게 프롬프트를 생성해야 되는지 터득하게 될 것입니다.

이번 장에서는 이미지 생성형 인공지능 중 가장 큰 인기를 얻고 있는 모델인 오픈AI의 달리2와 미드저니를 소개합니다. 이 두 개의 서비스 외에도 현재 챗GPT API를 활용한 서비스들이 굉장히 많이 나왔습니다. API란 특정 기능을 다양한 응용 프로그램에서 사용할 수 있도록 서로 연결해주는 인터페이스를 의미합니다. 기본적인 원리만 알면 동일하게 사용할 수 있습니다. 이 책에서는 가장 핵심이 되면서도 가장 많은 유저를 확보하는 달리2와 미드저니에 대해 다뤄보겠습니다.

이미지 생성형 인공지능의 등장으로 가장 타격을 받을 직종과 가장 혜택을 받을 직종은 모두 웹디자이너라고 합니다. 이는 인공지능 등장 이후 많은 직업군에서도 동일하게 거론되는 이야기입니다. 인공지능을 활용해 업무 생산성과 효율화를 이루는 웹디자이너는 살아남겠지만 기존의 것만 고수하고 시간 단축을 고려하지 않는다면 도태될 수 있다고 생각합니다. 일반인들도 이미지 생성형 인공지능으로 쉽게 수준 높은 이미지를 생성할 수 있게 되었기 때문입니다.

하지만 고기도 썰어본 사람이 잘 먹는다고 일반인이 이미지 생성형 인공지능을 활용해 출력한 결과물과 디자이너의 출력물은 아무래도 차이가 없을 수는 없습니다. 다만 시간문제라고 봅니다. 디자인 업무를 해보지 않은 사람도 관심을 갖고 프롬프트를 연구하고 많이 활용해본다면 굉장한 결과물을 도출하게 될 날이 멀지 않으리라 생각합니다.

이전에는 포토샵을 배워서 원하는 결과물을 얻기까지 최소 3~6개월이 걸려도 퀄리티가 만족스럽지 않았습니다. 하지만 이제는 유튜브 콘텐츠와 전자책으로 독학하여 한 달이면 누구나 웬만한 퀄리티 있는 이미지를 생성하게 되었습니다. 쉽고 직관적인 달리2를 장착한 탁월한 성능의 '빙 이미지 크리에이터Bing Image Creator'를 소개하겠습니다. 이름에서 짐작할 수 있듯이 에지 브라우저에 탑재한 달리2라고 보시면 됩니다.

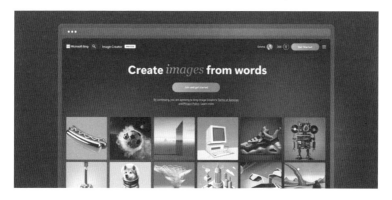

빙 이미지 크리에이터는 달리를 적용한 텍스트 기반 이미지 생성 서비스입니다.

미드저니나 달리를 쓰는 사람도 한번쯤 테스트하며 본인 스타일에 더 맞는 결과물을 확인해보세요.

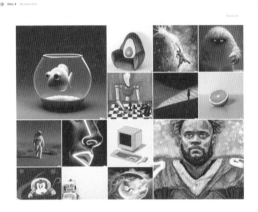

제가 테스트한 것을 여기에 소개하니 독자 여러분도 판단해보세요.

빙 이미지 크리에이터의 메인 화면 검색창에 "동이 트기 전 새벽. 모닥불을 피워놓고 캠핑 의자에 앉아 따뜻한 커피를 마시고 있는 30대 남성"을 입력해보겠습니다. 현재는 영어만 지원하고 있어서 한국어로 입력할 수 없으니 번역 플랫폼 딥엘DeepL에서 번역 후 입력하였습니다.

제가 머릿속에 상상했던 특징들이 정확히 반영된 4개의 결과물
이 나왔습니다.

4개 결과물 중 하나를 누르면 제가 입력했던 문장의 키워드 "새
벽, 모닥불, 캠핑 의자, 커피, 남성"이 모두 정확히 반영된 것을 알
수 있습니다. 크기는 1024×1024이며 JPG 형식으로 저장할 수 있
습니다. 여기서 조금 응용해서 만화 스타일로 이미지를 생성해보
겠습니다. 앞에서 입력했던 값 뒷부분에 'in cartoon style(만화 스

타일)'을 추가하면 어떻게 나올까요?

5개 키워드를 모두 반영한 만화 스타일의 결괏값이 나왔습니다. 이쯤 되니 말도 안 되는 스타일을 한번 말해보고 싶어서 in cartoon style(만화 스타일)을 in New York style(뉴욕 스타일)로 바꿨습니다.

뉴욕 맨해튼을 바라보는 결괏값이 나왔습니다.

챗GPT를 사용할수록 인공지능의 성능에 정신을 못 차리겠습니다. 너무나 매력적이고 유용한 기능들이 쏟아져 나오니 '꼭 직원을

채용하지 않아도 인공지능을 통해서 디자인을 할 수 있지 않을까?'
와 같은 생각이 들기 때문입니다. 실제로 우리 회사에서 웹디자인
을 담당하는 직원도 "곧 웹디자이너는 영영 사라지게 될 거예요."
라며 농담을 주고받습니다. 물론 아직은 섬세하고 디테일한 작업
을 포함한 여러 부분에서 인공지능이 인간을 따라올 수는 없습니
다. 하지만 인공지능의 성장 속도, 인공지능을 아직 활용하지 않은
사람들이 늘어나는 속도, 실제로 업무에 적용해 효율을 높이는 사
람들이 늘어나는 속도를 보면 우리의 우려가 충분히 현실이 될 수
도 있다고 생각합니다.

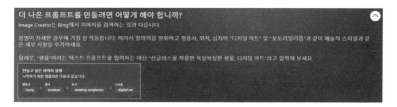

더 나은 결과물을 위한 프롬프트를 만들려면 원하는 이미지에
대한 설명을 자세하게 작성하는 것이 좋습니다. 미드저니는 프롬

프트 작성이 쉽지 않습니다. 반면 빙 이미지 크리에이터는 단어를 잘 선택해서 사용하면 원하는 결과물을 도출할 수 있어 초보자도 쉽게 사용할 수 있습니다.

또한 아무것도 몰라도 'surprise me(서프라이즈 미)' 버튼을 누르면 무작위로 이미지를 생성할 수 있어 쉽게 시작할 수 있습니다.

서프라이즈 미 버튼을 누르면 이미지가 생성되는 동시에 이미지를 생성한 문구도 검색창에 생성되므로 이미지에 어떤 프롬프트가 사용되었는지 확인할 수 있습니다. 계속 많이 사용해보면서 어떤 프롬프트를 사용하면 좋을지 고민한다면 더 나은 결과물들을 도출할 수 있을 것입니다.

빙 이미지 크리에이터 메인 화면 중반부에는 Explore ideas(익스플로어 아이디어스)라고 해서 빙 이미지 크리에이터 사용하는 방법을 모르는 모르는 초보자를 위해 대략 생성이 가능한 이미지 예시를 넣어놨습니다.

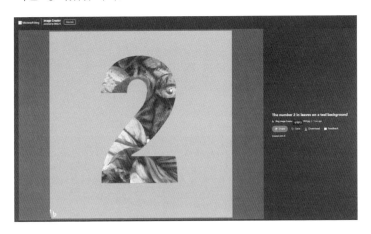

마음에 드는 이미지는 다운로드할 수도 있고 프롬프트를 저장할 수도 있습니다. 제공된 프롬프트에서 본인이 생성하고 싶은 단어만 변경하면 됩니다. 이제는 이런 서비스들을 사용하지 않으면 시간을 남들보다 몇 배 이상 느리게 쓰고 뒤처지게 될 것입니다.

이번에는 더 대단한 걸 다뤄보죠. 바로 미드저니입니다. 미국 콜로라도주의 미술 대회에 한 게임회사의 대표가 미드저니로 제작한 이미지를 출품해 1위를 했죠. 다음 페이지에 나오는 이미지입니다. 미드저니는 이 이미지 하나로 전 세계를 발칵 뒤집어놓으며 유명해졌죠. 저도 처음에 이 이미지를 보고 감탄을 금치 못했습니다.

사람들이 이미지 생성형 인공지능 서비스에 관심을 가지기 시작했습니다. 마이크로소프트의 빙 이미지 크리에이터와 어도비Adobe

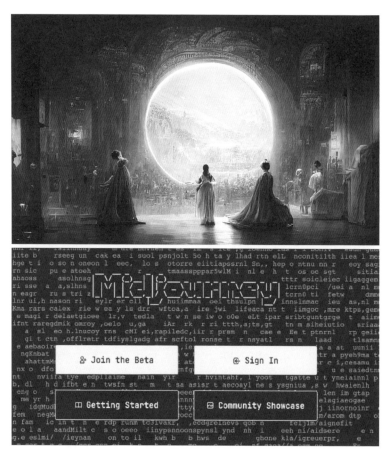

의 파이어플라이Firefly 출시 소식을 접하면서 이제는 이미지 생성 인공지능 싸움이 벌어질 것 같다는 생각이 들었습니다.

때마침 미드저니가 엄청난 속도로 업데이트를 하여 현재 버전 5에 이르렀고 필살기 기능이 출시돼 초보자도 충분히 멋있는 작품을 제작할 수 있게 됐습니다. 지금이 미드저니를 소개할 최적기라는 생각이 듭니다. 기본적인 사용법은 유튜브에 미드저니 사용법을 치면 많이 나오니 참고하세요. 그럼 미드저니 사용법을 알아보겠습니다.

    프롬프트는 영어로 입력해야 하기 때문에 생성하고자 하는 이미지의 분위기를 생각한 뒤 "몽환적인 달나라에서 열기구를 타고 있는 남녀"를 딥엘로 번역했습니다.

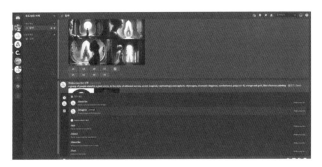

    채팅창에 /imagine이라고 입력한 뒤 맨 위에 뜨는 /imagine prompt를 클릭합니다.

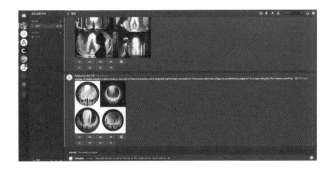

/imagine prompt 뒤에 마우스 커서가 깜빡거리면서 글자를 입력할 수 있는 상태가 되면 명령어를 입력합니다.

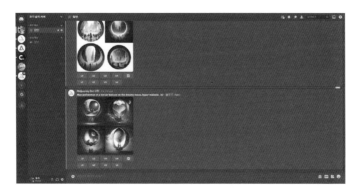

명령어를 입력한 후 엔터키를 누르면 이미지가 생성됩니다.

이 방법은 미드저니의 버전 5.2까지 일반적으로 이미지를 생성하는 방법입니다. 이렇게 생성된 4개 이미지는 위 왼쪽부터 1, 2, 아래 왼쪽부터 3, 4로 번호가 매겨집니다. 이미지 아래에 U1부터 U4까지, V1부터 V4까지 버튼이 보이는데 U는 업스케일Upscale로 이미지를 좀 더 크게 만들어보겠다는 의미이고 V는 베리에이션Variation으로 선택한 이미지를 좀 더 다양하게 보겠다는 의미입니다.

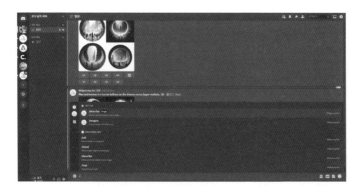

미드저니는 이미지의 프롬프트를 역추적하여 추출해주는 기능인 describe(디스크라이브)를 업데이트했습니다(2023년 4월). 기존 방식은 프롬프트를 잘 입력해야 내가 원하는 결과물들이 나왔습니다. 다른 사람이 만든 결과물에 대한 프롬프트를 볼 수 없어서 프롬프트베이스PromptBase라는 사이트를 통해 괜찮은 이미지를 제작한 프롬프트를 구매한 뒤 미드저니에 입력하거나 아니면 좋은 결과물을 찾을 때까지 프롬프트를 연구해야 했습니다.

사실 이런 점 때문에 미드저니를 쉽게 시작하기 어려웠습니다. 하지만 /describe 명령어를 업데이트한 이후에는 인터넷에서 찾을 수 있는 이미지 중 내가 만들고 싶은 이미지를 드래그 앤 드롭만 하면 프롬프트를 추출할 수 있고 더 좋은 결과물을 만들 수 있습니다. 그럼 describe 기능을 사용해보겠습니다.

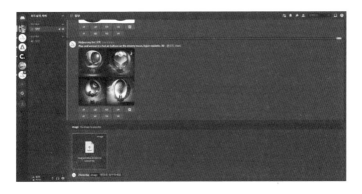

채팅창에 /describe 명령어를 입력한 뒤 나타나는 창에 파일을 끌어다 놓거나 화살표가 그려진 문서 그림을 눌러 파일을 업로드합니다.

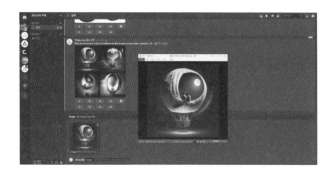

이미지가 업로드되면 엔터키를 누릅니다.

잠시 기다리면 이미지를 역추적하여 4개의 프롬프트가 생성됩니다. 하단의 번호 1~4를 하나씩 클릭하면 각각 새로운 프롬프트로 이미지를 생성할 수 있습니다.

번호를 클릭하면 Imagine This!라는 창이 나타나 프롬프트를
수정할 수 있습니다.

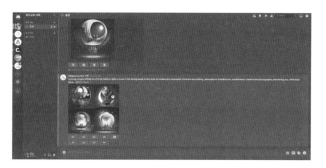

전송 버튼을 누르면 새로운 이미지가 생성됩니다.

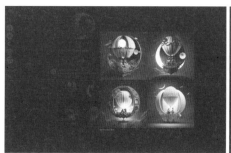 

1번 프롬프트를 통해 생성된 이미지입니다.

2, 3번 프롬프트를 통해 생성된 이미지입니다.

비슷한 분위기의 이미지를 생성하긴 하지만 본인이 생각하는 이미지를 좀 더 세밀하게 생성하는 프롬프트를 역으로 추적하기 위해서는 /describe를 통해 제대로 인식하는 키워드를 파악해 역추적된 프롬프트를 그대로 사용하기보다는 수정하여 활용하면 좋을 듯합니다.

최근 유튜브 영상들을 보면 이제 미드저니를 안 하겠다는 영상들이 올라오는데요. 제 생각에 미드저니는 지금부터라고 보셔도 될 것 같습니다. 지금은 모두가 동일선상에 섰다고 생각합니다. 멋있는 이미지들을 미드저니에 업로드한 후 프롬프트를 잘 살펴보고 약간 수정해서 올리는 연구를 하다 보면 이전 작품들보다 더 만족스러운 이미지를 생성할 수 있을 것입니다.

독자 여러분도 이 방법으로 짧은 시간 안에 창의적인 작품을 만들 수 있으니 지금 가입해서 꼭 테스트해보세요. 아마 한동안 미드저니에서 헤어 나오지 못할 것으로 생각합니다.

9장

문서 정리도 자동화가 가능하다

1

구글 스프레드시트에서 챗GPT를 다양하게 사용할 수 있다는 사실을 아시나요? 그 활용도는 무궁무진한데 가장 큰 장점은 바로 '자동화'가 가능하다는 것입니다. 우리 회사에서는 실제로 챗GPT와 구글 스프레드시트를 연동한 업무 자동화를 통해 업무 효율이 상당히 높아졌습니다. 어떤 방식으로 적용하며 어떻게 활용할 수 있는지 노하우를 알려드리겠습니다.

먼저 구글 스프레드시트를 엽니다.

상단 메뉴에서 '확장 프로그램' → '부가 기능' → '부가 기능 설치하기'를 순서대로 누릅니다.

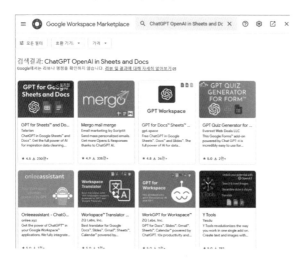

검색창에 '챗GPT OpenAI in Sheets and Docs'를 입력하여 프로그램을 설치합니다.

설치가 완료되면 구글 스프레드시트 메뉴에서 확장 프로그램을 눌러 'GPT for SheetsTM and DocsTM' 탭이 생긴 걸 확인합니다. 이 탭의 하위 메뉴에 있는 Set API key를 눌러 오픈AI에서 발급받은 API 키를 입력합니다. 이 작업까지 하면 모든 준비가 끝난 것입니다.

바로 실전으로 들어가겠습니다. 이 기능을 활용하는 방법은 무궁무진해서 제가 사용하는 방법으로 실습을 해보겠습니다. 눈으로만 보지 말고 직접 따라 해보세요. 그래야 효율적으로 사용하는 방법을 익힐 수 있습니다. 참고로 챗GPT는 한글보다는 영어를 입력했을 때 더 나은 결괏값이 나오므로 딥엘과 같은 번역기를 하나 실행해주세요.

제가 만든 자동화 시트입니다. 사실 만들었다기보다는 GPT 관련 함수를 입력한 것입니다.

Input은 챗GPT에 요청할 입력값, Translate(Eng)는 보다 나은

결괏값을 위해 영어로 번역한 것, Improvement는 번역된 문장이 문법적으로 오류가 없는지 혹은 어떤 형식이나 스타일로 개선하길 원하는지를 나타냅니다. 1st Output은 챗GPT가 1차로 내놓은 답변, Output(Improvement)은 좀 더 개선된 결괏값이 나오게 해놨습니다. GPT Pick은 개선 전후의 답변들 중 어느 것이 더 나은지 GPT가 직접 선택한 답변이며, 한국어 출력은 최종 결괏값입니다.

이제 각 옵션에 맞는 입력값들을 살펴보겠습니다. 이 또한 정답은 없으며 하나의 예시로만 참고하세요.

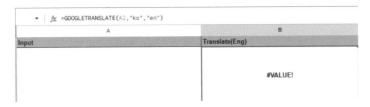

B2의 함수는 구글 번역입니다.

구글에서 제공하는 번역 기능이며 API 키를 이용한 것이 아니기에 토큰 차감이 없습니다. 함수는 =GOOGLETRANSLATE(A2," ko","en")입니다. "A2행이 한국어(ko)면 영어(en)로 번역해줘."라는 뜻입니다.

C2의 함수는 GPT에게 요청하는 값입니다.

챗GPT와 구글 스프레드시트가 연동돼 있어야만 나타나는 함수입니다. 함수는 =GPT("Please check grammar of this sentence and make it more casual",B2)입니다. "B2행 문장의 문법을 체크하고 좀 더 자연스럽게 만들어줘."라는 뜻입니다. 여기서 저는 casual을 썼으나 formal, New York Times style 등 본인이 원하는 스타일과 형식으로 요청할 수 있습니다.

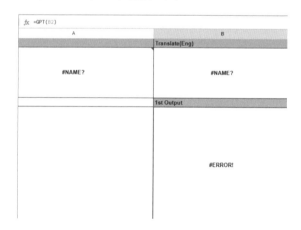

1st Output에 해당하는 함수는 =GPT(B2)입니다. 사용자가 요청한 값에 대한 GPT의 결괏값이 되겠죠.

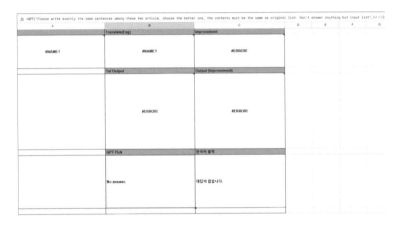

Output(Improvement)에 해당하는 함수는 =GPT(C2)입니다. 다듬어지고 달라진 형식의 문장에 대한 GPT가 개선한 문장의 결괏값이 되는 것이죠.

GPT Pick인 B6에 들어갈 함수는 =GPT("Please write exactly the same sentences among these two article, choose the better one, the contents must be the same as original list. Don't answer anything but input list",B4:C4)입니다. "B4와 C4에서 나온 결괏값을 정확히 쓰되 좀 더 나은 문장을 쓰고 해당 콘텐츠는 원래의 리스트 값과 같아야 해. 다만 Input과 관련 없는 것은 쓰지 마."라는 뜻입니다. 이 부분도 본인 스타일이나 원하는 바에 따라 수정하면 됩니다.

fx =GOOGLETRANSLATE(B6,"en","ko")

A	B	C
	Translate(Eng)	Improvement
#NAME?	#NAME?	#ERROR!
	1st Output	Output (Improvement)
	#ERROR!	#ERROR!
	GPT Pick	한국어 출력
	No answer.	대답이 없습니다.

마지막으로 GPT Pick까지 완료한 결괏값을 다시 한국어로 번역하는 C6행의 함수는 =GOOGLETRANSLATE(B6,"en","ko")입니다.

Input	Translate(Eng)	Improvement
ChatGPT를 마케팅 전략으로 가져가는 방법에 대한 내용을 담은 유튜브 컨텐츠를 기획하고 있습니다. 괜찮은 주제 5가지만 알려주세요.	We are planning a YouTube content that contains the contents of how to take the CHATGPT to the marketing strategy. Please tell me only 5 good topics.	We're planning a YouTube content series on how to incorporate CHATGPT into your marketing strategy. Can you give us five good topics?
	1st Output	**Output (Improvement)**
	1. Understanding the Basics of CHATGPT 2. Developing a CHATGPT Marketing Strategy 3. Leveraging CHATGPT for Lead Generation 4. Optimizing CHATGPT for Maximum Engagement 5. Measuring the Success of Your CHATGPT Campaigns	1. How to Use CHATGPT to Automate Your Content Creation 2. Leveraging CHATGPT to Generate Engaging Content Ideas 3. How to Use CHATGPT to Personalize Your Content 4. Optimizing Your Content for CHATGPT 5. Integrating CHATGPT into Your Social Media Strategy
	GPT Pick	**한국어 출력**
	1. Understanding the Basics of CHATGPT 2. Leveraging CHATGPT to Generate Engaging Content Ideas 3. How to Use CHATGPT to Automate Your Content Creation 4. Optimizing Your Content for CHATGPT 5. Integrating CHATGPT into Your Social Media Strategy	1. Chatgpt의 기본 이해 2. 매력적인 콘텐츠 아이디어를 생성하기 위해 Chatgpt를 활용합니다 3. Chatgpt를 사용하여 콘텐츠 생성을 자동화하는 방법 4. chatgpt의 콘텐츠 최적화 5. chatgpt를 소셜 미디어 전략에 통합합니다

"B6행의 영어 문장을 한국어로 번역해줘."라는 뜻입니다.

함숫값 설정이 모두 끝났습니다. 이제 적용을 해보겠습니다.

Input에 "챗GPT를 마케팅 전략으로 가져가는 방법에 관한 내용을 담은 유튜브 콘텐츠를 기획하고 있습니다. 괜찮은 주제 5가지만 알려주세요."를 입력해보겠습니다. 입력하고 전체가 채워지기까지 겨우 10초 걸렸습니다. 단순히 챗GPT만 사용했던 분들은 놀라실 거라고 장담합니다. 다른 Input을 넣어볼까요?

Input	Translate(Eng)	Improvement
10박 11일의 뉴욕 여행을 계획하고 있습니다. 꼭 가봐야 할 7곳만 알려주세요.	We are planning to travel to New York for 10 nights and 11 days. Please tell me only 7 places to go.	We're planning a 10-night, 11-day trip to New York. Could you suggest seven places to go?
1st Output		**Output (Improvement)**
	1. Empire State Building 2. Statue of Liberty 3. Central Park 4. Times Square 5. Metropolitan Museum of Art 6. Brooklyn Bridge 7. 9/11 Memorial & Museum	1. Empire State Building 2. Statue of Liberty 3. Central Park 4. Metropolitan Museum of Art 5. Times Square 6. Brooklyn Bridge 7. 9/11 Memorial and Museum
GPT Pick		**한국어 출력**
	1. Empire State Building 2. Statue of Liberty 3. Central Park 4. Metropolitan Museum of Art 5. Times Square 6. Brooklyn Bridge 7. 9/11 Memorial and Museum	1. Empire State Building 2. 자유의 동상 3. 센트럴 파크 4. 메트로폴리탄 미술관 5. 타임 스퀘어 6. 브루클린 브리지 7. 9/11 기념 및 박물관

"10박 11일의 뉴욕 여행을 계획하고 있습니다. 꼭 가봐야 할 7곳만 알려주세요."라고 입력해보겠습니다. 아무래도 GPT가 확실하게 답을 내놓을 수 있는 부분이기에 입력값에 해당하는 문장이 조금씩 달라져도 같은 답이 나왔습니다. 이 또한 10초도 채 걸리지 않았습니다.

이번에는 이런 단순한 주제보다 많은 분이 관심을 가지는 주제로 실습해보겠습니다. '자동화'를 통해 돈을 버는 방법을 생각해볼까요? 무엇이 가장 먼저 떠오르나요? 네이버 블로그와 유튜브가 아닐까요? 네이버 블로그와 유튜브의 스크립트 작성을 자동화하는 방법을 알아보겠습니다. 사실 많은 분이 N잡이나 부업으로 네이버 블로그를 운영하고 있습니다. 그분들에게 물어보면 글 쓰는 것 자체는 어찌어찌해보겠으나 '주제 선정'이 가장 어렵다고 말합니다. 본인의 블로그가 명확한 콘셉트나 컬러가 없고 무작위로 주제를 선정하는 정보 전달이 목적이라면 더 이상 걱정할 필요가 없습니다.

주제 선정	마케팅과 관련된 블로그 포스팅 주제 3가지를 추천해줘. 출처는 기재하지 말아줘. Recommend three blog posts related to marketing. Don't list the source. 1. How to Create an Effective Content Marketing Strategy 2. 10 Tips for Crafting an Effective Social Media Marketing Plan 3. 5 Reasons Why You Should Invest in Video Marketing

앞에서와 마찬가지로 시트를 만든 뒤에 진행하면 됩니다. "마케팅과 관련된 블로그 포스팅 주제 3가지를 추천해줘. 출처는 기재하지 말아줘."를 입력했습니다. 출처 기재 금지는 가끔 GPT가 쓸데없이 URL까지 함께 입력하는 것을 방지하기 위함입니다.

	fx =GPT(B3)	
A	B	
주제 선정	마케팅과 관련된 블로그 포스팅 주제 3가지를 추천해줘. 출처는 기재하지 말아줘. Recommend three blog posts related to marketing. Don't list the source. 1. How to Create an Effective Content Marketing Strategy 2. 10 Tips for Crafting an Effective Social Media Marketing Plan 3. 5 Reasons Why You Should Invest in Video Marketing	

함수는 번역과 GPT를 사용하면 됩니다.

Input	Please make an blog article title for this topic		
주제	주제1	주제2	주제3
제목(en)	Creating an Effective Content Marketing Strategy	10 Tips for Crafting a Winning Social Media Plan	5 Reasons to Invest in Video Marketing
제목(kr)	효과적인 컨텐츠 마케팅 전략 만들기	우승 한 소셜 미디어 계획을 제작하기위한 10 가지 팁	비디오 마케팅에 투자 해야하는 5 가지 이유

그 밑에 틀을 하나 더 만든 뒤 선정된 세 가지 주제에 대한 제목을 요청합니다.

	B	C
	마케팅과 관련된 블로그 포스팅 주제 3가지를 추천해줘. 출처는 기재하지 말아줘.	
	Recommend three blog posts related to marketing. Don't list the source.	
	1. How to Create an Effective Content Marketing Strategy 2. 10 Tips for Crafting an Effective Social Media Marketing Plan 3. 5 Reasons Why You Should Invest in Video Marketing	
	Please make an blog article title for this topic	
	주제1	주제2
	Creating an Effective Content Marketing Strategy	10 Tips for Crafting a Winning Social Media Plan
	효과적인 컨텐츠 마케팅 전략 만들기	우승 한 소셜 미디어 계획을 제작하기위한 10 가지 팁

함수는 =GPT("Create a blog post title for [How to create an effective content marketing strategy.] Make is short please.")를 사용했습니다. [ ](대괄호)에는 세 가지 주제를 각각 입력합니다. 제목인데 가끔 길어지는 경우가 있어 짧게 해달라고 요청했습니다.

Input	Please make an blog article paragraphs for this topic		
주제	주제1	주제2	주제3
본문(en)	Content marketing is an essential part of any successful digital marketing strategy. It helps to build brand awareness, engage customers, and drive conversions. But creating an effective content marketing strategy can be a daunting task. To help you get started, here are some tips for creating an effective content marketing strategy. First, you need to identify your target audience. Who are you trying to reach? What kind of content do they want to see? Knowing your target audience will help you create content that resonates with them. Second, you need to create a content calendar. This will help you plan out your content in advance and ensure that you are consistently creating content. You should also consider using a content management system to help you manage your content. Third, you need to create content that is valuable to your audience. This means creating content that is informative, entertaining, and engaging. You should also consider using visuals such as images, videos, and infographics to make your content more engaging. Fourth, you need to promote your content. You can do this through social media, email marketing, and other channels. You should also consider using paid advertising to reach a wider audience. Finally, you need to measure the success of your content. This will help you understand what content is working and what content needs to be improved. You should also consider using analytics tools to track the performance of your content. By following these tips, you can create an effective content marketing strategy that will help you reach your goals. Good luck!	Crafting a successful social media plan can be a daunting task. With so many different platforms, strategies, and tactics to consider, it can be hard to know where to start. To help you get started, here are 10 tips for crafting a winning social media plan. 1. Set clear goals. Before you start crafting your social media plan, it's important to set clear goals. What do you want to achieve with your social media presence? Do you want to increase brand awareness, drive website traffic, or generate leads? 2. Know your audience. Knowing who your target audience is will help you craft a plan that resonates with them. Consider their age, interests, and where they spend their time online. 3. Choose the right platforms. Not all social media platforms are created equal. Choose the ones that are most relevant to your target audience and that will help you reach your goals. 4. Create a content calendar. A content calendar will help you stay organized and ensure that you're consistently creating and sharing content. 5. Focus on quality over quantity. Quality content is more important than quantity. Focus on creating content that is engaging, informative, and entertaining. 6. Monitor and measure. Monitor your social media accounts to see what's working and what's not. Use analytics tools to measure your performance and adjust your plan accordingly. 7. Engage with your audience. Engaging with your audience is key to building relationships and driving engagement. Respond to comments, answer questions.	Video marketing is becoming increasingly popular as a way to reach potential customers and build brand awareness. With the rise of social media, video content is more accessible than ever before, making it an attractive option for businesses looking to reach a wider audience. Here are five reasons why investing in video marketing is a smart move for any business. 1. Increased Engagement: Video content is more engaging than text-based content, making it easier to capture the attention of potential customers. Videos can be used to tell stories, showcase products, and explain services in a way that is more engaging than text alone. 2. Increased Reach: Videos can be shared across multiple platforms, allowing businesses to reach a wider audience. This can help to increase brand awareness and drive more traffic to your website. 3. Improved SEO: Videos can help to improve your website's search engine rankings, as search engines favor websites with video content. 4. Cost-Effective: Video marketing is a cost-effective way to reach potential customers. Compared to traditional advertising, video marketing is much more affordable and can be used to reach a larger audience. 5. Increased Conversion Rates: Videos can help to increase conversion rates, as they are more likely to engage potential customers and encourage them to take action. Investing in video marketing is a smart move for any business looking to reach a wider audience and increase brand awareness. With the right strategy, video marketing can be an effective way to engage potential customers and drive more traffic to your website.

	B	주제
	주제1	주제
	Creating an Effective Content Marketing Strategy	10 Ti
	효과적인 컨텐츠 마케팅 전략 만들기	우승
	Please make an blog article paragraphs for this topic	
	주제1	주제
	Content marketing is an essential part of any successful digital marketing strategy. It helps to build brand awareness, engage customers, and drive conversions. But	Craft task

그 아래 컬럼에는 각 주제에 대한 블로그 내용을 작성해달라고 요청합니다. 함수는 =GPT("Please make an Blog Post(ing) paragraphs for this topic",B8)입니다. 각 주제에 대한 결괏값이 나온 걸 볼 수 있습니다. 이렇게 단 몇 분 만에 세 가지 블로그 포스팅 주제, 제목, 그리고 내용까지 모두 얻었습니다.

마지막으로 한국어 번역 함수를 입력하면 최종 본문이 나옵니다. 유튜브 스크립트는 Blog Post(ing) 자리에 YouTube Script를 설정하면 본인이 원하는 결괏값을 얻을 수 있습니다.

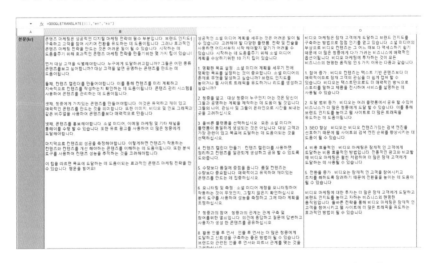

활용도가 엄청나게 다양하기에 유튜브에서 많은 사례를 학습한다면 생각 이상으로 훌륭한 성과를 얻을 수 있을 것입니다.

2

ChatGPT

단 1분 만에 PPT 제작하기 🔍

감마Gamma는 인공지능을 활용해 PPT를 생성하거나 개선하는 데 도움을 주는 온라인 서비스입니다. 다양한 소스에서 관련 정보를 평가하고 추출한 다음 자연어 처리 또는 머신러닝과 같은 알고리즘을 활용하여 PPT에 적합한 텍스트나 그래픽을 생성할 수 있습니다. 퀄리티나 기능적인 부분에서의 차이는 있겠지만 코파일럿과 상당히 유사합니다. 감마 앱을 실습해보겠습니다.

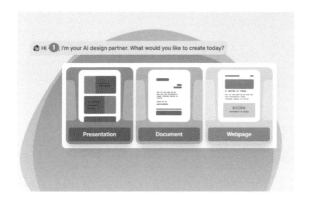

먼저 gamma.app/generate에 접속하여 계정을 생성합니다. 몇 가지 질문을 거치면 바로 등록할 수 있습니다. 감마가 자신을 '인공지능 디자인 파트너'라고 소개하네요. 그 아래 Presentation(프레젠테이션), Document(도큐먼트), Webpage(웹페이지) 중 프레젠테이션을 선택합니다.

제목 입력란이 나오는데 어떤 언어로 입력해도 상관없다고 합니다. "미국 금융 시장의 변화"를 주제로 입력해보겠습니다. 해당 프레젠테이션에서 꼭 들어가야 할 내용을 입력하라고 합니다. "코로나19 이후의 미국 경제와 금융 시장의 변화"를 입력해보겠습니다.

그러면 전체 테마를 고르는 창이 뜨는데 그중 하나를 고릅니다.

1분이 채 걸리지 않아 초안이 생성되었습니다. 현재는 무료 베타버전이라 그런지 아무 언어를 입력해도 된다고 했지만 그에 맞는 언어로 결괏값을 내는 것은 아닌 것 같습니다.

해당 페이지에 마우스를 올리면 왼쪽 상단에서 레이아웃을 변경할 수 있습니다.

또한 삽입된 이미지도 교체할 수 있습니다.

텍스트를 수정하거나 추가할 수도 있습니다.

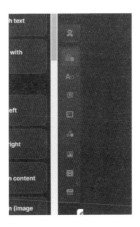

오른쪽에는 메뉴가 있습니다.

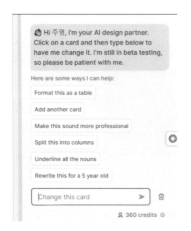

그중 'Edit with Ai'를 누르면 이런 창이 보이는데 챗GPT와 같은 챗봇을 통해 PPT 수정을 할 수도 있고 필요한 것을 요청할 수도 있습니다.

그 외에도 많은 기능이 있습니다. 섹션의 개수와 스타일을 추가할 수도 있습니다.

텍스트, 리스트, 코드 등을 삽입할 수도 있습니다.

여러 스타일의 레이아웃을 직접 선택할 수도 있습니다.

이미지 업로드 또한 자유롭습니다.

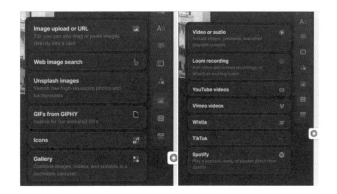

그뿐만 아니라 일반 비디오, 유튜브 영상, 틱톡 영상 등을 URL을 입력해 삽입할 수도 있습니다.

많은 플랫폼과도 호환됩니다.

첫 페이지 다음에 결괏값으로 나온 다음 페이지들을 살펴보겠습니다.

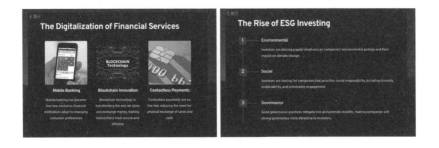

제목과 들어가야 할 사항만 입력했을 뿐인데 내용부터 이미지까지 1분도 걸리지 않아 PPT를 만들어냈습니다. 처음 등록한 사람들

에게 400크레딧을 주고 한 작업당 40크레딧이 차감됩니다. 아직 한국어를 지원하지 않는다는 단점이 있지만 영어를 한글로 변환하면 되기 때문에 사용할 수 있는 범위가 충분할 것입니다.

챗GPT로
자동수익 시스템 만들기

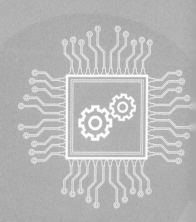

ChatGPT

10장

무조건 유튜브다

Chat AI

1

유튜브 수익화 시스템 만들기 🔍

아마 많은 분이 가장 궁금해하는 주제가 아닐까 생각합니다. 이 주제를 다루기 전에 당부하고 싶은 말은 절대 요행을 바라지 말라는 것입니다. 저는 완전 자동화로 황금알을 낳는 거위처럼 챗GPT를 활용하는 것을 좋지 않게 봅니다. 그리고 경쟁자가 빠르게 생기고 사라질 시장은 쉽게 접근하지 말길 바랍니다. 누구나 쉽게 할 수 있다면 금방 경쟁자로 차고 넘치게 될 것입니다. 거기에서 여러분이 살아남기란 하늘의 별 따기일 수 있습니다.

여기저기에서 챗GPT로 수익화하는 방법에 관해 이야기를 많이 하고 있습니다. 그중 가장 쉽게 돈을 벌 수 있는 분야로 블로그 포스팅 이야기가 많이 나오고 있습니다. 블로그 수익화에 대해선 반은 맞고 반은 틀린 사실을 먼저 이야기하겠습니다. 제 지극히 주관적인 견해로는 완전 자동화로 블로그 수익화는 어렵다고 봅니다. 그리고 아직 자동화 방식으로 수익화를 하는 사람은 없는 것으로 압니다. 외국에서는 수익화 사례들이 많이 등장하지만 최소한 한국에서는 어렵다고 봅니다. 챗GPT가 생성한 영어는 표현이 자연스럽지만 한국어로 생성한 답변은 부자연스러운 게 사실입니다.

아무리 한국어를 잘하는 챗GPT가 나와도 인간의 자연스러운 표현을 학습하기에는 쉽지 않아서 글을 조금 읽어보면 티가 나고 전체 흐름으로 봤을 때 통일성이 없다는 게 전문가들의 판단입니다. 그래서 사람이 반드시 최종 확인을 하지 않고선 저품질을 거르거나 매력적인 글을 쓰기가 어렵다는 것입니다. 저품질에 걸리지 않는 창의적인 글쓰기를 하면 되지 않냐고 반문하는 분들도 있을 것입니다. 물론 챗GPT를 활용하여 블로그로 수익화하려는 분들을 막으려는 것은 아닙니다. 블로그를 원래부터 쓰셨고 이미 나만의 아이덴티티가 생긴 분들이 챗GPT를 활용한다면 분명 큰 도움이 될 것입니다. 내가 쓰고자 하는 내용으로 블로그 글을 작성하고 해당 글에 맞는 이미지를 만드는 것은 인공지능을 적절하게 활용할 수가 있습니다. 또한 단순 배포가 목적이라면 괜찮은 방법이라고 생각합니다. 다만 이 이야기 저 이야기를 다루면서 무분별하게 포스팅을 한다면 페이스북 광고에 피로도가 쌓여 잘 안 보는 것처럼 블로그도 그렇게 되지 않을까 조심스럽게 예측해봅니다.

그런데 만약 블로그 글을 쓰는 시간과 유튜브 콘텐츠를 제작하는 시간이 비슷하다면 어떤 걸 선택하겠습니까? 동일한 노력을 하고도 효율을 높이기 위해 제가 추천하는 수익화 방법은 바로 유튜브입니다. 저는 그 효과를 제대로 보고 있고 제대로 활용하려고 꾸준히 연구하고 있습니다. 예전에는 블로그 포스팅을 하는 데 1시간

걸렸다면 지금은 유튜브 영상을 업로드하는 데 1시간도 채 걸리지 않습니다. 물론 제 영상에서 힘주어 이야기하는 콘텐츠들은 2시간 정도 소요됩니다. 사람들이 유튜브를 하는 데 망설이는 이유가 영상 편집과 제작이 어려웠기 때문이 아닌가 생각합니다. 저는 개인 채널과 회사 채널을 운영하고 있는데 회사 채널은 영상 업로드까지 30분도 채 걸리지 않습니다. 유튜브 업로드가 블로그 업로드보다 오히려 빨라졌습니다. 그러면 유튜브도 블로그처럼 남발되는 건 같지 않으냐고 반문하는 분도 있을 것입니다. 블로그를 하지 말라는 이야기가 아니라 잘 활용하라는 뜻으로 한 이야기입니다. 같은 시간이 들어간다면 효율성 면에서 유튜브가 더 큰 레버리지가 될 수 있기 때문입니다.

한국에서는 블로그에 대한 진입장벽은 낮은데 유튜브에 대한 진입장벽은 아직 낮지 않습니다. 많은 유튜버가 활동하고 있지만 많이 관두기도 했습니다. 잘 생각해보면 유튜버들이 많이 관두었던 시점은 챗GPT가 등장하기 전입니다. 콘텐츠 하나를 만드는 데 드는 시간 대비 수익이 적고 브랜딩으로 이어지지 않았기에 생계유지가 어렵다고 판단해서 관두었다는 이야기를 많이 접했습니다. 하지만 저는 지금이 유튜브에 진입하기 좋은 시점이라고 생각합니다. 많은 유튜버가 관두었다는 점은 새롭게 진입하는 유튜버들에게는 경쟁해야 할 강한 상대가 줄어든 상황이므로 오히려 기회이기 때문입니다. 그리고 챗GPT가 등장했기 때문입니다.

MZ세대라면 가장 강력하고 가장 오래갈 채널로 현재는 틱톡을 추천하겠지만 그보다 나이 많은 세대라면 유튜브가 유일한 채널이라 생각합니다. 챗GPT를 활용한 수익화 시스템을 알게 된다면 블로그와 인스타그램은 훨씬 더 쉽습니다. 챗GPT에게 이렇게 말하기만 하면 됩니다. "제작된 유튜브 스크립트를 바탕으로 30초짜리 유튜브 쇼츠 스크립트를 만들어주세요." "제작된 유튜브 스크립트를 바탕으로 1,000자 정도의 블로그 스크립트를 만들어주세요." "제작된 유튜브 스크립트를 바탕으로 100자 정도의 인스타그램 캡션을 만들어주세요."

이것만이 아닙니다. "제작된 유튜브 스크립트를 바탕으로 유튜브에 사용할 제목과 태그를 추천해주세요." "제작된 유튜브 스크립트를 바탕으로 블로그에 사용할 제목과 태그를 추천해주세요." "제작된 유튜브 스크립트를 바탕으로 인스타그램에 사용할 해시태그를 추천해주세요." 기존 프로세스라면 결과가 나오기까지 하루가 걸리고 실행하기까지 또 하루가 걸리는 업무입니다. 하지만 지금은 챗GPT를 활용하면 어떤 방향으로 콘셉트를 잡아야 되는지 도출하는 데 10분도 채 걸리지 않습니다. 콘셉트를 잡았다면 그에 맞는 주제를 뽑는 데 5분도 걸리지 않습니다. 수십 개의 주제를 뽑은 다음 나만의 아이디어를 입혀서 스크립트를 뽑는 데도 10분이 채 걸리지 않습니다. 한두 시간이면 이 모든 아이디어가 나오고 실행하기까지 족히 잡아도 6시간 안에 모든 게 다 이뤄집니다.

2

1개월에 구독자 1,000명 만들기 🔍

저는 인공지능 전문가는 아니지만 현재 국내에 챗GPT 전문가가 없는 상황이기에 빠르게 익히고 많은 정보를 취하다 보면 전문가에 도달할 수 있는 직군이 지 않을까 하는 마음에 하루에 10시간씩 연구하면서 콘텐츠를 제작하고 있습니다. 챗GPT 관련 영상을 20개 정도 올렸는데 2주(2023년 3월 21일 기준)밖에 안 걸렸습니다. 이전에는 영상 제작에 하루 이상이 걸렸는데 요즘은 하루에 2개씩 올리고 있습니다. 조금씩 성과가 보이기 시작합니다.

개요 　도달범위 　참여도 　시청자층

동영상이 게시된 이후 조회수가 2,820회입니다

영상을 올린 지 일주일 만에 조회수 2,000을 넘었습니다.

개요　도달범위　참여도　시청자층

동영상이 게시된 이후 조회수가 3,228회입니다

영상을 올린 지 10시간쯤 조회수 3,000을 넘었습니다.

운영 중인 회사 채널도 하루에 1개씩 영상을 올리다 보니 평균 조회수가 조금씩 올라가기 시작했고 올린 지 하루도 안 돼서 조회수 300이 넘는 영상도 나왔습니다.

이 정도로는 아쉽다고 생각할 수 있겠지만 시작한 지 2주밖에 안 된 시점이었습니다. 저는 앞으로도 남은 3개월 동안 하루에 최소 개인 채널 영상 1개, 회사 채널 영상 1개를 업로드할 목표로 세웠습니다. 3개월이 지나면 기존에 올렸던 영상들의 조회수가 어떻게 오르는지 지켜볼 것입니다.

저 정도 조회수로 수익화가 되겠냐고 할 수도 있습니다. 그래서 제가 퍼스널 브랜딩이 중요하다고 말하는 것입니다. 대형 유튜버들도 유튜브 수익으로만 돈을 버는 게 아니라 자신을 브랜딩화해 강의나 콘텐츠 사업으로 더 많은 돈을 벌고 있습니다. 다만 한두 가지의 주제로만 깊게 파고들어야 합니다. 이 이야기 저 이야기를 하면 안 됩니다. 그 주제로 전문가가 돼야 실패하지 않을 수 있습니다. 여러분이 대형 유튜버는 아니지만 이런 방향으로 가야 유튜브를 오래도록 꾸준히 운영할 수 있을 것입니다.

저도 영상을 꾸준히 올린 지 2주 정도 되자 조금씩 문의가 오기 시작했습니다. 이 책을 쓰고 있는 2023년 4월 말 기준으로 출판사와 계약했고 클래스101에서 강의 촬영 계약을 하게 되었습니다. 유튜브를 시작하면서 찾아온 기회라고 생각합니다. 저는 이제 시작입니다. 앞으로 3개월 안엔 챗GPT를 통해 벌어들일 수익이 1,000만 원 이상 될 거라 예상합니다. 또 3개월 뒤엔 더 큰 가치를 지닌 사람으로 성장하지 않을까 기대합니다. 물론 제가 꾸준히 노력하고 연구한다는 가정하에서 말입니다. 그때 제 퍼스널 브랜드의 가치가 지금보다는 높아져 있지 않을까 예상합니다.

전 킬링 콘텐츠를 만들어서 수익화하는 방법에 대해선 잘 모릅니다. 11년 동안 사업을 해오면서 그런 콘텐츠를 만든 사람들은 바람처럼 사라져버리곤 했습니다. 하지만 브랜딩을 하는 분들은 꾸준히 규모가 성장하는 걸 보면서 제 방향성은 더 확고해졌습니다. 돈을 쉽게 벌 수는 있지만 오래 버는 사람은 별로 없습니다. 쉽고 오래 벌 수 있다면 아마 전 그것만 연구했을 것입니다. 어렵게 돈을 벌어본 사람들은 주어진 기회를 알아보고 놓치지 않으려고 매일 고민하고 연구합니다. 독자 여러분도 저와 같은 방법으로 수익화에 성공하길 바랍니다.

지금부터 챗GPT를 통해 유튜브 채널을 활성화하여 수익화하는
방법을 실습해보겠습니다.

3

유튜브 채널 키우기
(튜토리얼 공개)

1. 채널의 페르소나 설정하기

먼저 어떤 채널을 운영할 건지가 가장 중요합니다. 어렵지 않습니다. 본인의 인적 상황과 관심사를 기반으로 뉴빙에게 물어보면 되니까요.

> 나는 현재 대한민국 서울에 거주하고 있으며 37세 남자이고 11년 동안 사업을 하였습니다. 나의 요즘 관심사는 챗GPT이며 이것과 관련된 유튜브 채널을 운영해보려고 합니다. 나의 페르소나를 설정해줄 수 있나요?

안녕하세요. 이것은 빙입니다. 저는 여러분의 언어로 대화할 수 있습니다.

페르소나를 설정하고 싶으시다면 다음과 같은 질문에 답해보세요.

- 당신의 이름은 무엇인가요?
- 당신의 취미나 특기는 무엇인가요?

- 당신의 성격은 어떤 특징이 있나요?

- 당신이 챗GPT에 관심을 가진 이유는 무엇인가요?

- 당신이 유튜브 채널을 통해 전달하고 싶은 메시지는 무엇인가요?

- 이런 질문들을 통해 자신을 소개하는 문장을 만들어보세요. 예를 들면

"안녕하세요. 저는 김철수라고 합니다. 저는 요리와 춤추기를 좋아하고 친절하고 재미있는 사람이라고 자부합니다. 저는 챗GPT가 인공지능과 인간의 대화를 어떻게 바꿀 수 있는지 궁금해서 관심을 가지게 되었습니다. 저의 유튜브 채널에서는 챗GPT와 함께 재미있고 유익한 대화를 나누고 여러분들과 소통하고 싶습니다."

이렇게 페르소나를 설정하면 채널 구독자들에게 좋은 인상을 줄 수 있습니다.

? 감사합니다 제 이름은 박민수입니다. 저는 페르소나를 설정할 필요가 없습니다. ChatGPT에 대해 더 알려주세요.

"나는 현재 대한민국 서울에 거주하고 있으며 37세 남자이고 11년 동안 사업을 하였습니다. 나의 요즘 관심사는 챗GPT이며 관련된 유튜브 채널을 운영해보려고 합니다. 나의 페르소나를 설정해줄 수 있나요?"

이렇게 물어보면 뉴빙이 좀 더 상세하게 페르소나를 설정하기 위해 질문을 합니다. 사용자가 뉴빙의 질문을 반영하여 페르소나 설정을 요청하면 유튜브 채널의 페르소나가 설정됩니다.

2. 채널의 콘텐츠 찾기

● ● ● ‹ › ↺ Q   ☆ ≡

페르소나를 설정하셨군요. 잘하셨습니다.

유튜브 콘텐츠를 생산하려면 챗GPT에 관련된 주제를 선정하고, 적절한 프롬프트와 엔진을 사용하여 대화를 나누어 보세요. 그리고 대화의 결과와 과정을 분석하고 평가하여 시청자들에게 유익한 정보를 제공하세요.

예를 들어 다음과 같은 주제들을 콘텐츠로 만들 수 있습니다.

- 챗GPT가 무엇인지 소개하고 GPT-3.5와 GPT-4의 차이점과 장단점을 설명하기[1][2][3]
- 챗GPT가 다른 언어로도 대화할 수 있는지 테스트하고 언어별로 성능이나 특징이 다른지 비교하기[4]
- 챗GPT가 다양한 주제에 대해 얼마나 잘 대화할 수 있는지 살펴보고, 잘못된 답변이나 오류가 발생하는 경우에는 왜 그런지 분석하기[5]
- 챗GPT가 창의적인 콘텐츠를 생성할 수 있는지 확인하고 시나리오, 시, 노래 등을 만들어보기[6]
- 챗GPT가 코드를 작성하거나 디버깅할 수 있는지 시도하고, 코덱스 엔진과의 차이점과 장단점을 설명하기[7]
- 챗GPT가 인간의 감정이나 성격을 이해하고 반영할 수 있는지 검증하고, 감정 인식이나 성격 유형 분석 등을 해보기[8]
- 챗GPT가 인간의 지식이나 사실을 얼마나 정확하게 알고 있는지 퀴즈나 질문을 통해 평가하고 오답이나 모르는 경우에는 어떻게 대처하는지 관찰하기[9]
- 챗GPT가 인간의 윤리나 도덕에 대해 어떻게 생각하는지 알아보고, 윤리적인 문제나 상황에 대해 어떻게 반응하는지 살펴보기[10]
- 챗GPT가 인간의 취미나 관심사에 대해 얼마나 잘 알고 있는지 알아보고, 스포츠, 영화, 음악 등에 대해 의견을 나누어보기[11]
- 챗GPT가 인간의 목적이나 비전에 대해 어떻게 생각하는지 알아보고, 자신의 목적이나 비전을 말하게 하고 그것에 대해 피드백을 받아보기[12]

이런 주제들은 챗GPT의 다양한 기능과 한계를 보여주고 시청자들의 호기심과 흥미를 끌 수 있습니다.

　예를 들어 "안녕하세요. 저는 허민이라고 합니다. 저는 사업 성장과 자기계발에 관심이 많고 열심히 노력하는 사람에게 기회가 찾아온다고 믿는 사람입니다. 저는 챗GPT가 변화시킬 미래가 궁금해서 관심을 가지게 되었습니다. 제 유튜브 채널에서 챗GPT에 관련한 최신 소식과 함께 어떻게 활용할 수 있는지에 관한 콘텐츠를 만들어보려고 합니다. 제 채널의 페르소나입니다. 이 내용에 기반

하여 앞으로 유튜브 콘텐츠 10개를 생산하려고 하는데 추천해주세요."라고 질문합니다. 챗GPT의 답변이 마음에 들지 않는다면 다른 추천을 요청하거나 질문을 좀 더 다듬어서 다시 질문을 하다 보면 원하는 답변을 받을 수 있을 것입니다.

좀 더 세부적인 질문을 통해 지속적으로 콘텐츠를 생성할 수도 있습니다. 본인이 하려는 분야에 이슈가 발생하면 챗GPT에게 그 기사를 바탕으로 유튜브 스크립트를 작성하도록 요청하거나 혹은 그 기사를 바탕으로 몇 차례 질문하면서 하나의 스크립트를 완성합니다. 유튜브 스크립트라는 것은 유튜브 영상을 촬영할 때 출연자들이 읽을 수 있도록 정리된 문장들이라고 생각하면 됩니다.

3. 스크립트 제작하기

참고하고 싶은 영상이 있다면 그 영상의 웹주소 링크(URL)를 제공해서 "이 내용(URL의 내용)으로 유튜브 스크립트 작성해주세요."라고 요청합니다. 아주 간단하게 챗GPT를 통해서 스크립트를 작

성할 수 있습니다. 이건 남들보다 빠르게 콘텐츠를 만들 때 필살기처럼 사용하면 좋습니다.

오토GPT에 요즘 관심이 많습니다.

✓ "오토GPT" 검색 중

✓ 답변을 생성하는 중⋯⋯

▶️ 오토GPT는 GPT-4가 탑재된 오픈소스 앱으로 코드 분석, 개선, 테스트까지 알아서 다 해주는 자동화 모델입니다[1]. 이 앱은 사람의 입력을 최소화하고 대부분의 작업을 자율적으로 실행합니다[1]. 오토GPT에 원하는 목표만 설정해주면 오토GPT가 알아서 계획을 세우고 작업을 진행합니다[1]. 또한 오토GPT는 작업을 완료하고 결과를 제공합니다[1].

오토GPT는 목표를 자율적으로 달성하기 위해 대규모 언어모델LLM "생각"을 함께 연결하는 능력이 독특합니다[1]. 완전히 자율적으로 실행되는 GPT-4의 첫 번째 예 중 하나이며 다른 인공지능 도구와 차별화됩니다[2]. 능력 자체로 보면 오토GPT는 챗GPT보다 우위에 선 듯합니다[2].

오토GPT는 최근 인플루언서부터 기업에 이르기까지 빠르게 사용되고 있습니다[3].

저희 빙은 오토GPT와 같은 다양한 주제에 대해 검색 결과를 제공해드리고 있습니다. 궁금한 것이 있으시면 언제든지 물어보세요!

자세한 정보: 1. blog.naver.com   2. btcc.com   3. digit2sight.com   +3 더 보기

⟨ ⟩ [오토GPT가 무엇인가요?] [오토GPT를 사용하는 방법을 알려주세요.] [오토GPT와 GPT의 차이점은 무엇인가요?]

　　본인이 다루려는 화제에 대한 질문으로 시작합니다. "오토GPT에 요즘 관심이 많습니다." 그러면 챗GPT가 답변을 하고 그 아래 코파일럿이 내가 물어볼 법한 내용을 띄웁니다. 여기서 중요한 것은 이 질문들을 수집하는 것입니다. 챗GPT의 답변에서도 이어서

할 다음 질문을 수집할 수 있습니다. 이게 챗GPT를 잘 쓰는 사람과 못 쓰는 사람을 가르는 1%의 차이입니다. 챗GPT의 답변에서 질문으로 할 수 있는 것들을 찾아보겠습니다.

오토GPT에 요즘 관심이 많습니다.

▶ 오토GPT는 GPT-4가 탑재된 오픈소스 앱으로 코드 분석, 개선, 테스트까지 알아서 다 해주는 자동화 모델입니다[1]. 이 앱은 사람의 입력을 최소화하고 대부분의 작업을 자율적으로 실행합니다[1]. 오토GPT에 원하는 목표만 설정해주면 오토GPT가 알아서 계획을 세우고 작업을 진행합니다[1]. 또한 오토GPT는 작업을 완료하고 완료된 결과를 제공합니다[1].

오토GPT는 목표를 자율적으로 달성하기 위해 대규모 언어모델LLM "생각"을 함께 연결하는 능력이 독특합니다[2]. 완전히 자율적으로 실행되는 GPT-4의 첫 번째 예 중 하나이며 다른 인공지능 도구와 차별화됩니다[2]. 능력 자체로 보면 오토GPT는 챗GPT보다 우위에 선 듯합니다[2].

오토GPT는 최근 인플루언서부터 기업에 이르기까지 빠르게 사용되고 있습니다[3].

저희 빙은 오토GPT와 같은 다양한 주제에 대해 검색 결과를 제공해드리고 있습니다. 궁금한 것이 있으시면 언제든지 물어보세요!

1. 오토GPT – 코드 분석, 개선, 테스트까지 알아서 다 해주는 만능 AI 도구

2. 챗GPT보다 한 술 더...오토GPT(AutoGPT)란 무엇입니까? – BTCC

3. 오토GPT 정의와 사용 방법 및 주요 기능 시사점 – 디지털 인사이트 매거진

4. 오토GPT의 활용 방안

5. Auto-GPT – The next evolution of data driven Chat AI

6. 초간단 오토GPT 설치 강좌 총정리 (오류해결, 사이트 링크모음, 무한루프 해결)

위의 내용에서 우리는 세 가지 질문을 할 수 있습니다.

첫 번째 질문으로 대규모 언어모델LLM에 관해 물을 수 있습니다. "'오토GPT는 목표를 자율적으로 달성하기 위해 대규모 언어모델LLM '생각'을 함께 연결하는 능력이 독특합니다'라고 답변을 했는데 여기서 대규모 언어모델LLM에 대해 좀 더 자세히 소개해줄 수 있을까요?"

두 번째 질문으로 "'능력 자체로 보면 오토GPT는 챗GPT보다 우위에 선 듯합니다.'라고 했는데 그 근거에 대해 좀 더 자세히 설명해줄 수 있나요?"

세 번째 질문으로 "'최근 인플루언서부터 기업에 이르기까지 빠르게 사용되고 있습니다.'라고 했는데 그 사례에 대해 좀 더 자세히 근거를 뒷받침할 내용을 알려줄 수 있나요?"라고 물어보는 것입니다.

이렇게 해서 "오토GPT에 요즘 관심이 많습니다."라는 아주 간단한 물음만으로 본문을 통해 3개의 질문을 찾았고 코파일럿을 통해 3개의 추가 질문을 합쳐 총 6개의 질문을 수집한 셈입니다. 저처럼 메모장에 질문들을 수집한다면 분명히 남들보다 월등히 뛰어난 속도로 콘텐츠를 제작할 수 있을 것입니다. 6개의 질문 중 "오토GPT를 사용하는 방법을 알려주세요."를 눌러보겠습니다.

●●●〈〉C Q ☆ ≡

오토GPT를 사용하는 방법을 알려주세요.

✓ "오토GPT 사용법" 검색 중

✓ 답변을 생성하는 중······

🔎 오토GPT를 사용하기 위해서는 먼저 오픈AI 회원가입 후 API 키를 생성해야 합니다■. 그리고 오토GPT를 사용하기 위한 PC 환경을 구성하는 프로그램들을 설치해야 합니다■. 이후에는 오토GPT를 실행하고, 원하는 목표만 설정해주면 오토GPT가 알아서 계획을 세우고 작업을 진행합니다■■.

위 링크에서 자세한 설명을 확인하실 수 있습니다. 궁금한 것이 있으시면 언제든지 물어보세요!

자세한 정보: `1. bing.com` `2. everyitblock.tistory.com` `3. techbukket.com` `+3 더 보기`

? `오토GPT가 무엇인가요?` `오토GPT와 챗GPT의 차이점은 무엇인가요?` `오토GPT를 사용하는 기업이나 인플루언서들은 어떤 일을 하나요?`

GPT의 답변 밑에 코파일럿이 제시한 질문이 보이시나요? 세 번째 질문이 앞에서 질문했던 "'최근 인플루언서부터 기업에 이르기까지 빠르게 사용되고 있습니다.'라고 했는데 그 사례에 대해 좀 더 자세히 근거를 뒷받침할 내용을 알려줄 수 있나요?"와 유사하지 않습니까? 이렇게 수집하다 보면 점점 챗GPT가 사고하는 방식을 이해하게 되고 그로 인해 질문하는 실력을 높여갈 수 있기 때문입니다.

이번 답변은 짧네요. 한 번 더 질문을 하겠습니다. "설명법에 대해 좀 더 자세히 이야기해주세요."

챗GPT의 답변에서 두 번째 문장이 '그리고 오토GPT를 사용하기 위한 PC 환경을 구성하는 프로그램들을 설치해야 합니다.²'라고 돼 있습니다. 뉴빙은 내용의 신뢰성을 높이기 위해 출처를 반드시 기재합니다. 문장 끝의 작은 숫자를 누르면 관련 웹페이지로 이동합니다.

링크된 웹페이지를 통해 좀 더 자세한 정보를 획득할 수 있습니

다. 내가 작성하는 내용의 근거를 뒷받침할 수 있게 됩니다. 저는 이 분야에서 전문가가 될 각오로 링크된 웹페이지를 다 확인하면서 공부를 하다 보니 남들에게 어느덧 상위 1% 챗GPT 전문가라는 말을 듣게 되었습니다. 저처럼 할 필요가 없는 분들은 뉴빙에게 "이 페이지 내용을 요약해주세요."라고 질문하면서 챗GPT의 답변에서 스크립트 내용을 추가해나가면 됩니다.

이렇게 대여섯 번의 질문만으로 하나의 콘텐츠를 만들기 위한 스크립트가 완성되었습니다. 말로 해서 길지 한두 번 해보면 많은 시간이 걸리지 않을 것입니다.

4. 영상 편집하기

영상 편집은 인공지능의 발전으로 엄청나게 효율화가 이뤄진 분야입니다. 이전에는 영상 편집이 어려워 유튜브를 쉽게 시작하기 어려웠다면 이제는 마음만 먹으면 누구든지 유튜브를 시작할 수 있게 되었습니다.

여기서 사용할 영상 프로그램은 브루Vrew입니다. 스크립트를 입력하면 해당하는 내용과 어울리는 배경영상을 찾아주고 배경음악을 선택하면 자막까지 자동으로 생성되는 프로그램입니다. 5~10분짜리 영상을 제작하는 데 30분도 채 걸리지 않습니다. 또한 30~60초짜리 쇼츠 영상을 만드는 데 5분도 걸리지 않습니다.

브루는 지금 챗GPT로 인해 해외에서 엄청난 인기를 얻고 있습니다. 국내에서도 많은 유튜버가 소개하였습니다. 저만의 노하우를 담은 브루 사용법을 알려드리겠습니다.

브루에서 인공지능 음성 더빙 파일을 만들기 위해 '새로 만들기' → 'AI 목소리로 시작하기'를 누릅니다.

목소리 설정을 클릭해서 '목소리 설정' 창을 띄웁니다.

줄이나 마침표 단위로 스크립트를 잘 나누어 준비합니다. 브루 더빙에서는 마침표가 있으면 장면scene이 나뉘기 때문에 주의해야 합니다. 또한 영상 제작 프로그램 픽토리의 인공지능을 이용해 자동으로 적당한 영상 소스를 가져오는 기능을 사용하기 위해 딥엘과 같은 번역기로 영어 스크립트를 준비합니다. 여기서 꿀팁 하나! 번역도 마찬가지로 마침표 단위로 진행되기 때문에 추후에 나눈 장면에서 마침표 단위로 한글 자막으로 교체하면 편리합니다.

우측 상단에서 인공지능 목소리의 음량, 속도, 높낮이를 설정하고 하단의 텍스트 상자에 모든 스크립트를 붙여넣기를 한 다음 확인 버튼을 누릅니다.

모든 스크립트가 정리되고 브루가 인공지능 목소리를 생성합니다.

완성된 인공지능 목소리를 재생하여 전체적으로 확인합니다. 특히 '챗PDF'나 '3PL' 같은 영어가 포함된 단어들은 반드시 우리가 원하는 대로 읽었는지 확인해야 합니다. 예시로 사용된 '챗PDF'의 경우 인공지능이 '시피디에프'라고 잘못 읽었기 때문에 전부 '챗PDF'로 변경하겠습니다. 우측의 '목소리 수정'을 누릅니다.

텍스트 박스의 '챗PDF'를 '챗PDF'로 변경하고 확인 버튼을 누릅니다. 옆에 있는 '미리 듣기'를 통해 미리 들어볼 수 있습니다.

잠시 수정되는 시간을 기다린 후 변경된 스크립트를 확인합니다.

또한 인공지능 목소리를 전체적으로 확인하면서 띄어쓰기나 반점을 사용하여 최대한 자연스럽게 이야기할 수 있도록 적절히 수정합니다. 단, 마침표는 장면을 나누기 때문에 주의해야 합니다.

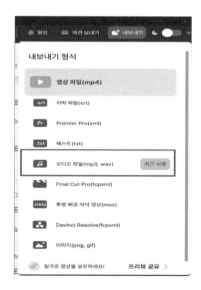

결과물이 만족스럽다면 우측 상단의 '내보내기'에서 오디오 파

일로 더빙 파일을 저장합니다. 브루는 아직 장면별로 개별 저장을
할 수 없어서 한 파일에 일괄로 저장합니다.

　픽토리에서 'Script to Video(스크립트로 동영상 생성)' 기능을 통
해 준비된 인공지능 목소리를 이용하여 영상을 제작해보겠습니다.
여기에서 스크립트란 동영상 아래 부분에 자막으로 나오는 부분을
얘기합니다.

　간단한 제목을 영어로 입력한 뒤 스크립트를 붙여넣기하고 우측
상단의 'Create new scenes on(새 장면 생성하기)'에서 'Sentence
breaks(마침표 단위)' 혹은 'Line breaks(줄 단위)'로 준비된 스크립
트에 따라 브루에서 장면을 분리할 방법을 설정합니다.

챗GPT로 퍼스널 브랜딩에서 수익화까지

스크립트 작업이 끝났다면 자막 템플릿을 선택할 차례입니다. 개인적으로 디폴트 자막을 추천합니다. 영상의 비율을 설정하고 'Continue(계속)'를 클릭합니다.

마침표 단위 혹은 줄 단위 분리된 장면을 확인합니다. 파란색으로 강조된 키워드를 통해 픽토리의 인공지능이 적당한 영상을 찾아옵니다. 이 기능이 기존 영상 편집 프로그램보다 제가 픽토리를 추천하는 강력한 이유입니다. 우리나라 사람들은 대부분 국내 서비스를 이용할 텐데 단어와 매칭된 영상의 퀄리티가 떨어지는 경우를 많이 경험했을 것입니다. 그래서 직접 일일이 영상을 찾아 매칭하는 일이 여간 성가신 게 아닙니다. 픽토리는 인공지능을 활용해 많은 동영상 자료와 키워드를 매칭하는 데 효과적이며 만족도를 높여주어 챗GPT의 등장과 동시에 해외 유튜버들 사이에서 빠르게 가장 많이 소개된 프로그램입니다.

저도 국내 프로그램들을 많이 써본 결과 픽토리가 가장 만족도가 높았던 영상편집 프로그램이지만 아쉽게도 한국어 지원은 하나 자동 매칭 기능이 약합니다. 그러다 보니 한국어로 스크립트 작성 시 매칭된 영상의 퀄리티가 떨어지는 단점이 있었습니다. 제가 고안한 것은 지금 쓰고 있는 방식입니다. 문장별로 영어로 스크립트를 작성하여 영상 매칭을 한 후 문장별로 다시 한국어로 바꾸는 작업을 하면 영상 매칭 시간을 상당히 줄일 수 있습니다. 장면마다 영상을 찾는 데 5~10분이 걸린다면 스크립트를 복사하여 붙여넣기를 하는 데는 1분 정도밖에 걸리지 않습니다. 이 방법 저 방법 다 해보았지만 이 방법이 가장 효율적이라는 결론을 내렸습니다.

만약 한 개의 장면을 나누고 싶다면 나누고 싶은 위치에 커서를 둔 뒤에 'Split scene(장면 분할하기)' 버튼을 눌러 나눌 수 있습니다. 장면을 나눈 후 19번 장면(Scene 19)처럼 공백 줄이 있는지 확인하여 있다면 지웁니다. 나뉜 장면은 자동으로 링크돼 같은 영상 소스를 이어서 사용하게 됩니다. 해제도 가능합니다.

영어로 된 스크립트를 한글로 교체했다면 좌측의 'Audio' → 'My

Scene 18

이것은 엄청난 기술입니다.

Scene 19

기존에는 수백시간을 사용해도 어려웠던일을 단 몇초만에 학습을 시키고 그 기반으로 사고를 확장해 나가실수 있습니다.

Project
righthand pdf

🔍 Search...

Scene 1

이번 영상에서는 PDF 파일 작업과 관련하여 삶을 훨씬 더 쉽게 만들어 줄 수 있는 도구에 대해 이야기할 것입니다.

Scene 2

라이트핸드 마케팅 팀에서는 PDF 형식으로 된 많은 보고서와 데이터를 받고 토하는 데 시간이 많이 걸렸습니다.

Scene 3

이번에 이러한 업무를 획기적으로 업무효율화를 할수 있는 서비스를 발견하여 소개해드리고자 합니다.

Scene 4

uploads'를 통해 브루에서 작업한 더빙 파일을 추가하고 'Entire video(전체 비디오)'를 눌러 픽토리의 Auto sync(오토싱크) 기능을 이용합니다. 이 오토싱크 기능이 제가 픽토리를 유료로 쓰고 있는 이유 중 하나입니다. 자막과 오디오를 자동으로 매칭하는 기능인데 유료 버전에서만 사용할 수 있습니다. 오토싱크를 이용하면 편집 시간을 최소 20분 이상 절약할 수 있기에 유료 버전을 과감하게 선

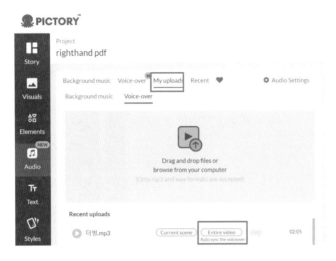

택했는데 절대 돈이 아깝지 않았습니다. 회원 가입만 해도 유료 기능을 테스트할 수 있게 3개의 영상을 제작할 수 있으니 꼭 테스트해보시기 바랍니다.

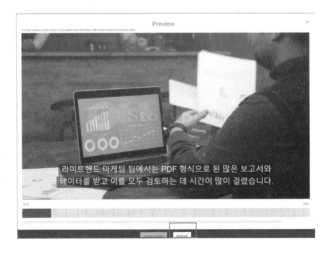

오토싱크를 확인하여 자막의 길이가 길거나 수정이 필요하다면 하단의 'Adjust(조정)' 버튼을 누릅니다.

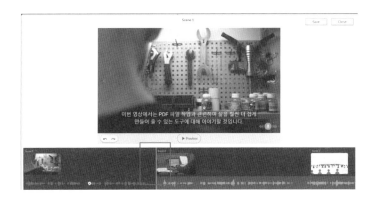

장면별로 초록색 막대를 움직여 수동으로 싱크를 조절할 수 있습니다.

픽토리가 자동으로 찾은 영상 소스가 마음에 안 드는 경우에도 걱정하지 마세요.

우측 하단에서 해딩 장면을 선택한 후 좌측의 'Visuals(시각)'를 클릭하여 영상 소스를 검색하여 적용합니다. 다만 영상 소스마다 길이가 다르기 때문에 스크립트로 인한 장면의 길이보다 짧은 영상 소스를 선택하지 않도록 주의합니다.

'Audio' 〉 'Background music(배경음악)'에서 음악을 선택하고
우측 'Audio Settings(오디오 조정)'에서 볼륨을 설정합니다.

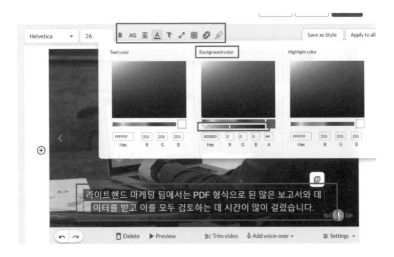

자막을 클릭하면 자막 바의 투명도를 조절할 수도 있습니다.

가로 넓이를 조절할 수도 있으며 우측의 'Apply to all(모두 적용
하기)'을 클릭해서 해당 자막의 설정값을 모든 장면에 적용할 수도
있습니다.

선택한 장면의 맨 앞과 맨 뒤에서 인트로와 아웃트로를 간단하

게 적용할 수도 있고, 장면과 장면 사이 공간을 눌러 중간에 트랜지션(화면 전환) 효과를 줄 수도 있습니다.

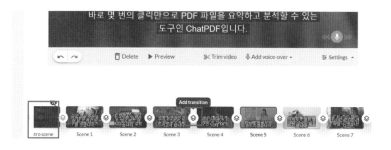

이렇게 해서 챗GPT로 스크립트를 작성한 다음 영상을 출력하기까지 30분도 채 걸리지 않습니다. 브루의 인공지능 목소리를 활용하고 픽토리의 인공지능 편집 영상 프로그램을 활용한다면 만족스러운 업무 효율화를 경험할 수 있을 것입니다.

이렇게 만든 영상을 쇼츠로도 만들어볼까요? 기존에 픽토리를 통해 제작된 영상이 있다면 쇼츠는 단 5분이면 가능합니다. 여기서도 뉴빙을 어떻게 활용하는지 꿀팁을 알려드리겠습니다.

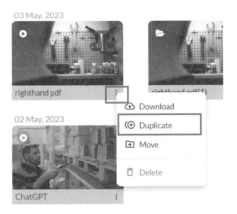

픽토리의 'My projects(내 프로젝트)'에서 쇼츠로 변환할 프로젝트를 복사하여 복사본을 생성합니다.

복사본의 파일명을 수정합니다.

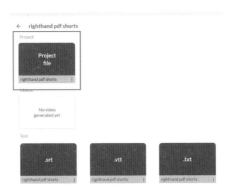

해당 프로젝트의 프로젝트 파일을 선택합니다.

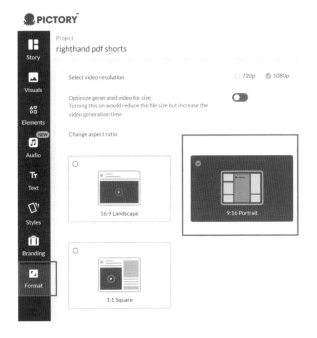

좌측 메뉴의 Format(포맷)을 눌러 쇼츠 비율인 9:16으로 변경합
니다.

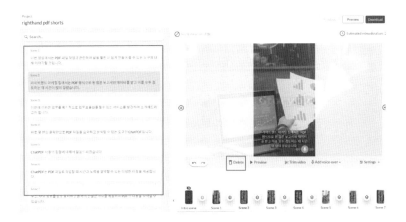

필요 없는 장면을 삭제합니다.

영상 소스 부분을 드래그하여 원하는 부분을 선택합니다.

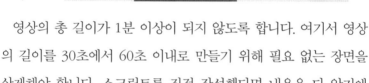

영상의 총 길이가 1분 이상이 되지 않도록 합니다. 여기서 영상의 길이를 30초에서 60초 이내로 만들기 위해 필요 없는 장면을 삭제해야 합니다. 스크립트를 직접 작성했다면 내용을 다 알기에 중요한 장면을 빠르게 판별하여 불필요한 장면만 삭제하면 됩니다. 하지만 이 또한 시간이 걸리는 일이기에 저는 뉴빙을 활용하여 기존 영상(1분 이상)에서 단 10초 만에 필요없는 부분을 찾아냅니다.

스크립트를 작성하고 나서 MS 워드나 구글 독스와 같은 문서편집기를 활용하여 PDF 문서로 저장합니다.

PDF 파일을 에지 브라우저에 띄우고 모드를 정확함으로 설정한 후 "이 페이지에서 핵심적인 문장 5개 골라주세요."라고 요청하면 뉴빙이 대략 30~40초 만에 5개 문장을 선정합니다. 그 문장들만 선택하고 나머지 장면을 삭제합니다.

자막을 선택하고 위치, 투명도, 폰트 크기를 설정하여 'Apply to all(모두 적용하기)' 버튼을 누릅니다. 스타일로 저장하고 언제든지 불러올 수도 있습니다.

배경음악 설정을 마쳤다면 영상을 다운로드합니다.

제가 지금 소개한 방법은 아마 국내에서 픽토리를 가장 잘 활용한 방법일 것입니다. 저처럼 픽토리 사용법을 연구하시거나 어떤 콘텐츠들이 인기가 많은지 분석하여 방향성을 정한다면 충분히 만족스러운 성과를 얻을 수 있을 것입니다.

11장

패시브 인컴 구축하기

1

전자책은 필수다

챗GPT로 수익화하기 좋아서 가장 많은 인기를 끌고 있고 초보자들이 쉽게 시작하는 아이템이 바로 전자책입니다. 하지만 일반적으로 전자책을 판다고 하면 와디즈와 크몽을 많이 거론합니다. 크몽 외에도 전자책을 판매할 수 있는 플랫폼이 다양하게 있으며, 특히 POD 방식의 전자책으로 메이저 서점인 교보문고나 YES24 등에서 판매할 수 있습니다.

이 챕터에서는 제가 챗GPT를 어떻게 활용하여 전자책 혹은 책을 출간했는지 노하우를 공유드리도록 하겠습니다. 판매하기 좋은 전자책 플랫폼 또한 소개해드리도록 하겠습니다. 아마 이번 책 집필 노하우는 대한민국 전자책 챌린지 중 가장 쉽고 누구나 따라할 수 있는 유용한 정보가 될 것으로 생각합니다.

일단 판매할 책의 주제와 맞는 카테고리에서 어떤 책이 베스트셀러인지 찾아보았습니다.

여기서 최소 5권의 책의 목차를 스크랩해줍니다. 일반적으로 교보문고 온라인서점에서는 목차를 보여줍니다(특정 책의 목차를 언급하는 게 어려워 모든 내용은 글로 설명하는 점 양해바랍니다).

5권의 목차를 만들어서 PDF로 만들어 줍니다.

이제는 뭘 해야 할지 감이 오시나요?

맞습니다. 에지 브라우저를 연 다음 뉴빙에 PDF 파일의 내용을 물어볼 겁니다.

우리는 이렇게 프롬프트를 작성할 겁니다.

"왼쪽 챕터에서 반복적으로 등장하는 주제의 챕터를 정리해주실 수 있을까요?"

● ● ● 〈 〉 C Q   ☆ ≡

왼쪽 챕터에서 반복적으로 등장하는 주제의 챕터를 정리해주실 수 있을까요?

✓ "왼쪽 챕터에서 반복적으로 등장하는 주제" 검색 중

✓ 답변을 생성하는 중……

▶ I searched the web for "왼쪽 챕터에서 반복 적으로 등장하는 주제" and found some relevant results. Based on the web page context, some of the chapters that have recurring topics are:

- 3장: ChatGPT 튜토리얼 – This chapter introduces various ways to use ChatGPT for different tasks, such as content creation, programming, translation, summarization, information request, idea generation, and marketing.

- 4장: 블로그 글을 대신 써주는 블로거 ChatGPT – This chapter shows how to use ChatGPT to write blog posts, using chrome extension, google spreadsheet, and web page context.

- 7장: ChatGPT로 엑셀 업무 속도 10배 높이기 – This chapter demonstrates how to use ChatGPT to perform excel tasks, such las calculating totals, filtering data, counting values, and verifying data.

- 10장: ChatGPT로 성공적인 프레젠테이션 준비하기 – This chapter explains how to use ChatGPT to prepare a presentation, such as writing content, making slides, inserting images and text, and writing scripts.

그러면 뉴빙이 반복적으로 등장하는 키워드를 파악하여 정리를 해줍니다. 이 과정이 왜 필요한지 모르실 수 있습니다. 패스트 팔로우 전략을 사용하기 위해 필요한 요소들을 수집하는 것입니다. 이미 판매가 잘되는 책들의 목차는 많은 사람의 평가를 거친 목차일 확률이 높습니다.

그러한 목차를 고객이 관심 있게 찾는다는 방증입니다. 우리는 최소한 이미 잘 팔리고 있는 책들이 어떤 이야기를 공통으로 하는지를 귀기울여 들어봐야 합니다. 일전에는 이렇게 정리하는 게 시간이 굉장히 많이 걸렸다면 지금은 단 몇 분 만에 이런 내용을 다 정리하고 더 완벽한 결과물을 생성할 수 있습니다.

목차가 정해졌으면 거의 절반은 끝난 셈입니다. 목차에 맞게 들어갈 만한 콘텐츠를 찾으면 됩니다. 유튜브 이야기할 때 강하게 말씀드린 내용이지만 본인이 전혀 모르는 내용으로 콘텐츠를 만들게 되면 맹점이 보이게 마련입니다.

독자는 굉장히 똑똑해서 이 사람의 내공을 조금만 읽어보면 바로 알게 됩니다. 나머진 겁먹지 않으셔도 됩니다. 엄청난 책 집필 전문가가 옆에서 다 도와줄 것이니까요.

책을 쓰려고 합니다. 목차는 정해졌습니다. 각 목차에 들어갈 내용으로 어떤 게 좋을지 안내해주세요.

✓ "책을 쓰는 방법" 검색 중

✓ 답변을 생성하는 중……

🅱️ 책을 쓰는 방법에 대해서는 여러 가지가 있지만 기본적으로는 다음과 같은 단계를 거칩니다[1][2][3][4][5][6]:

1. 주제 선정

2. 목차 작성

3. 내용 구성

4. 초안 작성

5. 수정 및 검수

각 목차에 들어갈 내용으로 어떤 게 좋을지는 주제와 목적에 따라 다르기 때문에 더 자세한 안내를 위해서는 책의 주제와 목적을 알려주셔야 합니다. 그래도 도움이 되었는지요?

───────────────────────────────

아직 주제 선정은 되지 않았지만 목차는 작성됐습니다. 그럼 다음 단계인 내용 구성으로 갈 겁니다.

"책을 쓰려고 합니다. 목차는 정해졌습니다. 각 목차에 들어갈 내용으로 어떤 게 좋을지 안내해주세요." 우리는 이렇게 프롬프트를 작성하기만 하면 됩니다. 그랬더니 이와 같은 답변을 주었네요.

"각 목차에 들어갈 내용으로 어떤 게 좋을지는 주제와 목적에 따라 다르기 때문에 더 자세한 안내를 위해서는 책의 주제와 목적을 알려주셔야 합니다."라고 답변을 주었네요. 그럼 이 부분에 대해 답변을 해보도록 하겠습니다.

▶️ 주제와 목적이 명확하게 정해져 있으시군요. 작성하시는 책의 목차를 보내주셔서 감사합니다.

목차를 보면서 내용 구성에 대한 조언을 드리자면 1부에서는 챗GPT가 어떤 혁신을 가져왔는지에 대해 설명하고 있습니다. 이 부분에서는 챗GPT의 탄생, 주목받는 이유, 그리고 새로운 서비스들이 출몰하고 있는지 등에 대해 다루고 있습니다.

2부에서는 챗GPT를 활용하여 퍼스널 브랜딩을 시작하는 방법에 대해 다루고 있습니다. 이 부분에서는 인공지능 시대에 왜 퍼스널 브랜딩이 더욱 중요해졌는지, 브랜딩 빌딩의 펀더멘털 학습시키기, 그리고 챗GPT로 브랜드 세계관과 성장 스토리 뽑기 등에 대해 다루고 있습니다.

3부에서는 챗GPT 등장 이후의 브랜딩 방법에 대해 다루고 있습니다. 이 부분에서는 10년 차 시장조사 분석가 세팅, 마케팅 총괄 기획자 세팅, SNS 마케팅 집행과 콘텐츠 제작자 세팅 등에 대해 다루고 있습니다. 4부에서는 챗GPT로 고객이 몰려오는 마케팅 설계하는 방법에 대해 다루고 있습니다. 이 부분에서는 타깃 고객을 저격한 가치 사다리를 설계하는 방법, 챗GPT로 나만의 차별화 전략 수립하는 방법, 후킹·스토리·거부할 수 없는 제안의 놀라운 효과 등에 대해 다루고 있습니다.

5부에서는 챗GPT로 자동수익 시스템을 만드는 방법에 대해 다루고 있습니다. 이 부분에서는 유튜브를 활용한 수익창출 방법과 전자책을 활용한 패시브 인컴 구축 방법 등에 대해 다루고 있습니다.

위 내용들을 참고하면서 내용 구성을 하시면 좋을 것 같습니다. 추가적인 질문이 있으시면 언제든지 물어보세요!

⟨?⟩ 챗GPT로 자동수익 시스템을 만드는 방법은 어떤 것이 있나요?   챗GPT를 활용하여 퍼스널 브랜딩을 하는 방법은?   챗GPT로 마케팅 비밀공식 구현하기

목차를 입력하니 각 목차에 대해 어떤 식으로 내용 구성을 했는지 빙이 요약을 해줍니다.

위 목차 내용을 토대로 초안을 작성하려고 합니다. 도와주세요. 5부에서는 챗GPT로 자동수익 시스템을 만드는 방법에 대해 다루고 있습니다. 이 부분에서는 유튜브를 활용한 수익창출 방법과 전자책을 활용한 패시브 인컴 구축 방법 등에 대해 다루고 있습니다. 이 부분부터 초안 작성에 필요한 내용이 무엇인지 알려주세요.

▷ 이 부분에서는 챗GPT로 자동수익 시스템을 만드는 방법에 대해 다루고 있습니다. 유튜브를 활용한 수익창출 방법과 전자책을 활용한 패시브 인컴 구축 방법 등에 대해 다루고 있다고 하셨는데요. 초안 작성에 필요한 내용은 이 부분에서 다루는 내용을 구체적으로 어떻게 작성할 것인지에 대한 것일까요? 예를 들어 유튜브를 활용한 수익창출 방법에 대해서는 어떤 내용을 다룰 것인지, 전자책을 활용한 패시브 인컴 구축 방법에 대해서는 어떤 내용을 다룰 것인지 등에 대해 구체적으로 알려주시면 더욱 도움이 될 것 같습니다.

> 유튜브를 활용한 수익창출 방법에 대해 자세히 알려주세요   전자책을 활용한 패시브 인컴 구축 방법에 대해 자세히 알려주세요

초안 작성 방법을 알려주세요

"위 목차 내용을 토대로 초안을 작성하려고 합니다. 도와주세요." 5부에서는 챗GPT로 자동수익 시스템을 만드는 방법에 대해 다루고 있습니다. 이 부분에서는 "유튜브를 활용한 수익창출 방법과 전자책을 활용한 패시브 인컴 구축 방법 등에 대해 다루고 있습니다."

이 부분부터 "초안 작성에 필요한 내용이 무엇인지 알려주세요"라고 프롬프트를 작성했더니 어떤 내용이 필요한지 질문을 해주었습니다.

이 질문에 답변을 해주시면 좋겠지만 답변을 안 하셔도 문제없습니다. 마이크로 소프트의 뉴빙의 코파일럿이 우리를 안내해주니까요.

아래에

① 유튜브를 활용한 수익창출 방법에 대해 자세히 알려주세요.

② 전자책을 활용한 패시브 인컴 구축 방법에 대해 자세히 알려주세요.

③ 초안 작성 방법을 알려주세요.

위의 3개의 질문을 캡처해놓습니다.

차례 차례 물어보면서 질문의 물꼬를 터주시면 됩니다.

그럼 저는 유튜브를 활용한 수익창출 방법에 대해 아무것도 모르는 초보자라고 가정하고 빙에게 한번 질문을 해보도록 하겠습니다.

유튜브를 활용한 수익창출 방법에 대해 자세히 알려주세요.

✓ "유튜브 수익창출 방법" 검색 중

✓ 답변을 생성하는 중……

▶️ 유튜브 수익창출 방법에 대해 알려드리겠습니다. 유튜브에서 수익을 창출하려면 유튜브 파트너 프로그램에 가입해야 합니다. 이를 위해서는 구독자 1,000명과 최근 1년 동안 시청시간이 4,000시간 이상이어야 합니다 [1][2]. 이 조건을 충족하면 유튜브 스튜디오에서 수익창출을 설정할 수 있습니다[3]. 수익창출 방법으로는 광고 수익 외에도 팬덤 상품 판매와 후원 등이 있습니다[2].

위 내용을 바탕으로 초안 작성을 하시면 될 것 같습니다.

자세한 정보: 1. blog.naver.com 2. support.google.com 3. support.google.com +3 더 보기

위의 내용이 다소 부족할 수 있습니다.

걱정하지 마세요. 빙에는 창의모드가 있습니다. 이를 활용하면

더 긴 글의 답변을 받을 수 있습니다.

● ● ● ‹ › ⟳ ⌕   ☆ ≡

패시브 인컴 구축 방법 등에 대해 다루고 있습니다. 이 부분부터 초안 작성에 필요한 내용 중 유튜브를 활용한 수익창출 방법에 대해 자세히 알려주세요.

✓ "챗GPT로 유튜브 수익창출 방법" 검색 중

✓ "챗GPT로 유튜브 수익창출 방법" 검색 중

✓ 답변을 생성하는 중……

▶️ 챗GPT로 유튜브 수익창출 방법에 대해 자세히 알려드리겠습니다.

유튜브는 인터넷에서 가장 큰 동영상 플랫폼으로 수많은 시청자와 광고주를 보유하고 있습니다. 유튜브에서는 콘텐츠를 제작하고 업로드하는 크리에이터들에게 광고 수익과 다양한 수익창출 기능을 제공합니다. 챗GPT는 인공지능 챗봇 기술로서 다양한 주제와 언어에 대해 높은 수준의 글과 대화를 생성할 수 있습니다. 챗GPT를 유튜브에 활용하면 콘텐츠 제작과 마케팅에 도움이 되는 다음과 같은 방법들이 있습니다.

• 스크립트 자동 생성: 챗GPT에게 유튜브 영상의 주제와 목적을 입력하면 적절한 스크립트를 자동으로 생성해 줍니다. 예를 들어 "챗GPT로 돈 버는 방법에 대해 설명하는 유튜브 영상 스크립트를 만들어."라고 입력하면 다음과 같은 스크립트가 나올 수 있습니다.

안녕하세요 여러분! 오늘은 챗GPT라는 인공지능 챗봇 기술을 이용해서 돈을 버는 방법에 대해 알려드리려고 합니다. 챗GPT는 오픈AI에서 개발한 혁신적인 기술로서 다양한 주제와 언어에 대해 높은 수준의 글과 대화를 생성할 수 있습니다. 챗GPT를 활용하면 글쓰기, 유튜브, 코드 작성 등 여러 분야에서 수익을 창출할 수 있는데요. 이번 영상에서는 그중에서도 유튜브를 활용한 수익창출 방법에 대해 자세히 알아보겠습니다.

유튜브는 인터넷에서 가장 큰 동영상 플랫폼으로 수많은 시청자와 광고주를 보유하고 있습니다. 유튜브에서는 콘텐츠를 제작하고 업로드하는 크리에이터들에게 광고 수익과 다양한 수익창출 기능을 제공합니다. 예를 들어 채널 멤버십, 슈퍼챗, 슈퍼스티커, 슈퍼땡스 등의 기능을 통해 팬들과 소통하면서 추가적인 수익을 얻을 수 있습니다. 또한 유튜브 프리미엄 구독자가 크리에이터의 콘텐츠를 시청하면 구독료의 일부가 지급됩니다.

하지만 유튜브에서 수익을 창출하기 위해서는 우선 좋은 콘텐츠를 만들 자들의 관심과 니즈를 충족시키면서도 광고주 친화적인 콘텐츠입니다.

하지만 유튜브에서 수익을 창출하기 위해서는 우선 좋은 콘텐츠를 만들어야 합니다. 좋은 콘텐츠란 시청자들의 관심과 니즈를 충족시키면서도 광고주 친화적인 콘텐츠입니다. 이런 콘텐츠를 만들기 위해서는 주제 선정, 스크립트 작성, 영상 편집 등 많은 과정이 필요합니다. 그리고 이런 과정들은 시간과 노력이 많이 들어가는 작업입니다.

여기서 챗GPT가 큰 도움이 됩니다. 챗GPT는 인공지능 챗봇 기술로서 다양한 주제와 언어에 대해 높은 수준의 글과 대화를 생성할 수 있습니다. 챗GPT에게 유튜브 영상의 주제와 목적을 입력하면 적절한 스크립트를 자동으로 생성해줍니다. 예를 들어 "챗GPT로 돈 버는 방법에 대해 설명하는 유튜브 영상 스크립트를 만들어줘."라고 입력하면 방금 전 읽으신 스크립트가 나온 것입니다.

이렇게 챗GPT로 스크립트를 자동으로 생성하면 시간과 노력을 절약할 수 있습니다. 또한 챗GPT는 다양한 언어와 문체를 지원하기 때문에 원하는 언어와 톤으로 스크립트를 만들 수 있습니다. 예를 들어 영어로 스크립트를 만들고 싶다면 "Make a YouTube video script about how to make money with ChatGPT in English"라고 입력하면 됩니다.

그리고 이렇게 만든 스크립트를 바탕으로 영상을 제작하면 됩니다. 영상 제작도 인공지능 영상 편집 프로그램인 브루를 함께 활용하면 더욱 편리합니다. 브루는 음성 인식 기능을 통해 스크립트와 영상을 자동으로 맞춰주고, 필요한 장면과 효과를 추가해줍니다. 브루와 챗GPT를 결합하면 유튜브 영상 제작이 아주 간단해집니다.

이렇게 유튜브 영상을 제작하고 업로드하면 수익창출 기능을 활성화할 수 있습니다. 단, 기능마다 별도의 요건이 있으므로 확인하세요. 예를 들어 광고 수익을 받으려면 구독자가 1,000명 이상이고 조회수가 4,000시간 이상이어야 합니다. 그리고 광고주 친화적인 콘텐츠 가이드라인을 준수하는 것도 중요합니다.

유튜브에서 수익을 창출하는 방법은 이것뿐만이 아닙니다. 챗GPT로 다른 사람들의 유튜브 영상을 분석하고 리뷰하는 영상도 만들 수 있습니다. 예를 들어 "유행하는 유튜브 영상 3개를 분석하고 리뷰하는 영상 스크립트를 만들어줘."라고 입력하면 다음과 같은 스크립트가 나올 수 있습니다.

안녕하세요 여러분! 오늘은 최근 유행하는 유튜브 영상 3개를 분석하고 리뷰해보려고 합니다. 요즘 유행하는 유튜브 영상은 어떤 것들일까요? 저는 다음

■ 응답 중지

보이십니까? 창의모드에서는 더 긴 답변을 제공받을 수 있습니다. 여기서 우리는 창의모드와 균형모드를 동시에 질문하면서 답변을 이어가면서 내용을 채우면 됩니다. 그럼 답변을 내준 내용을 천천히 읽어보면서 여기서 더 질문을 통해 도출할 수 있는 답변이 없는지 체크해주시기 바랍니다.

저는 아까 균형모드에서 답한 내용 중 "수익창출 방법으로는 광고 수익 외에도 팬덤 상품 판매와 후원 등이 있습니다." 이 부분에 대해서 좀 더 자세히 알아보면 좋을 것 같다고 판단했습니다.

챗GPT를 활용한 유튜브 수익창출 방법 중 팬덤 상품 판매에 대해 자세히 알려주세요.

✓ "챗GPT 팬덤 상품 판매" 검색 중

✓ 답변을 생성하는 중……

▶ 네. 알겠습니다. 팬덤 상품 판매에 대해 자세히 알려드리겠습니다.

팬덤 상품 판매란 크리에이터가 자신의 브랜드나 캐릭터를 담은 상품을 판매하는 것입니다. 예를 들어 티셔츠, 모자, 스티커, 마우스패드 등의 상품을 제작하고 유튜브 채널에 연결된 자신의 스토어에서 판매할 수 있습니다. 이렇게 하면 크리에이터는 자신의 브랜딩을 강화하고 팬들과의 소통을 증진할 수 있습니다.

유튜브에서 팬덤 상품을 판매하려면 유튜브 쇼핑 기능을 활용할 수 있습니다. 유튜브 쇼핑은 유튜브 채널에 스토어 탭을 만들어 쇼핑몰처럼 상품을 진열하고 동영상과 라이브 스트림에도 제품을 추천하는 기능입니다. 유튜브 쇼핑을 사용하려면 다음과 같은 요건을 충족해야 합니다[1].

• 자격 기준 충족: 유튜브 파트너 프로그램에 가입하고 구독자 1만 명 이상 이어야 합니다.

• 유튜브에 스토어 연결: 카페24와 같은 전자상거래 플랫폼과 연동하여 자신의 스토어를 유튜브에 연결합니다.

• 제품 구성: 시청자에게 표시할 위치와 순서를 결정하여 제품을 구성합니다.

유튜브 쇼핑으로 판매한 제품의 실적과 수익은 카페24와 같은 전자상거래 플랫폼에서 확인할 수 있습니다[1].

챗GPT를 활용한 팬덤 상품 판매 사례로는 다음과 같은 것들이 있습니다.

• 챗GPT가 쓴 최초의 책: 『삶의 목적을 찾는 45가지 방법』은 인간 출판 기획자의 기획안을 바탕으로 챗GPT가 쓴 최초의 책입니다. 집필부터 출간까지 전 과정이 단 7일 만에 끝나 화제를 모았습니다[2].

• 챗GPT와 대화하는 인공지능 티셔츠: 'AI TALK'은 챗GPT와 대화할 수 있는 인공지능 티셔츠입니다. 티셔츠에 부착된 QR 코드를 스마트폰으로 인식하면 챗GPT와 대화할 수 있는 웹사이트로 연결됩니다. 챗GPT는 사용자의 질문에 따라 다양한 답변을 제공합니다.

• 챗GPT가 만든 웹툰: 'AI 웹툰'은 챗GPT가 만든 웹툰입니다. 챗GPT는 사용자가 입력한 장르, 주인공, 줄거리 등에 따라 웹툰의 대본과 그림을 생성합니다. 사용자는 웹툰을 보고 평가하거나 수정할 수 있습니다.

이렇게 챗GPT를 활용한 팬덤 상품 판매는 크리에이터와 팬들 사이의 교감과 참여를 높여줄 수 있으며 차별화된 경쟁력을 갖출 수 있습니다.

자세한 정보: 1. newswire.co.kr 2. ascentkorea.com 3. dt.co.kr

? 답변 감사합니다. | 챗GPT를 활용한 팬덤 상품 판매 시 주의할 점은 무엇인가요? | 챗GPT를 활용한 팬덤 상품 판매 외에도 다른 활용 방법은 없나요?

이러한 답변을 통해 우리는 글을 써내려갈 수 있습니다.

이 정도까지 따라오셨고 이전의 내용을 다 읽으셨다면 우리가 해야 할 일이 많지 않음을 느끼셨을 겁니다. 우리는 질문하고 질문을 통해 얻어진 답변들 가운데 다음 물어볼 질문을 수집하고 뉴빙의 코파일럿이 제공해주는 내용들 중 질문으로 활용하면 좋을 내용들을 수집하기만 하면 됩니다. 목차와 초안 작성이 끝난다면 75%는 완성된 셈입니다. 챕터마다 초안이 작성되었다면 그 초안을 좀 더 확장해보는 일 또한 어렵지 않습니다.

위 목차대로 책을 출간하려고 합니다.
5부에서는 챗GPT로 자동수익 시스템을 만드는 방법에 대해 다루고 있습니다. 이 부분에서는 유튜브와 전자책을 활용한 수익창출 방법에 대해 다루려고 합니다. 초안을 작성해주세요.

✓ "챗GPT" 검색 중

✓ 답변을 생성하는 중……

▶ 안녕하세요. 저는 챗GPT라고 합니다. 챗GPT는 오픈AI가 개발한 프로토타입 대화형 인공지능 챗봇이며 GPT-3.5와 GPT-4를 기반으로 하는 언어모델입니다. 저는 책을 출간하려는 분들에게 도움을 드리고자 만들어졌습니다. 저는 책의 초안을 작성해드릴 수 있습니다. 다만 저는 정보의 정확도가 보장되지 않으므로 저의 내용을 그대로 인용하기보다는 참고하시기 바랍니다.

책의 목차를 보니 챗GPT를 활용한 마케팅과 수익창출에 대해 다루고 있으시군요. 아주 흥미로운 주제라고 생각합니다. 5부에서는 유튜브와 전자책을 활용한 수익창출 방법에 대해 다루려고 하시는데요. 그에 대한 초안을 작성해드리겠습니다.

자세한 정보: 1. namu.wiki 2. jujoo35.tistory.com 3. 0gameconomy.tistory.com +3 더 보기

[5부 챗GPT로 자동수익 시스템 만들기]
인공지능 시대에 살아남기 위해서는 자동화된 수익 시스템을 구축하는 것이

필수입니다. 챗GPT를 활용하면 복잡하고 어려운 작업들을 간단하고 빠르게 처리할 수 있습니다. 이번 장에서는 챗GPT를 이용하여 유튜브와 전자책을 통해 수익을 창출하는 방법에 대해 알아보겠습니다.

1장 무조건 유튜브다

유튜브는 현재 가장 인기 있고 영향력 있는 온라인 플랫폼입니다. 유튜브를 통해 다양한 주제와 장르의 콘텐츠를 제작하고 공유할 수 있으며 광고수익과 스폰서십 등을 통해 수익을 얻을 수 있습니다. 하지만 유튜브 콘텐츠 제작은 쉬운 일이 아닙니다. 영상 기획, 촬영, 편집, 업로드 등 많은 시간과 노력이 필요합니다. 그렇다면 챗GPT를 이용하면 어떻게 될까요?

1.1 사람들은 챗GPT로 지금 어떻게 돈 벌고 있을까?

챗GPT는 유튜브 콘텐츠 제작에 필요한 여러 가지 작업을 도와줄 수 있습니다. 예를 들어

- 영상 주제와 제목을 정하는 데 도움을 줄 수 있습니다. 챗GPT에게 원하는 장르나 키워드를 입력하면 관련된 주제와 제목을 추천해줍니다.
- 영상 스크립트를 작성하는 데 도움을 줄 수 있습니다. 챗GPT에게 영상의 개요나 목적을 입력하면 적절한 스크립트를 생성해줍니다.
- 영상 편집을 자동화할 수 있습니다. 챗GPT에게 영상의 스타일이나 분위기를 입력하면 적절한 음악, 효과, 자막 등을 적용해줍니다.
- 영상 SEO를 최적화할 수 있습니다. 챗GPT에게 영상의 주제와 키워드를 입력하면 관련된 태그, 해시태그, 설명 등을 생성해줍니다.

이렇게 챗GPT를 이용하면 유튜브 콘텐츠 제작에 필요한 시간과 노력을 크게 줄일 수 있습니다. 또한 챗 GPT는 학습 능력이 뛰어나기 때문에 사용자의 피드백과 선호도에 따라 점점 더 나은 결과물을 만들어낼 수 있습니다.

이렇게 초안을 작성했다고 하고선 여기서 제시해준 글을 확장하여 어떻게 글을 쓰는지 알아보도록 하겠습니다.

앞의 목차대로 책을 출간하려고 합니다.

"5부에서는 챗GPT로 자동수익 시스템을 만드는 방법에 대해 다루고 있습니다. 이 부분에서는 유튜브와 전자책을 활용한 수익창출 방법에 대해 다루려고 합니다. 초안을 작성해주세요."라고 프롬

프트를 입력하니 초안을 작성해주었습니다.

밑에 많은 글이 입력되었지만 확장을 하기 위한 초안 부분만 복사해서 글을 확장해보도록 하겠습니다.

[5부 챗GPT로 자동수익 시스템 만들기]

인공지능 시대에 살아남기 위해서는 자동화된 수익 시스템을 구축하는 것이 필수입니다. 챗GPT를 활용하면 복잡하고 어려운 작업들을 간단하고 빠르게 처리할 수 있습니다. 이번 장에서는 챗GPT를 이용하여 유튜브와 전자책을 통해 수익을 창출하는 방법에 대해 알아보겠습니다.

1장 무조건 유튜브다

유튜브는 현재 가장 인기 있고 영향력 있는 온라인 플랫폼입니다. 유튜브를 통해 다양한 주제와 장르의 콘텐츠를 제작하고 공유할 수 있으며, 광고수익과 스폰서십 등을 통해 수익을 얻을 수 있습니다. 하지만 유튜브 콘텐츠 제작은 쉬운 일이 아닙니다. 영상 기획, 촬영, 편집, 업로드 등 많은 시간과 노력이 필요합니다. 그렇다면 챗GPT를 이용하면 어떻게 될까요?

1.1 사람들은 챗GPT로 지금 어떻게 돈 벌고 있을까?

GPT는 유튜브 콘텐츠 제작에 필요한 여러 가지 작업을 도와줄 수 있습니다. 예를 들어 영상 주제와 제목을 정하는 데 도움을 줄 수 있습니다. GPT에게 원하는 장르나 키워드를 입력하면 관련된 주제와 제목을 추천해줍니다.

영상 스크립트를 작성하는 데 도움을 줄 수 있습니다. 챗GPT에게 영상의 개요나 목적을 입력하면 적절한 스크립트를 생성해줍니다.

영상 편집을 자동화할 수 있습니다. 챗GPT에게 영상의 스타일이나 분위기를 입력하면 적절한 음악, 효과, 자막 등을 적용해줍니다.

영상 SEO를 최적화할 수 있습니다. 챗GPT에게 영상의 주제와 키워드를 입력하면 관련된 태그, 해시태그, 설명 등을 생성해줍니다.

이렇게 챗GPT를 이용하면 유튜브 콘텐츠 제작에 필요한 시간과 노력을 크게 줄일 수 있습니다. 또한 챗 GPT는 학습 능력이 뛰어나기 때문에 사용자의 피드백과 선호도에 따라 점점 더 나은 결과물을 만들어낼 수 있습니다. 라고 초안을 작성해주셨는데 이 부분의 내용을 좀 더 확장하고 싶습니다. '영상 주제와 제목을 정하는 데 도움을 줄 수 있습니다. 챗GPT에게 원하는 장르나 키워드를 입력하면 관련된 주제와 제목을 추천해줍니다.'라고 답한 부분의 초안을 좀 더 자세히 설명해주세요.

저는 앞에서 답한 내용들을 복사한 후 그중 특정한 문장들을 다시 한번 자세히 서술해달라고 요청했습니다.

"라고 초안을 작성해주셨는데 이 부분의 내용을 좀 더 확장하고 싶습니다. '영상 주제와 제목을 정하는 데 도움을 줄 수 있습니다. 챗GPT에게 원하는 장르나 키워드를 입력하면 관련된 주제와 제목을 추천해줍니다.'라고 답한 부분의 초안을 좀 더 자세히 설명해주세요."

✓ 답변을 생성하는 중……

영상 주제와 제목을 정하는 데 도움을 줄 수 있습니다. 챗GPT에게 원하는 장르나 키워드를 입력하면 관련된 주제와 제목을 추천해줍니다.

이 부분에 대해 좀 더 자세히 설명해드리겠습니다.

유튜브 영상의 주제와 제목은 영상의 성공 여부에 큰 영향을 미칩니다. 주제는 시청자들의 관심과 니즈를 충족시킬 수 있는지, 제목은 주제를 잘 표현하고 유혹할 수 있는지가 중요합니다. 하지만 적절한 주제와 제목을 찾는 것은 쉽지 않습니다. 그래서 챗GPT를 활용하면 편리합니다.

챗GPT는 인공지능 언어모델로서 다양한 텍스트를 생성하고 이해할 수 있습니다. 챗GPT에게 원하는 장르나 키워드를 입력하면 그에 맞는 주제와 제목을 추천해줍니다. 예를 들어 "인공지능"이라는 키워드를 입력하면 다음과 같은 주제와 제목을 받을 수 있습니다.

- 인공지능이 사람의 감정을 읽을 수 있을까? – 인공지능 감정 인식 기술의 원리와 활용
- 인공지능으로 만든 음악이 얼마나 실제와 비슷할까? – 인공지능 작곡가의 비밀과 성과
- 인공지능과 대화할 수 있는 챗봇은 어떻게 만들어질까? – 챗봇 개발의 기초와 실습
- 인공지능이 우리의 일상을 어떻게 바꿀까? – 인공지능의 사회적 영향과 윤리적 고민

- 인공지능으로 사람보다 똑똑한 로봇을 만들 수 있을까? - 인공지능 로봇의 한계와 가능성

이렇게 챗GPT는 원하는 키워드에 따라 다양한 주제와 제목을 생성해줍니다. 이때 챗GPT는 인터넷에서 수집한 데이터를 바탕으로 학습하기 때문에 현재 유행하는 트렌드나 검색어를 반영할 수 있습니다. 또한 챗GPT는 사용자의 피드백에 따라 점점 더 나은 결과물을 만들어낼 수 있습니다. 예를 들어 챗GPT가 추천한 주제나 제목이 마음에 들지 않을 때 왜 그렇게 생각하는지 이유를 설명해주면 그 이유를 반영하여 다른 주제나 제목을 추천해줄 수 있습니다.

이렇게 챗GPT를 이용하면 유튜브 영상의 주제와 제목을 쉽고 빠르게 정할 수 있습니다. 또한 챗GPT는 주제와 제목 외에도 영상 스크립트, 편집, SEO 등 다른 작업들도 도와줄 수 있습니다. 챗GPT는 유튜브 콘텐츠 제작의 최고의 파트너가 될 수 있습니다.

자세한 정보: 1. brunch.co.kr   2. shin-tube.tistory.com   3. blog.naver.com   4.post.naver.com

? 챗GPT가 추천한 주제나 제목은 얼마나 정확하고 효과적인가?   챗GPT에게 원하는 참고나 키워드를 어떻게 입력해야 하나?

이런 식으로 한 번 더 자세히 서술해주는 것을 보실 수 있습니다.

그러면 여기서 또 한 번 내용을 정리해서 한 번 더 질문을 해도 좋지만 그러면 글이 굉장히 길어질 수가 있습니다. 이 답변의 내용들을 또 한 번 질문하기보다 이전 단계에서 질문을 멈추는 게 좋을 것 같다는 게 제 견해입니다.

이런 식으로 작성된 초안을 바탕으로 질문하고 그 질문에 대한 답변을 통해 질문하는 방식으로 나아가고 이를 통해 글을 엄청나게 확장시켜주는 것입니다.

그 내용이 지루하지 않겠냐고요? 제가 작성해본 결과 일반인이 쓰는 웬만한 글들보다 가독성이 높았던 것 같습니다. 만약에 이 부분 또한 고민이 된다면 조금만 더 노력을 기울이면 됩니다. 작

성된 글들을 챕터의 장마다 빙을 띄워놓고 "이 내용을 좀 더 가독성 있게 혹은 좀 더 강한 어조로 바꿔줄 수 있어?"라고 물어본다면 좀 더 새로우면서도 내가 원하는 방향성의 내용으로 채울 수 있을 겁니다.

영상 주제와 제목을 정하는 데 도움을 줄 수 있습니다. 챗GPT에게 원하는 장르나 키워드를 입력하면 관련된 주제와 제목을 추천해줍니다.

이 부분에 대해 좀 더 자세히 설명해드리겠습니다.

유튜브 영상의 주제와 제목은 영상의 성공 여부에 큰 영향을 미칩니다. 주제는 시청자들의 관심과 니즈를 충족시킬 수 있는지, 제목은 주제를 잘 표현하고 유혹할 수 있는지가 중요합니다. 하지만 적절한 주제와 제목을 찾는 것은 쉽지 않습니다. 그래서 챗GPT를 활용하면 편리합니다.

챗GPT는 인공지능 언어모델로서 다양한 텍스트를 생성하고 이해할 수 있습니다. 챗GPT에게 원하는 장르나 키워드를 입력하면 그에 맞는 주제와 제목을 추천해줍니다. 예를 들어 "인공지능"이라는 키워드를 입력하면 다음과 같은 주제와 제목을 받을 수 있습니다.

- 인공지능이 사람의 감정을 읽을 수 있을까? – 인공지능 감정 인식 기술의 원리와 활용
- 인공지능으로 만든 음악이 얼마나 실제와 비슷할까? – 인공지능 작곡가의 비밀과 성과
- 인공지능과 대화할 수 있는 챗봇은 어떻게 만들어질까? – 챗봇 개발의 기초와 실습
- 인공지능이 우리의 일상을 어떻게 바꿀까? – 인공지능의 사회적 영향과 윤리적 고민
- 인공지능으로 사람보다 똑똑한 로봇을 만들 수 있을까? – 인공지능 로봇의 한계와 가능성

이렇게 챗GPT는 원하는 키워드에 따라 다양한 주제와 제목을 생성해줍니다. 이때 챗GPT는 인터넷에서 수집한 데이터를 바탕으로 학습하기 때문에 현재 유행하고 있는 트렌드나 검색어를 반영할 수 있습니다. 또한 챗GPT는 사용

자의 피드백에 따라 점점 더 나은 결과물을 만들어낼 수 있습니다. 예를 들어 챗GPT가 추천한 주제나 제목이 마음에 들지 않을 때 왜 그렇게 생각하는지 이유를 설명해주면 그 이유를 반영하여 다른 주제나 제목을 추천해줄 수 있습니다.

이렇게 챗GPT를 이용하면 유튜브 영상의 주제와 제목을 쉽고 빠르게 정할 수 있습니다. 또한 챗GPT는 주제와 제목 외에도 영상 스크립트, 편집, SEO 등 다른 작업들도 도와줄 수 있습니다. 챗GPT는 유튜브 콘텐츠 제작의 최고의 파트너가 될 수 있습니다.

자세한 정보: 1. brunch.co.kr 2. shin-tube.tistory.com 3. blog.naver.com 4.post.naver.com

유튜브 영상의 주제와 제목은 영상의 성공 여부를 결정짓습니다. 시청자들이 관심 있고 필요로 하는 주제를 고르고 주제를 잘 표현하고 유혹하는 제목을 쓰는 것이 필수입니다. 하지만 적절한 주제와 제목을 찾는 것은 쉽지 않은 일입니다. 그래서 챗GPT를 활용해야만 합니다.

챗GPT는 인공지능 언어모델로서 다양한 텍스트를 생성하고 이해할 수 있는 능력을 가지고 있습니다. 챗 GPT에게 원하는 장르나 키워드를 입력하면 그에 맞는 주제와 제목을 추천해줍니다. 예를 들어 "인공지능"이라는 키워드를 입력하면 다음과 같은 주제와 제목을 받을 수 있습니다.

인공지능이 사람의 감정을 읽을 수 있다고? – 인공지능 감정 인식 기술의 놀라운 원리와 활용법 인공지능으로 만든 음악은 실제와 얼마나 닮았다고? – 인공지능 작곡가의 믿기 어려운 성과와 도전 인공지능과 대화할 수 있는 챗봇은 어떻게 만들 수 있다고? – 챗봇 개발의 쉬운 기초부터 재미있는 실습까지 인공지능이 우리의 일상을 어떻게 바꾸고 있다고? – 인공지능의 사회적 영향과 윤리적 고민 인공지능으로 사람보다 똑똑한 로봇을 만들 수 있다고? – 인공지능 로봇의 한계와 가능성

이렇게 챗GPT는 원하는 키워드에 따라 다양한 주제와 제목을 생성해줍니다. 이때 챗GPT는 인터넷에서 수집한 데이터를 바탕으로 학습하기 때문에 현재 유행하는 트렌드나 검색어를 반영할 수 있습니다. 또한 챗GPT는 사용자의 피드백에 따라 점점 더 나은 결과물을 만들어낼 수 있습니다. 예를 들어 챗GPT가 추천한 주제나 제목이 마음에 들지 않을 때 왜 그렇게 생각하는지 이유를 설명해주면 그 이유를 반영하여 다른 주제나 제목을 추천해줄 수 있습니다.

이렇게 챗GPT를 이용하면 유튜브 영상의 주제와 제목을 간단하고 빠르게 정

할 수 있습니다. 그뿐만 아니라 챗GPT는 주제와 제목 외에도 영상 스크립트, 편집, SEO 등 다른 작업들도 도와줄 수 있습니다. 챗GPT는 유튜브 콘텐츠 제작의 최고의 파트너가 될 수 있습니다.

보면 완전히 달라지지 않으면서 어조들을 조금씩 바뀐 걸 확인할 수 있습니다. 확실히 어조가 달라지면서 좀 더 설득력 있는 글로 변환이 됐다고 생각합니다. 여기까지 오셨으면 이제 어떻게 뼈대를 잡고 초안을 작성하며 내용을 채워넣고 글을 다듬는지에 대해 아실 거라고 생각합니다.

챗GPT가 없었다면 한 달 내내 해도 어려운 작업을 단 하루면 작업이 가능하게 된 겁니다. 그렇다면 이제 이렇게 작성된 전자책을 어디서 팔아야 될지 알아보도록 하겠습니다.

첫 번째로는 가장 큰 전자책 시장인 크몽입니다. 크몽은 국내 최대 프리랜서 플랫폼입니다. 숨고나 여러 가지 플랫폼이 있지만 누구나 쉽게 서비스를 팔 수도 있고 다른 사람의 서비스도 살 수 있는 국내 최대 플랫폼으로 가장 많은 유저를 확보하고 있습니다. 전자책을 판매한다면 무조건 판매를 해야 하는 채널 중 하나입니다.

두 번째로는 현재 전자책 시장에서 가장 라이징 채널인 와디즈입니다. 펀딩이라는 개념 자체가 다소 어렵거나 생소하게 다가올 수 있습니다. 하지만 펀딩이기에 고객의 반응을 가장 빠르게 확인할 수 있으며 그 반응에 따라 내용도 추가하거나 뺄 수 있다는 게 매력이라고 생각합니다.

최근에 가장 핫한 이슈였던 챗GPT 관련 수익화 비법서도 3억 정도까지 펀딩이 된 걸 보면 이 시장이 얼마나 핫한지 충분히 느낄 수 있을 거라 생각합니다.

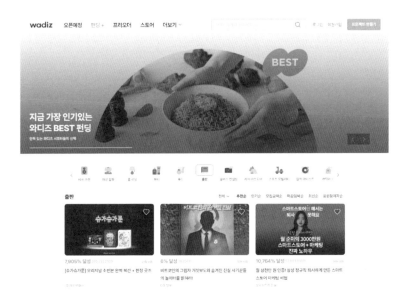

세 번째로는 제가 최근에 테스트해보고 있는 아직 많이 알려지지 않은 소형 플랫폼인데 영향력이 강력하고 커뮤니티 활동이 굉장히 활발하여 판매로도 잘 이어지는 큐리어스입니다.

이 플랫폼을 강력히 추천드리는 이유는 500~5,000원이라는 굉장

큐리어스의 모~든 전자책
500원~5,000원

히 저렴한 가격으로 전자책을 판매하고 있으며 현재 수수료가 0원이
어서 작가들에게 굉장히 파격적인 플랫폼입니다. 커뮤니티가 굉장히
활성화되어 있어 책의 내용만 좋다면 꽤 괜찮은 판매량을 보여주는
플랫폼입니다. 초보자분들이 활용하면 굉장히 파급력이 있다고 생각
하는, 저만 알고 싶은 플랫폼입니다.

네 번재는 아직 일반적인 사람들보다 커뮤니티를 운영하는 분들이 챌린지 형식으로 많이 활용하는 방식인데요. 일반인들도 누구나 쉽게 할 수 있기에 방법만 알면 교보문고나 알라딘 등에서 나만의 전자책을 종이서적으로 출간할 수 있는 POD 방식입니다

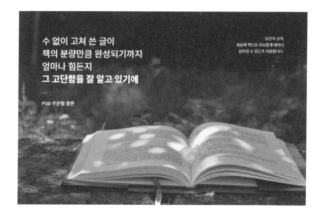

이 방식은 무자본 패시브 인컴을 극대화할 수 있으며 종이책으로도 구매할 수 있어 요즘 전자책 시장에서 떠오르고 있습니다. 다만 일반 시중에 출판하는 책보단 퀄리티가 떨어져 실망한다는 의견들이 있다고 하니 원고 작성 시 깔끔한 편집이 가능한 분들에게 추천을 드립니다.

이렇게 전자책을 쓰는 방법과 판매할 수 있는 채널에 대해 이야기 해봤습니다. 전자책을 출간하는 건 개인의 만족을 위한 부분도 있지만 전자책을 통해 홍보를 하고 나의 가치를 좀 더 표면적으로 보여질 수 있는 부분이기에 반드시 추천을 드립니다.

두려워하지 마시길 바랍니다. 챗GPT가 여러분을 도와줄 것이니까요.

2

| 플랫폼에 올라타라 | Q |

지금 내용은 사실상 최근 3년간 많은 부를 축적한 라이징 스타들이 수익화를 했던 방법들입니다. 그 점화를 유튜브가 켰다면 화룡정점은 강의나 컨설팅이 될 것입니다. 하지만 최근 들어 강의 시장도 구독시스템으로 바뀌면서 수익률이 굉장히 떨어졌습니다. 그래서 대안으로 와디즈에서 클래스를 펀딩하거나 자신의 플랫폼을 만들어 수익을 극대화하는 게 요즘 추세입니다.

개인적인 의견으로는 본인의 플랫폼을 만들어 유입시키는 것을 최종목표로 삼기를 바랍니다. 하지만 초보자분들이 하기에 어려움이 있을 수 있어 처음에는 수수료를 지불하더라도 플랫폼에 이미 확보된 유저를 활용하는 방식을 선택하길 추천드립니다. 어느 정도 나만의 플랫폼과 팬덤이 있다면 무조건 클래스101을 추천드립니다.

클래스 101은 엄청난 활성사용자MAU를 확보한 교육 플랫폼입

지금, 인기 TOP10

신규 클래스

니다. 우리가 흔히 아는 유튜버 분들이 대부분 클래스101에서 강의를 오픈했습니다. 그만큼 업계 최고들이 대거 포진돼 있어 활성 사용자가 많은 플랫폼입니다.

　클래스101에서 강의를 런칭한다는 것은 그 분야에서 어느 정도 인정받은 사람이라는 인식을 줍니다. 나의 가치를 극대화시켜 크리에이터로 지원해보길 적극적으로 추천드립니다. 저희 강의도 곧 런칭될 예정인데 확실히 시스템이 체계적으로 갖춰 있어 워크 플로우를 배우기에도 유용한 플랫폼인 것 같다는 생각을 하게 되었습니다.

패스트캠퍼스

NEW

신규 런칭 강의

네오아카데미 : 2년 안에 프로가 되지   알아서 일하는 진짜 인공지능 Auto-   15개의 프로젝트로 끝내는 Rust &   도전! 온라인으로 월세벌기 : Chat

탈잉

클래스유

라이프해킹스쿨

클래스101 말고도 다양한 플랫폼들이 있습니다. 하지만 저는 무조건 클래스101에 크리에이터로 지원해 선정이 될 수 있도록 문을 두들겨 보는 걸 추천드립니다. 클래스101에 입점돼도 어려운데 작은 플랫폼으로 갈수록 활성사용자가 적기에 파이를 나눠 먹기가 쉽지 않은 게 현실입니다.

이 책을 집필하게 된 이유가 나를 브랜딩하지 않으면 봇물처럼 터진 콘텐츠의 홍수 속에서 살아남기는 더더욱이나 어렵게 될 것이기 때문입니다. 저는 확신합니다. 이제는 나를 브랜딩하지 않으면 어려운 시대가 왔다는 것을. 그렇기에 우리는 팬덤퍼널이라는 회사를 설립했습니다. 사람들이 자신을 브랜딩하는 데 열을 올릴 것이라는 확신이 들었기 때문입니다.

그렇게 생각한 이유가 챗GPT와 인공지능의 발달로 높은 벽이었던 동영상 제작도 점점 쉬워지고 있습니다. 이것은 생산성의 향상을 가져옴과 동시에 진입장벽을 낮추게 돼 포화가 될 것임을 의미하기도 합니다. 그래서 진입장벽이 높았던 특정 독점시장을 형성했던 유튜브의 거대시장으로 대거 사람들이 유입될 것이라는 게 전문가들이 바라보는 관점입니다.

저 또한 그렇게 생각하고 있습니다. 그래서 챗GPT를 활용하여 남들보다 빠르게 이 시장에 진입하여 더 포화가 되기 전에 자리를 잡는 것이 굉장히 중요한 요인이 될 것입니다. 그렇게 유튜브 채널을 활성화시켜 놓는다면 앞에서 이야기했던 대형 플랫폼인 클래스101과 와디즈는 물론 크몽에서도 역으로 입점 제안이 올 것입니다. 그게 아니더라도 나의 가치를 입증하기에 유튜브만한 플랫폼이 없기에 어느 정도의 활성화만 시켜놓는다면 클래스101과 같은 교육 플랫폼에도 입점 승인을 남들보다 어렵지 않게 받을 수 있게 될 겁니다.

이렇게 내가 강의까지 할 정도의 커리어를 쌓았다면 컨설팅은 강력한 보너스가 될 것입니다. 사람들은 강의에서 듣지 못한 무언가가 또 있지 않을까 하는 마음에 컨설팅 의뢰를 많이 합니다. 혹은 강의를 보기도 귀찮고 좀 더 직관적으로 가장 날것의 정보를 얻기 위해 컨설팅을 찾고 있습니다.

여러분이 유튜브 채널이 활성화돼 있고 전자책이나 종이서적을 출간했으며 클래스101과 같은 플랫폼에 강의를 런칭했다면 사람들은 여러분이 궁금해서 컨설팅 제안을 하게 될 것입니다. 이미 당신의 가치는 남들보다 훨씬 더 많이 성장해 있다는 것을 발견하게 될 것입니다. 이러한 모든 내용을 현재 제가 직접 경험하고 있습니다. 챗GPT를 연구하고 1개월 만에 유튜브 구독자 1,000명을 모았으며 그로부터 2개월 뒤에 1,000만 원의 수익을 발생시켰고 강의는 물론 이렇게 지금 책 출간까지 하고 있으니 말입니다.

전 이제부터가 시작이라고 생각합니다. 3개월 뒤 10배는 더 성장해 있을 거라고 예상하는데요. 그렇게 되기 위해 더 열심히 노력할 것입니다. 앞에서 말했던 방식대로 말입니다. 그러니 이 책을 통해 나의 가치를 챗GPT를 활용해 브랜딩한다면 여러분도 할 수 있으리라 확신합니다. 다만 정말 최선의 노력을 다한다면 말입니다.

챗GPT로 퍼스널 브랜딩에서 수익화까지

초판 1쇄 발행 2023년 10월 6일
초판 2쇄 발행 2024년 6월 12일

지은이 김윤경 허민
펴낸이 안현주

기획 류재운 **편집** 안선영 김재열 **브랜드마케팅** 이승민 **영업** 안현영
디자인 표지 정태성 **본문** 장덕종

펴낸 곳 클라우드나인   **출판등록** 2013년 12월 12일(제2013-101호)
주소 우) 03993 서울시 마포구 월드컵북로 4길 82(동교동) 신흥빌딩 3층
전화 02-332-8939   **팩스** 02-6008-8938
이메일 c9book@naver.com

값 23,000원
ISBN 979-11-92966-37-3 03320